RECETTES SIMPLISSIMES

ANNE WILLAN

RECETTES SIMPLISSIMES

•MARABOUT•

S O M

M A I R E

LES ENTRÉES

BLINIS ET SAUMON FUMÉ

POUR 8 PERSONNES — PRÉPARATION : DE 25 À 30 MIN* — CUISSON : DE 8 À 16 MIN

ÉQUIPEMENT

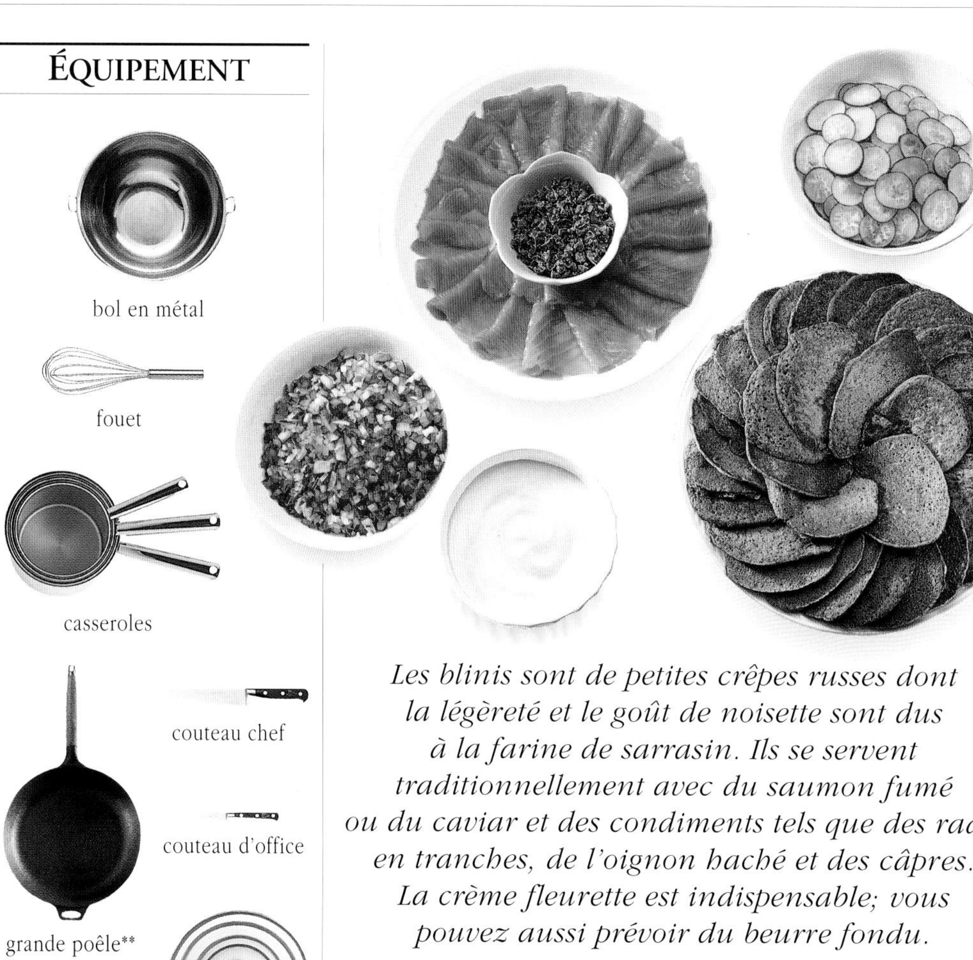

palette

passoire en toile métallique

louche

spatule en caoutchouc

cuiller en bois

** ou plaque à pâtisserie

Les blinis sont de petites crêpes russes dont la légèreté et le goût de noisette sont dus à la farine de sarrasin. Ils se servent traditionnellement avec du saumon fumé ou du caviar et des condiments tels que des radis en tranches, de l'oignon haché et des câpres. La crème fleurette est indispensable; vous pouvez aussi prévoir du beurre fondu.

**plus 2 à 3 h de repos*

LE MARCHÉ

25 cl de lait, ou plus
1 1/2 cuil. à café de levure chimique ou 10 g de levure de boulanger
4 cuil. à soupe d'eau tiède
60 g de farine de blé supérieure
100 g de farine de sarrasin
1/2 cuil. à café de sel
2 œufs
60 g de beurre, ou plus
2 cuil. à soupe de crème fleurette

Pour les condiments

1 petit oignon rouge
2 ou 3 cuil. à soupe de câpres
8 radis
175 g de saumon fumé en tranches
20 cl de crème fleurette, pour servir
125 g de beurre, pour servir (facultatif)

INGRÉDIENTS

DÉROULEMENT

1 PRÉPARER LA PÂTE

2 PRÉPARER LES CONDIMENTS

3 CUIRE LES BLINIS

1 PRÉPARER LA PÂTE À BLINIS

1 Versez 3/4 du lait dans une casserole et portez à ébullition sur feu moyen. Laissez tiédir.

2 Émiettez la levure dans un petit bol contenant de l'eau tiède et laissez-la gonfler 5 min.

3 Tamisez les farines de blé et de sarrasin assaisonnées d'une pincée de sel au-dessus d'un grand bol. Creusez un puits au centre.

La farine de sarrasin donne à la pâte un aspect brillant et un peu collant

Une spatule en bois mélange parfaitement la pâte

4 Versez-y la levure et le lait tiède.

5 Mélangez le tout à l'aide de la cuiller en bois en incorporant peu à peu la farine. Mélangez bien 2 min environ pour obtenir une pâte lisse. Couvrez le bol avec un torchon humide. Laissez la pâte reposer de 2 à 3 h dans un endroit chaud, le temps qu'elle lève et mousse (voir illustration à droite). Pendant ce temps, préparez les condiments.

2 PRÉPARER LES CONDIMENTS

1 Épluchez l'oignon rouge, sans ôter sa base, et coupez-le en deux. Tranchez chaque moitié horizontalement, sans entailler la base.

2 Émincez l'oignon verticalement, toujours sans entailler la base. Hachez-le en dés très fins. Réservez-le dans un petit bol.

3 Hachez grossièrement les câpres si elles sont grosses. Mettez-les dans un petit bol.

4 Retirez la base et les feuilles des radis. Nettoyez-les, séchez-les et tranchez-les finement.

5 Mettez les radis dans un petit bol. Couvrez-les, de même que l'oignon et les câpres, et réservez.

6 Disposez les tranches de saumon fumé sur un plat, couvrez et mettez au réfrigérateur.

3 TERMINER LA PÂTE; CUIRE LES BLINIS

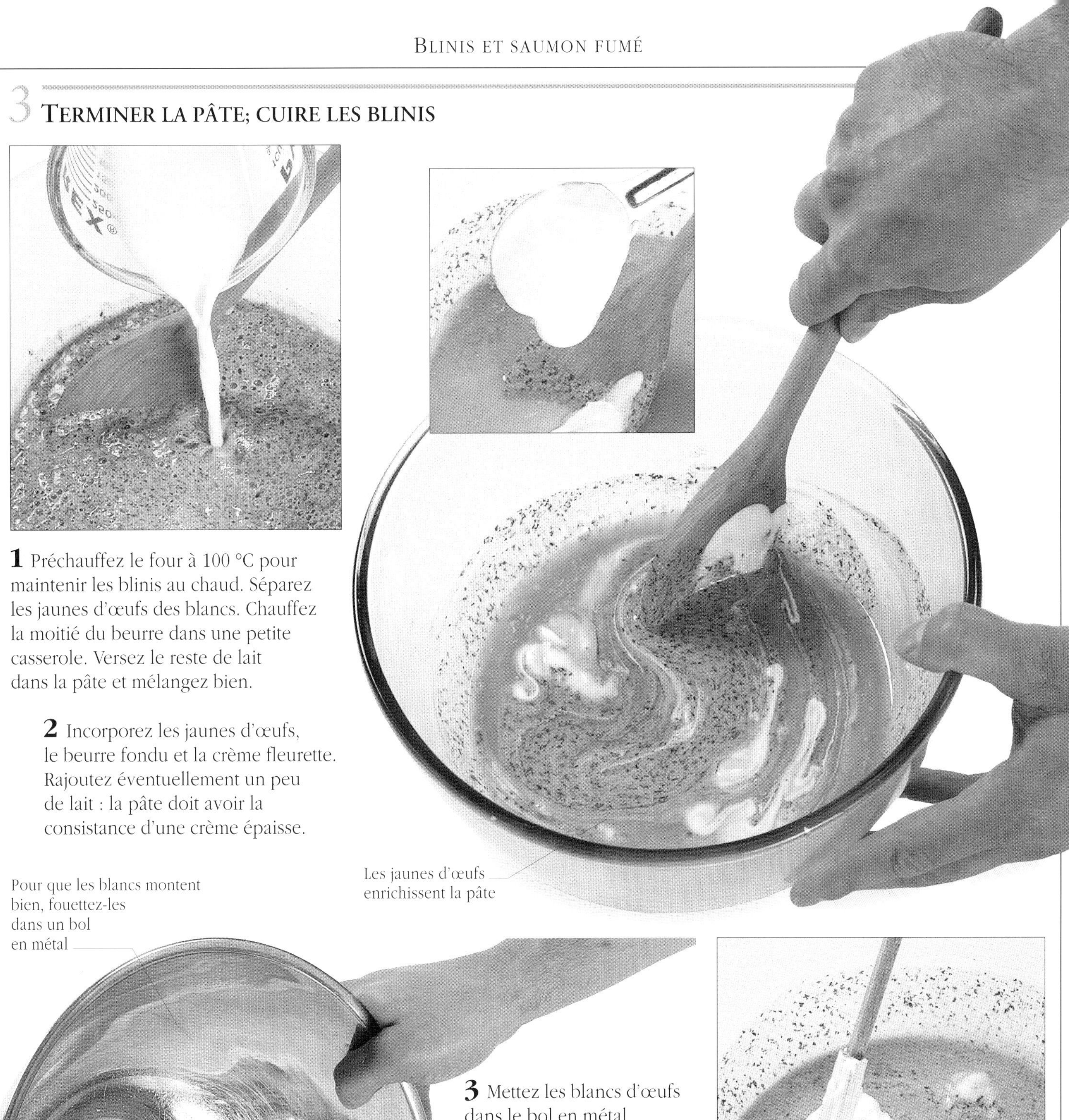

1 Préchauffez le four à 100 °C pour maintenir les blinis au chaud. Séparez les jaunes d'œufs des blancs. Chauffez la moitié du beurre dans une petite casserole. Versez le reste de lait dans la pâte et mélangez bien.

2 Incorporez les jaunes d'œufs, le beurre fondu et la crème fleurette. Rajoutez éventuellement un peu de lait : la pâte doit avoir la consistance d'une crème épaisse.

Les jaunes d'œufs enrichissent la pâte

Pour que les blancs montent bien, fouettez-les dans un bol en métal

3 Mettez les blancs d'œufs dans le bol en métal et montez-les au fouet de 3 à 5 min.

ATTENTION !
Ne battez pas trop les blancs en neige, car ils deviendraient granuleux.

4 Ajoutez environ 1/4 des blancs en neige à la pâte à blinis et incorporez-les doucement à l'aide de la spatule en caoutchouc.

5 Versez la préparation sur les blancs en neige restant dans le bol en métal.

6 Mélangez bien la pâte : enfoncez la spatule en caoutchouc ou une cuiller en métal jusqu'au centre du bol et raclez les parois en soulevant la pâte et en la rabattant sur elle-même. En même temps, faites pivoter le bol dans le sens inverse des aiguilles d'une montre. Continuez jusqu'à ce que la pâte soit homogène.

7 Chauffez dans la poêle la moitié du reste de beurre. À l'aide de la louche, versez la pâte pour former des ronds de 8 cm de diamètre.

CONSEIL MALIN

Les blinis ne doivent pas se toucher dans la poêle.

8 Cuisez les blinis de 1 à 2 min, jusqu'à ce qu'ils soient dorés dessous et mousseux dessus. Retournez-les pour les dorer de l'autre côté.

9 Mettez les blinis sur un plat résistant à la chaleur, en les faisant se chevaucher pour qu'ils restent moelleux, et maintenez-les au chaud dans le four très doux. Procédez de la même façon pour les autres blinis en rajoutant éventuellement un peu de beurre dans la poêle.

Le saumon fumé accompagne les blinis de sa saveur et de sa couleur

POUR SERVIR

Faites fondre le beurre si vous en servez. Disposez les blinis sur un plat et servez accompagné des oignons hachés, des câpres, des tranches de radis et du saumon fumé. Servez la crème fleurette et éventuellement le beurre fondu dans des bols à part.

L'oignon rouge haché relève le goût de noisette des blinis

SAVOIR S'ORGANISER

Vous pouvez préparer les bols de condiments 2 à 3 h à l'avance, et les conserver au frais, bien couverts. Les blinis sont meilleurs cuits au dernier moment, mais ils se gardent 8 h; réchauffez-les juste avant de servir.

VARIANTE

BLINIS ET ŒUFS DE POISSON

Vous choisirez des œufs de lump ou du caviar en fonction de votre budget.

1 Préparez la pâte à blinis. N'utilisez ni l'oignon rouge, ni les câpres, ni les radis, ni le saumon fumé.
2 Faites durcir deux œufs. Écalez-les et séparez les jaunes des blancs; hachez-les tous finement. Raccourcissez 2 oignons nouveaux et coupez le vert en biais, en fines tranches. Terminez la pâte et cuisez les blinis. Servez-les avec 30 g d'œufs de saumon et 30 g d'œufs de lump ou de caviar, le hachis d'œufs, des rondelles d'oignon nouveau et la crème fleurette.

CROSTINI ALLA SICILIANA

POUR 8 PERSONNES  PRÉPARATION : DE 15 À 20 MIN*  CUISSON : DE 5 À 10 MIN

ÉQUIPEMENT

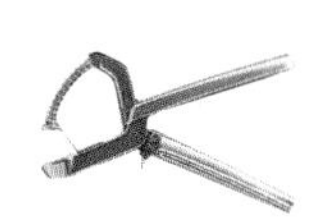
dénoyauteur

couteau à pain

cuiller percée*

grande cuiller en métal

couteau chef

casserole

couteau d'office

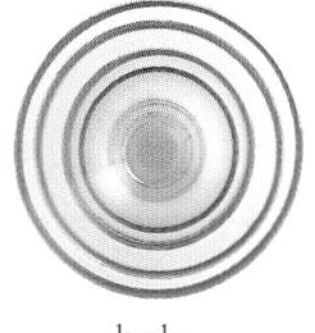
bols

plaque à pâtisserie

planche à découper

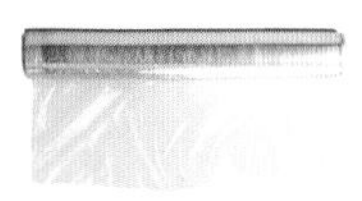
film alimentaire

*ou écumoire

Les crostinis, d'origine italienne, se déclinent avec toutes sortes de garnitures. Ici, des tomates hachées marinent avec de l'huile d'olive, du basilic et de l'ail avant d'être enrichies d'anchois et d'olives. Traditionnellement, on utilise du pain de campagne, mais vous pouvez en choisir un autre, pourvu qu'il ait une bonne croûte et une mie moelleuse.

**plus 30 min à 1 h de repos*

LE MARCHÉ

750 g de tomates bien mûres
1 petit bouquet de basilic
4 gousses d'ail
sel et poivre
4 cuil. à soupe d'huile d'olive vierge extra
4 filets d'anchois en boîte
150 g d'olives noires italiennes ou grecques
1 petite boule de pain de campagne

INGRÉDIENTS

pain de campagne

olives noires

tomates

basilic frais

huile d'olive

filets d'anchois

gousses d'ail

CONSEIL MALIN
Il existe plusieurs qualités d'huile d'olive. Pour cette recette, choisissez-la vierge extra et très parfumée.

DÉROULEMENT

1 PRÉPARER LA GARNITURE

2 PRÉPARER LES CROSTINIS

1 PRÉPARER LA GARNITURE

1 Ôtez le pédoncule des tomates. Retournez-les et entaillez-les en croix. Mettez-les dans l'eau bouillante, de 8 à 15 s selon leur degré de maturité : la peau se décolle en frisant au niveau de la croix. À l'aide de la cuiller percée, plongez-les dans un bol d'eau fraîche. Quand elles ont refroidi, pelez-les. Coupez-les en deux, pressez les moitiés dans votre main pour en chasser les graines et concassez-les grossièrement.

2 Détachez de leur tige les feuilles de basilic et réservez-en huit pour la décoration. Rassemblez les autres sur la planche à découper. Hachez-les grossièrement. Pelez et hachez finement l'ail (voir encadré ci-dessous).

PELER ET HACHER UNE GOUSSE D'AIL

La force de l'ail dépend de son âge et de son degré de sécheresse : utilisez-en davantage s'il est très frais.

1 Appuyez fortement sur la tête d'ail avec le talon de votre main pour dégager les gousses. Vous pouvez aussi les sortir une à une avec les doigts.

2 Posez le plat d'un couteau chef sur la gousse d'ail et appuyez.

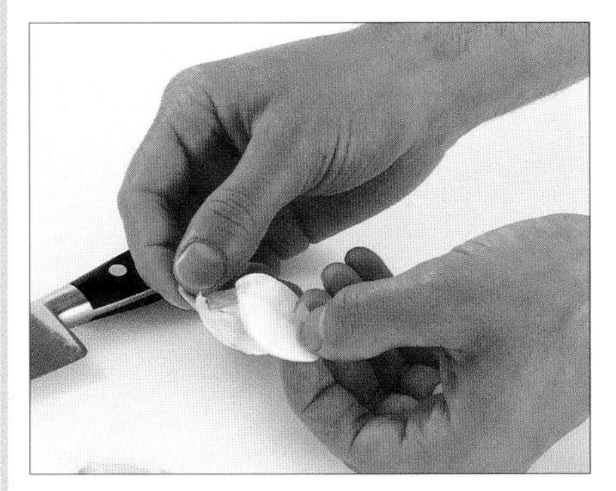

3 Pelez la gousse délicatement avec les doigts. Posez le plat du couteau chef au sommet de chaque gousse et appuyez fermement avec le poing.

4 Hachez finement l'ail en basculant la lame d'avant en arrière.

3 Dans un bol, mettez les tomates, l'ail et le basilic. Salez, poivrez et ajoutez l'huile d'olive.

L'huile d'olive vierge extra est la plus parfumée

Les tomates hachées, l'ail et le basilic vont s'imprégner d'huile d'olive

Le dénoyauteur permet de gagner du temps

6 Dénoyautez les olives et hachez-les grossièrement à l'aide du couteau chef.

4 Mélangez bien les ingrédients, couvrez et laissez mariner à température ambiante de 30 min à 1 h.

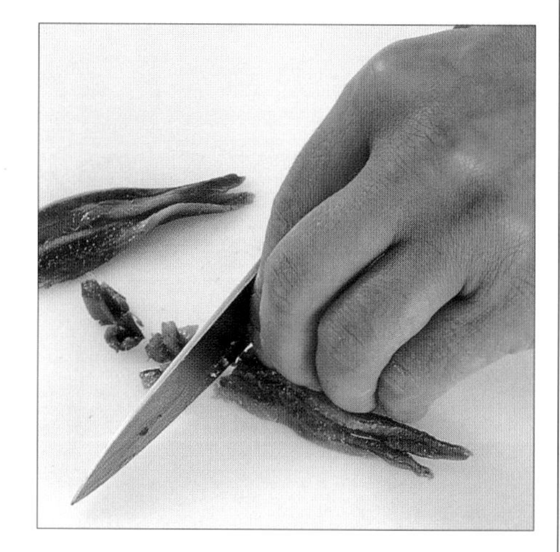

5 Pendant ce temps, regroupez les filets d'anchois entre vos doigts et émincez-les.

CONSEIL MALIN

Vous pouvez aussi hacher les anchois et les olives dans un robot ménager, mais ne le faites pas tourner trop longtemps pour ne pas les réduire en purée.

7 Incorporez les olives et les anchois aux tomates. Goûtez et rectifiez l'assaisonnement.

2 PRÉPARER LES CROSTINIS

1 Préchauffez le four à 200 °C. Coupez 8 tranches de pain épaisses de 1,5 cm environ. Posez-les sur la plaque à pâtisserie et faites-les légèrement dorer 5 à 10 min de chaque côté.

Coupez des tranches assez épaisses pour que la mie ne se dessèche pas trop dans le four

2 Nappez grossièrement les tranches de pain de la préparation aux tomates. Décorez chaque crostini de basilic.

POUR SERVIR

Disposez les crostinis sur un plat de service et servez-les chauds ou à température ambiante.

Les feuilles de basilic apportent une note fraîche et verte

Le pain grillé chaud craque sous la dent

VARIANTE

CROSTINIS À LA ROQUETTE ET À LA RICOTTA

1 N'utilisez ni les tomates, ni le basilic, ni les olives, ni les anchois.
2 Lavez à l'eau froide 400 g de roquette et retirez les tiges les plus dures. Coupez grossièrement la salade. Pelez et hachez 3 gousses d'ail.
3 Chauffez 2 cuil. à soupe d'huile d'olive dans une poêle, ajoutez la roquette, l'ail, du sel et du poivre, et faites fondre en remuant de 2 à 3 min. Ajoutez de 3 à 4 cuil. à soupe de vinaigre balsamique et laissez mijoter 1 min.
4 Égouttez la roquette dans une passoire et hachez-la grossièrement. Mettez-la dans un bol et incorporez 200 g de ricotta. Goûtez et rectifiez l'assaisonnement.
5 Coupez et grillez le pain en suivant la recette principale. Nappez les tranches de roquette parfumée à la ricotta, coupez-les en deux et servez chaud, accompagné d'olives noires et de quartiers de tomates.

SAVOIR S'ORGANISER

Vous pouvez préparer la garniture de 3 à 4 h à l'avance et la conserver, couverte, à température ambiante. Dressez les crostinis juste avant de servir pour que le pain ne se détrempe pas.

LÉGUMES PIQUANTS À LA GRECQUE

POUR 6 À 8 PERSONNES — PRÉPARATION : DE 25 À 30 MIN — CUISSON : DE 25 À 30 MIN

ÉQUIPEMENT

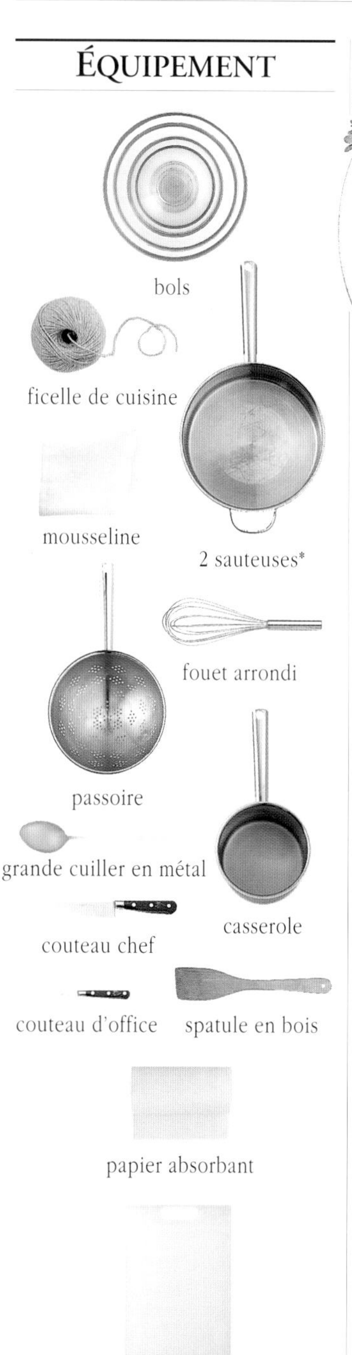

* ou poêles à frire profondes

Cette recette peut réunir plusieurs sortes de légumes, comme ici des champignons et du fenouil, mijotés séparément avec des petits oignons.

SAVOIR S'ORGANISER

Vous pouvez cuire les légumes 48 h à l'avance et les conserver au réfrigérateur; ils n'en seront que meilleurs.

LE MARCHÉ

500 g de tomates
24 petits oignons
500 g de champignons de Paris
500 g de bulbes de fenouil
4 cuil. à soupe d'huile végétale
4 cuil. à soupe d'huile d'olive
sel et poivre
50 g de raisins de Corinthe

Pour les bouquets garnis et le bouillon

15 g de graines de coriandre
1 cuil. à soupe de poivre noir en grains
4 feuilles de laurier
5 à 7 brins de thym frais
3 ou 4 brins de persil
2 cuil. à soupe de purée de tomates
75 cl de bouillon de volaille, ou plus
le jus de 1 citron
4 cuil. à soupe de vin blanc sec

INGRÉDIENTS

DÉROULEMENT

1 PRÉPARER LES INGRÉDIENTS

2 CUIRE LES CHAMPIGNONS

3 CUIRE LES FENOUILS

1 PRÉPARER LES INGRÉDIENTS

Les petits sachets d'aromates se retirent facilement en fin de cuisson

1 Mélangez les graines de coriandre, le poivre noir en grains, les feuilles de laurier, les brins de thym et de persil. Faites deux petits tas, posez-les sur des carrés de mousseline et fermez les sachets.

2 Préparez le bouillon de cuisson : dans un bol, délayez la purée de tomates dans le bouillon de volaille enrichi du jus de citron et du vin blanc.

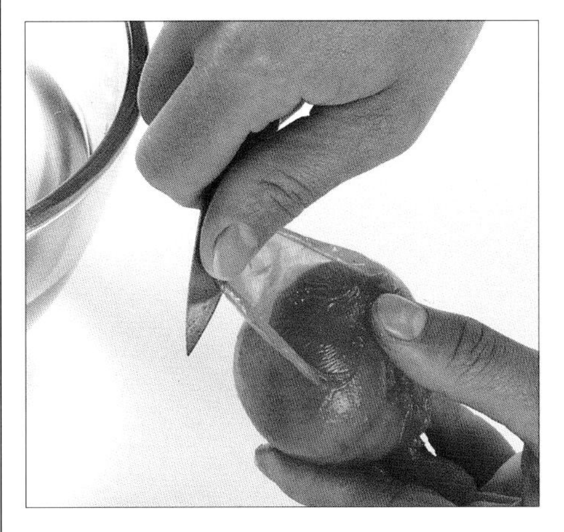

3 Ôtez le pédoncule des tomates. Mettez-les dans l'eau bouillante de 8 à 15 s. Plongez-les ensuite dans un bol d'eau fraîche. Quand elles ont refroidi, pelez-les et coupez-les en deux. Pressez-les dans votre main pour en chasser les graines et concassez-les grossièrement.

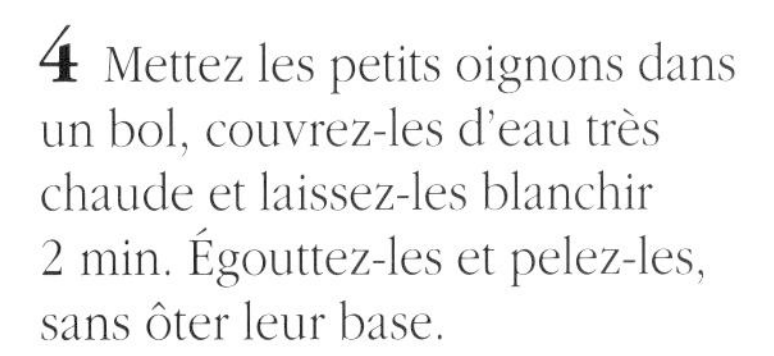

4 Mettez les petits oignons dans un bol, couvrez-les d'eau très chaude et laissez-les blanchir 2 min. Égouttez-les et pelez-les, sans ôter leur base.

5 Essuyez les champignons dans du papier absorbant et raccourcissez les pieds au niveau des chapeaux. Coupez-les en quatre s'ils sont gros.

6 Lavez les bulbes de fenouil; ôtez la base et les tiges vertes et enlevez les grosses feuilles extérieures. Coupez les bulbes en deux dans le sens de la longueur. Posez-les à plat et détaillez-les en dés.

Le fenouil apporte son parfum légèrement anisé

2 CUIRE LES OIGNONS ET LES CHAMPIGNONS

1 Dans une des sauteuses, chauffez la moitié de l'huile végétale et la moitié de l'huile d'olive. Ajoutez la moitié des petits oignons et faites-les dorer légèrement 3 min environ.

Les tomates vont fondre pour colorer et parfumer la sauce

2 Ajoutez les champignons, un sachet d'aromates et les tomates concassées.

3 Arrosez avec la moitié du bouillon : il doit recouvrir les légumes presque complètement durant toute la cuisson. Salez. Portez à ébullition sur feu vif.

Assurez-vous que les champignons sont cuits en y piquant la pointe d'un couteau

4 Cuisez à feu assez fort en remuant de temps en temps. Rajoutez un peu de bouillon de cuisson ou d'eau au fur et à mesure que le liquide s'évapore, afin que les légumes n'attachent pas. Maintenez l'ébullition de 25 à 30 min, jusqu'à ce que les légumes soient tendres sous la pointe d'un couteau.

3 CUIRE LES OIGNONS ET LE FENOUIL

1 Chauffez le reste d'huile végétale et d'huile d'olive dans l'autre sauteuse et faites dorer 3 min environ le reste des petits oignons.

2 Ajoutez le second sachet d'aromates, le reste de bouillon de cuisson et salez. Ajoutez les tranches de fenouil et portez rapidement à ébullition.

3 Cuisez à feu assez fort de 10 à 12 min. Ajoutez les raisins et mélangez bien le tout.

4 Poursuivez la cuisson en remuant de temps en temps. Rajoutez un peu de bouillon de cuisson ou d'eau au fur et à mesure que le liquide s'évapore. Maintenez l'ébullition de 15 à 20 min, jusqu'à ce que les légumes soient tendres sous la pointe d'un couteau. Retirez les sachets d'aromates des deux sauteuses, goûtez et rectifiez l'assaisonnement.

Le bouillon de cuisson, concentré, est richement parfumé

POUR SERVIR

Servez les légumes dans des plats différents à température ambiante. Décorez éventuellement les fenouils avec un brin de persil et les champignons avec un brin de thym frais.

Les légumes épicés, présentés dans des plats en verre, laissent voir leurs couleurs

Le bouillon de cuisson fleure bon la coriandre, le poivre noir, le laurier, le persil et le thym

V A R I A N T E

LÉGUMES DORÉS À LA GRECQUE

1 N'utilisez ni les champignons, ni le fenouil, ni les raisins. Préparez les sachets d'aromates, avec 20 g de graines de coriandre, 1 1/2 cuil. à soupe de poivre noir en grains, 4 feuilles de laurier, de 9 à 12 brins de coriandre fraîche et de 6 à 9 brins de persil.
2 Préparez le bouillon de cuisson, les tomates et les oignons. Détachez de leur tige les bouquets d'un chou-fleur d'environ 750 g et coupez-les en deux s'ils sont gros. Épluchez et nettoyez 2 courgettes, soit 500 g environ, et coupez-les en tranches larges de 5 mm. Faites infuser une grosse pincée de safran dans un peu d'eau bouillante.
3 Chauffez 2 cuil. à soupe d'huile végétale et 2 cuil. à soupe d'huile d'olive dans chaque sauteuse. Répartissez-y les petits oignons. Dans la première, mettez le chou-fleur, un sachet d'aromates, la moitié du bouillon de cuisson, la moitié du safran et de son infusion et salez.
4 Dans la seconde sauteuse, mettez les courgettes, un sachet d'aromates, les tomates, le reste du bouillon de cuisson et de safran, et salez.
5 Cuisez de 25 à 30 min.
6 Servez séparément; décorez un plat avec de la coriandre, l'autre avec du laurier.

MOULES À LA CRÈME ET AU SAFRAN

POUR 4 À 6 PERSONNES — PRÉPARATION : DE 25 À 30 MIN — CUISSON : DE 10 À 12 MIN

ÉQUIPEMENT

grande cocotte avec couvercle

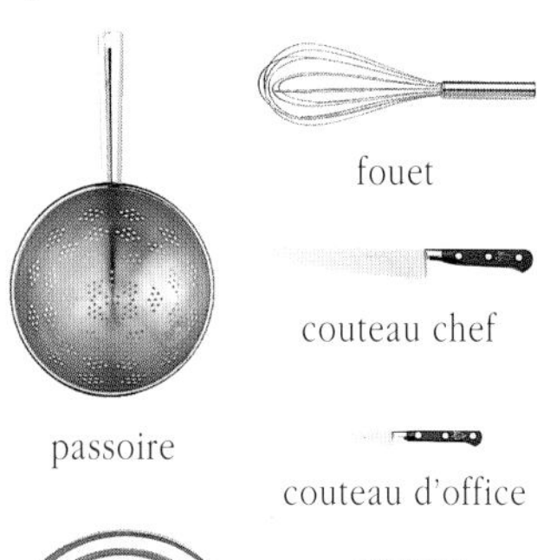

fouet

couteau chef

passoire

couteau d'office

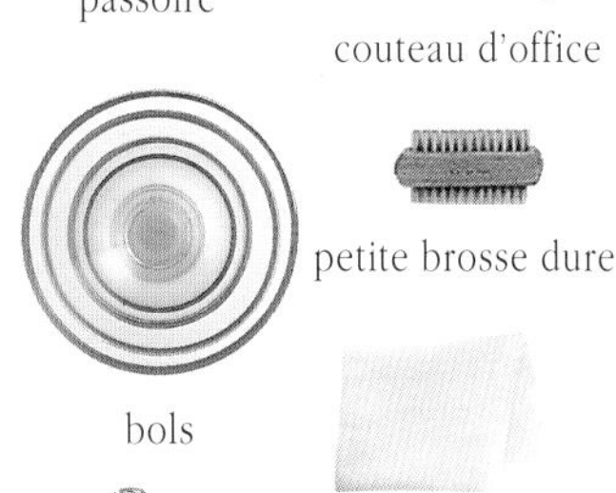

petite brosse dure

bols

mousseline

cuiller en bois

casserole moyenne

cuiller percée*

grande passoire en toile métallique

planche à découper

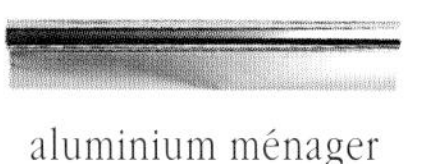

aluminium ménager

* ou écumoire

Ces moules, qui ont un parfum de Bretagne, sont ouvertes à la vapeur avec du vin blanc, des échalotes, des herbes et du safran. Leur jus parfume délicieusement le liquide de cuisson, qui est ensuite épaissi avec de la crème pour donner une sauce somptueuse.

SAVOIR S'ORGANISER

Vous pouvez préparer les moules 30 min à l'avance et les conserver sous une feuille d'aluminium ménager. Réchauffez-les au dernier moment de 2 à 3 min dans le four à 180 °C. Portez la sauce à ébullition, nappez-en les moules et servez aussitôt.

LE MARCHÉ

3 kg de moules

3 échalotes

25 cl de vin blanc sec

1 bouquet garni composé de 5 ou 6 brins de persil, de 2 ou 3 brins de thym frais et de 1 feuille de laurier

1 grosse pincée de safran

sel et poivre

5 à 7 brins de persil

15 cl de crème épaisse

INGRÉDIENTS

moules

échalotes

bouquet garni

safran

vin blanc

persil

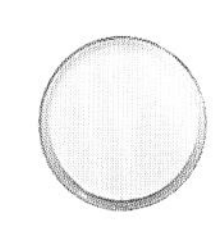

crème fleurette

CONSEIL MALIN

Vous pouvez aussi laisser les moules dans leur coquille.

DÉROULEMENT

1 PRÉPARER LES MOULES

2 CUIRE LES MOULES

3 PRÉPARER LA SAUCE ET TERMINER LE PLAT

1 PRÉPARER LES MOULES

1 À l'aide de la petite brosse dure, brossez les moules sous un filet d'eau froide, puis grattez avec le couteau d'office les parasites qui y sont accrochés.

Jetez les moules abîmées

2 Jetez les moules dont la coquille est cassée ou qui ne se ferment pas quand vous les tapotez.

3 Arrachez tous les filaments qui dépassent.

2 CUIRE LES MOULES

1 Épluchez les échalotes et posez-les à plat sur la planche à découper. Tranchez-les horizontalement, sans entailler la base. Émincez-les ensuite verticalement, toujours sans entailler la base. Hachez-les en dés très fins.

2 Mettez le vin, les échalotes hachées, le bouquet garni, le safran et beaucoup de poivre dans la cocotte. Portez à ébullition et maintenez-la 2 min.

Le bouquet garni est attaché à la poignée de la cocotte

Les moules cuisent dans très peu de liquide

3 Ajoutez les moules dans la cocotte, couvrez et faites-les ouvrir à feu vif de 5 à 7 min, en remuant de temps en temps.

ATTENTION !
Jetez toutes les moules qui ne se sont pas ouvertes à la cuisson.

4 À l'aide de la cuiller percée, mettez les moules dans un bol. Réservez le liquide de cuisson.

5 Retirez la moitié supérieure de la coquille des moules. Disposez-les, coquille en dessous, sur le plat de service. Couvrez d'une feuille d'aluminium ménager et maintenez au chaud pendant que vous préparez la sauce au safran.

3 PRÉPARER LA SAUCE ET TERMINER LE PLAT

1 Détachez de leur tige les feuilles de persil et rassemblez-les sur la planche à découper. Hachez-les finement à l'aide du couteau chef.

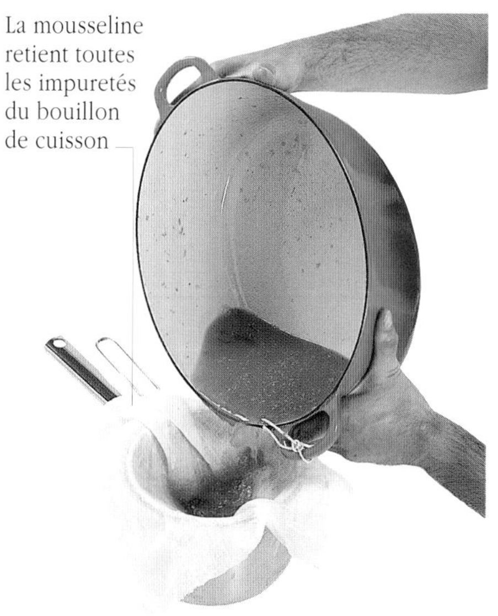

2 Placez la passoire en toile métallique sur la casserole et tapissez-la avec la mousseline. Filtrez à travers le bouillon de cuisson de la cocotte. Jetez le bouquet garni.

3 Portez le bouillon de cuisson à ébullition et faites-le réduire pour n'en avoir plus que 15 cl. Ajoutez la crème fleurette.

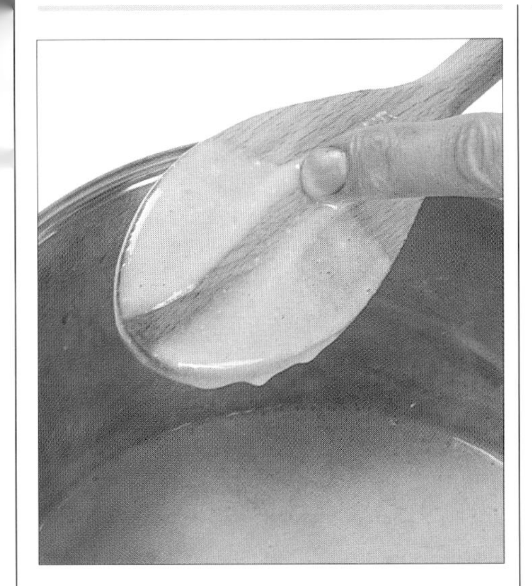

4 Incorporez la crème en fouettant et attendez la nouvelle ébullition. Laissez épaissir la sauce de 2 à 3 min. Laissez-la refroidir quelques secondes puis sortez la cuiller en bois et passez le doigt dessus : il doit y laisser une marque nette. Ajoutez le persil haché. Goûtez et rectifiez l'assaisonnement.

POUR SERVIR

Retirez l'aluminium ménager et nappez les moules de crème au safran.

VARIANTE

MOULES MARINIÈRE

1 Préparez et cuisez les moules avec le vin et les autres ingrédients, à l'exception du safran, en suivant la recette principale.
2 À l'aide d'une cuiller percée, disposez-les dans des assiettes creuses. Saupoudrez de persil haché.
3 Goûtez et rectifiez l'assaisonnement du bouillon de cuisson. Filtrez-le à travers une mousseline et arrosez-en les moules. Servez aussitôt.

VARIANTE

PALOURDES AU VIN BLANC

Cuites au vin, les palourdes sont aussi délicieuses que les moules.

1 Grattez de 3 à 4 kg de palourdes. Faites-les ouvrir de 7 à 10 min en suivant la recette principale, avec les échalotes, le vin blanc et du poivre, mais ni le bouquet garni ni le safran (les palourdes plus grosses demanderont une cuisson un peu plus longue).
2 Servez les palourdes dans leur liquide de cuisson. Vous pouvez proposer à part un bol de beurre fondu, dans lequel chacun les trempera.

La sauce au safran se marie bien avec l'orangé des moules

Le persil haché apporte une touche vert vif

POIREAUX VINAIGRETTE

POUR 4 À 6 PERSONNES — PRÉPARATION : DE 15 À 20 MIN* — CUISSON : DE 15 À 25 MIN

ÉQUIPEMENT

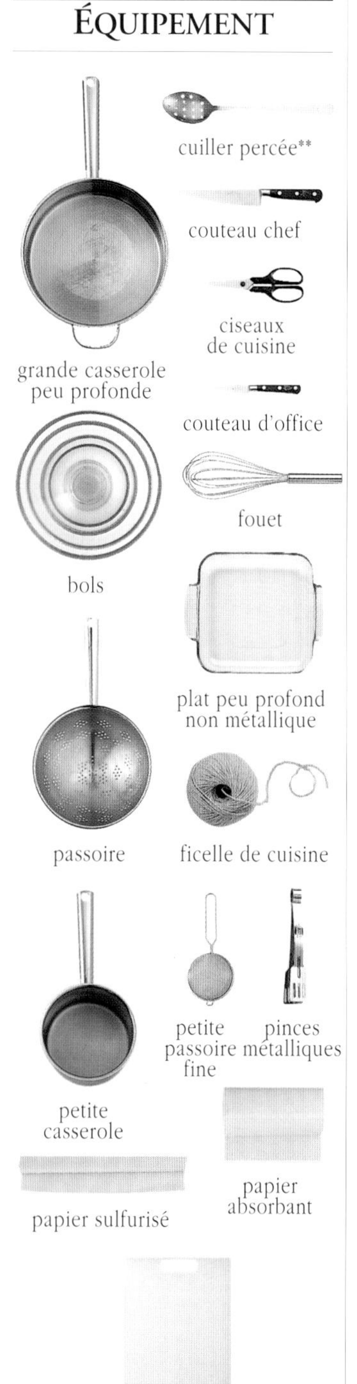

** ou écumoire

Les poireaux, cousins savoureux de l'oignon, sont délicieux cuits à l'eau puis marinés dans une vinaigrette. Ils sont ici saupoudrés de hachis de persil, de blanc et de jaune d'œuf — la décoration des œufs mimosas, ainsi appelés en raison de leur ressemblance avec les fleurs de cet arbuste.

SAVOIR S'ORGANISER

Vous pouvez préparer la vinaigrette 1 semaine à l'avance et la conserver dans un récipient hermétique, mais n'ajoutez les échalotes qu'au dernier moment. Les poireaux se gardent dans leur vinaigrette 24 h au réfrigérateur. Servez-les à température ambiante, après les avoir décorés.

** plus 1 h de marinage*

LE MARCHÉ

6 poireaux moyens, soit 1 kg environ
sel et poivre
2 échalotes
3 cuil. à soupe de vinaigre de vin blanc
1 cuil. à café de moutarde de Dijon
20 cl d'huile de carthame
1 œuf, pour la décoration
5 à 7 brins de persil, pour la décoration

INGRÉDIENTS

*** ou huile végétale légère

CONSEIL MALIN

Si les poireaux sont gros, vous pouvez les couper en biais, en tranches de 1,5 cm, et les cuire alors de 8 à 12 min.

DÉROULEMENT

1 CUIRE LES POIREAUX ET PRÉPARER LA VINAIGRETTE

2 PRÉPARER LA DÉCORATION ET TERMINER LE PLAT

1 CUIRE LES POIREAUX ET PRÉPARER LA VINAIGRETTE

2 Lavez soigneusement les poireaux sous un filet d'eau froide, en écartant bien les feuilles, car ils sont parfois très terreux.

1 Parez les poireaux, en enlevant les racines et la partie dure des feuilles. Coupez-les en deux dans le sens de la longueur, sans entailler leur base.

Attachez les poireaux en bottes pour les manipuler plus facilement

Les poireaux attachés par de la ficelle de cuisine ne se déferont pas à la cuisson

3 Rassemblez les poireaux en 2 bottes, puis attachez-les à chaque extrémité avec de la ficelle de cuisine.

4 Remplissez la grande casserole d'eau salée et portez à ébullition. Mettez-y les poireaux et laissez frémir de 15 à 25 min, jusqu'à ce qu'ils soient tendres.

CONSEIL MALIN

Vous pouvez poser une assiette résistant à la chaleur sur les poireaux pour qu'ils restent bien immergés. Vous devrez peut-être rajouter de l'eau en cours de cuisson.

5 Épluchez et hachez les échalotes (voir encadré p. 28). Dans un bol, mélangez au fouet le vinaigre, la moutarde, le sel et le poivre. Incorporez peu à peu l'huile : la sauce s'émulsionne et épaissit légèrement. Incorporez les échalotes. Goûtez et rectifiez l'assaisonnement.

HACHER UNE ÉCHALOTE

Une échalote se coupe généralement en tranches de 3 mm de large. Mais plus elles seront minces, plus les dés seront fins.

1 Enlevez la fine peau parcheminée de l'échalote. Éventuellement, séparez-la en deux et pelez-en les moitiés. Posez-en une sur une planche à découper, tenez-la fermement avec les doigts, et coupez-la horizontalement vers la base, sans entailler celle-ci.

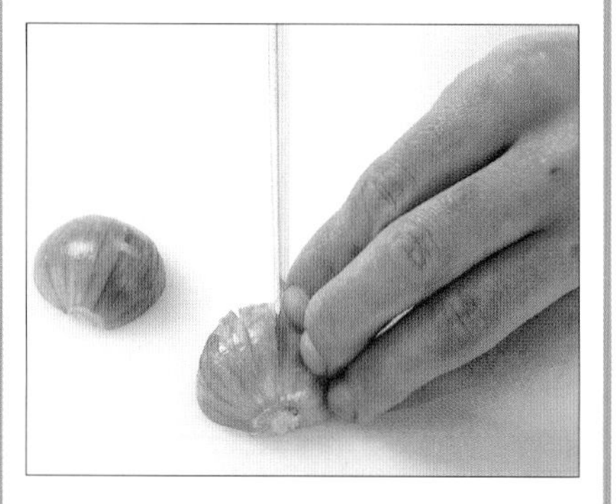

2 Tranchez-la verticalement, toujours sans entailler la base pour qu'elle ne se défasse pas.

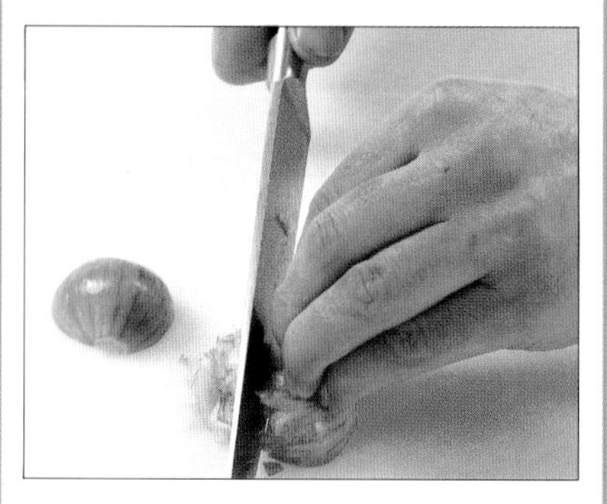

3 Détaillez-la en dés. Continuez à hacher si vous les voulez très petits.

Rincez les poireaux sous l'eau froide pour interrompre leur cuisson et leur garder leur couleur

6 Assurez-vous que les poireaux sont cuits en les piquant avec la pointe du couteau d'office. Égouttez-les, rincez-les sous l'eau froide et séchez-les dans du papier absorbant.

7 Coupez les poireaux en morceaux de 7 cm environ. Enlevez la ficelle.

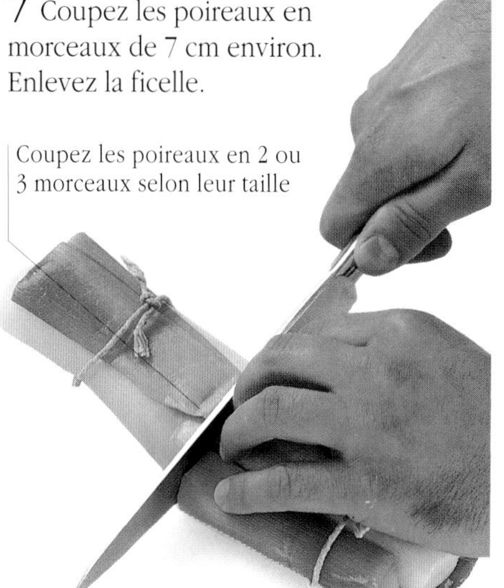

Coupez les poireaux en 2 ou 3 morceaux selon leur taille

8 Disposez les poireaux dans le plat peu profond. Fouettez vivement la vinaigrette et versez-la sur les légumes. Couvrez et laissez mariner 1 h au moins au réfrigérateur.

2 PRÉPARER LA DÉCORATION ET TERMINER LE PLAT

1 Sortez les poireaux du réfrigérateur et laissez-les revenir à température ambiante. Faites durcir l'œuf et écalez-le. Coupez-le en deux, puis séparez le jaune du blanc avec les doigts.

2 Hachez grossièrement le blanc. Mettez le jaune dans la petite passoire fine placée au-dessus d'un bol et écrasez-le avec le dos d'une cuiller. Râclez bien le fond.

3 Répartissez les poireaux dans 4 ou 6 assiettes. Détachez de leur tige les feuilles de persil et rassemblez-les sur la planche à découper. Hachez-les finement. Mettez-les sur une feuille de papier sulfurisé. Soulevez-la d'un côté pour déposer un filet de persil sur le tranchant de la lame du couteau chef.

4 Posez la lame du couteau en biais sur les poireaux et tapotez pour y déposer une ligne nette de persil. Procédez de la même façon avec le blanc et le jaune d'œuf. Servez aussitôt, à température ambiante.

Le jaune d'œuf compose une jolie garniture mimosa

Les poireaux marinés sont tendres et parfumés

V A R I A N T E

ASPERGES VINAIGRETTE

Des asperges vertes fraîches remplacent ici les poireaux. Vous pouvez les servir chaudes ou à température ambiante.

1 Préparez la vinaigrette en suivant la recette principale, en remplaçant le vinaigre de vin blanc par du vinaigre de xérès.

2 N'utilisez pas de poireaux. Parez 1 kg d'asperges vertes. Pelez-les si elles sont un peu dures et ôtez leur bout fibreux. Attachez-les en bottes avec de la ficelle de cuisine pour les manipuler plus facilement. Remplissez une grande casserole d'eau salée et portez à ébullition. Mettez-y les asperges et cuisez-les de 5 à 7 min, jusqu'à ce qu'elles soient tendres sous la pointe d'un couteau d'office. Égouttez-les, rincez-les sous l'eau froide, égouttez-les de nouveau.

3 N'utilisez pas de persil. Faites mariner les asperges et terminez le plat en suivant la recette principale, en le décorant de filets croisés de jaune et de blanc d'œuf.

LES SALADES

SALADE DE MELON ET DE MENTHE

POUR 6 PERSONNES — PRÉPARATION : DE 15 À 20 MIN*

ÉQUIPEMENT

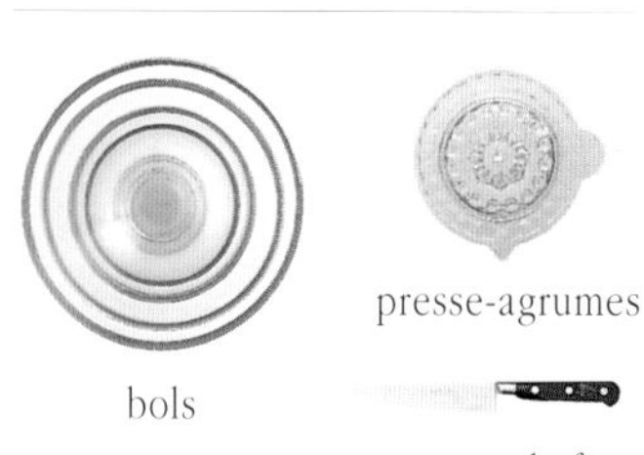

presse-agrumes

bols

couteau chef

cuiller percée**

cuiller parisienne

petite casserole

grande cuiller métallique

couteau d'office

fouet

cuiller métallique

planche à découper

** ou écumoire

Cette salade rafraîchissante de boules de melon orangé et de melon vert enrichie de menthe et de tomates cerises a macéré dans une sauce sucrée-salée. Elle constitue une entrée légère idéale ou un bon accompagnement des plats froids d'un pique-nique.

SAVOIR S'ORGANISER

Vous pouvez préparer la salade 6 h à l'avance et la conserver, couverte, au réfrigérateur. La sauce se garde 1 semaine au frais, dans un récipient hermétique.

** plus 1 h de réfrigération*

LE MARCHÉ

2 petits melons orangés, de préférence des cantaloups, soit 1,5 kg environ

1 melon vert moyen, de préférence d'Espagne, soit 1,5 kg environ

400 g de tomates cerises

1 bouquet de menthe fraîche

Pour la sauce

10 cl de porto

2 citrons

2 cuil. à soupe de miel liquide

sel et poivre

INGRÉDIENTS

melons

tomates cerises

citrons

miel

menthe fraîche

porto

DÉROULEMENT

1 PRÉPARER LES INGRÉDIENTS DE LA SALADE

2 PRÉPARER LA SAUCE SUCRÉE-SALÉE ET COMPOSER LA SALADE

CONSEIL MALIN

Utilisez une grande cuiller parisienne, de préférence avec un bord bien aiguisé.

1 PRÉPARER LES INGRÉDIENTS DE LA SALADE

1 À l'aide du couteau chef, coupez l'un des melons en deux. Enlevez les graines avec la cuiller et jetez-les. Procédez de la même façon pour les autres melons.

2 Avec la cuiller parisienne, prélevez au-dessus d'un bol des boules dans la chair des melons jaunes.

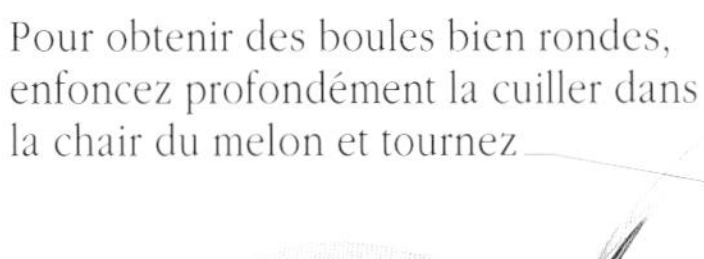

Pour obtenir des boules bien rondes, enfoncez profondément la cuiller dans la chair du melon et tournez

3 Enlevez toute la chair des moitiés d'écorce de melon vert pour en faire des barquettes pour la salade.

CONSEIL MALIN
Le reste de la chair des melons enrichira une salade de fruits.

4 Ôtez la queue du melon vert. Coupez l'écorce de chaque moitié en 3 quartiers de façon qu'ils tiennent en équilibre. Mettez-les au réfrigérateur.

Il n'est pas nécessaire d'ôter le pédoncule des tomates cerises

5 Enlevez les queues des tomates cerises. Mettez-les dans une casserole d'eau bouillante jusqu'à ce que leur peau se décolle. Plongez-les aussitôt dans un bol d'eau fraîche. Quand elles ont refroidi, pelez-les. Réservez-en 6 et mettez les autres dans le bol.

6 Réservez quelques brins de menthe pour la décoration, et détachez de leur tige les feuilles des autres. Rassemblez-les sur la planche à découper et hachez-les grossièrement. Saupoudrez-en les boules de melon et les tomates.

2 PRÉPARER LA SAUCE SUCRÉE-SALÉE ET COMPOSER LA SALADE

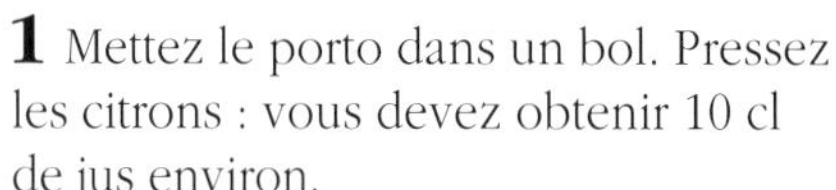

1 Mettez le porto dans un bol. Pressez les citrons : vous devez obtenir 10 cl de jus environ.

Le jus de citron équilibre la douceur du miel et du porto

2 Ajoutez le jus de citron, le miel, le sel et le poivre. Incorporez-les au porto en fouettant. Goûtez et rectifiez l'assaisonnement.

3 Versez cette sauce dans le bol. Mélangez doucement et goûtez pour assaisonner.

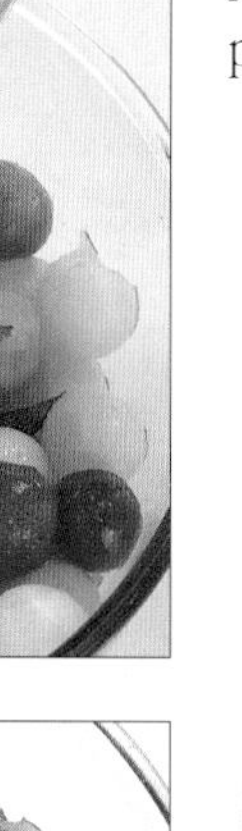

4 Couvrez le bol et laissez la salade au réfrigérateur 1 h au moins, pour que les parfums se mêlent.

Les brins de menthe sont piqués dans les tomates cerises charnues

L'écorce des melons devient barquette

POUR SERVIR

Disposez les barquettes de melon sur un plat. Remplissez-les à la cuiller de salade. Décorez avec les tomates cerises et les brins de menthe réservés.

VARIANTE

SALADE DE MELON ET DE CONCOMBRE

Le concombre croquant se marie bien avec le melon tendre, accompagné de raisins noirs. Dans l'idéal, vous achèterez des raisins sans pépins; sinon vous les enlèverez facilement (voir encadré ci-dessous).

1 N'utilisez ni melon vert, ni tomates, ni menthe. Coupez en deux 2 melons jaunes, des cantaloups par exemple (1,5 kg environ), égrenez-les et prélevez-y des boules en suivant la recette principale.
2 Essuyez et parez un concombre. Pelez-le à l'aide d'un couteau éplucheur, en réservant 6 bandes de peau pour la décoration. Coupez-le en longueur.
3 Épépinez les moitiés avec une cuiller à café. Détaillez-les en 3 longues lanières, puis coupez-les en morceaux.
4 Détachez de leur grappe 250 g de raisins rouges. Vous pouvez préférer 250 g de raisins noirs, mais il faudra les épépiner (voir encadré ci-dessous). Mélangez le melon, le concombre et les raisins dans un bol.
5 Préparez la sauce en suivant la recette principale. Versez-la sur les fruits et mélangez doucement. Goûtez et rectifiez l'assaisonnement. Mettez au réfrigérateur.
6 Répartissez la salade dans 6 coupes refroidies ou dans 6 verres à pied. Formez des nœuds avec les bandes de peau de concombre, et couronnez-en la salade.

ÉPÉPINER DES GRAINS DE RAISIN

On trouve aujourd'hui des raisins sans graines. Mais vous pouvez, si vous avez acheté une variété plus classique, en enlever facilement les pépins.

Épépiner avec un trombone
Ouvrez un trombone, insérez l'une de ses extrémités dans le trou du grain de raisin et tournez pour faire sortir les pépins.

Épépiner avec un couteau
Ouvrez les grains en deux, puis chassez les pépins avec la pointe d'un couteau d'office.

VARIANTE

SALADE DE MELON EXOTIQUE

De l'orange et de l'oignon lui apportent du piquant.

1 N'utilisez ni les tomates, ni la menthe, ni la sauce. Prenez un beau melon orangé (1,5 kg environ) et 2 petits melons verts (1,5 kg environ). Coupez le premier en deux dans le sens de la longueur; enlevez les graines et jetez-les. Ôtez la queue. Coupez chaque moitié en 3 quartiers. Détachez la chair, sans entailler l'écorce. Détaillez les quartiers de chair en morceaux de 2,5 cm; décalez-les les uns par rapport aux autres pour former un motif décoratif dans la barquette.
2 Ouvrez les melons verts en deux, égrenez-les et prélevez-y des boules en suivant la recette principale. Enlevez bien toute la chair d'un des fruits. Découpez l'écorce en festons pour en faire une jolie corbeille, et mettez au réfrigérateur.
3 Détaillez 1/2 oignon rouge en dés fins. Otez la peau et les pépins d'une orange, en suivant la courbure du fruit. En travaillant au-dessus d'un bol pour ne pas perdre de jus, séparez les quartiers et débarrassez-les des membranes qui les entourent.
4 Pour préparer la sauce, mélangez 2 yaourts entiers avec 1 cuil. à soupe de miel et le jus d'orange recueilli. Versez-la dans la corbeille-melon.
5 Disposez les ingrédients de la salade et la sauce sur un plat. Ils accompagnent délicieusement les plats mexicains ou les currys indiens.

SALADE DE CHÈVRE MARINÉ

POUR 8 PERSONNES — PRÉPARATION : DE 20 À 25 MIN* — CUISSON : DE 5 À 8 MIN

ÉQUIPEMENT

grand bocal hermétique**

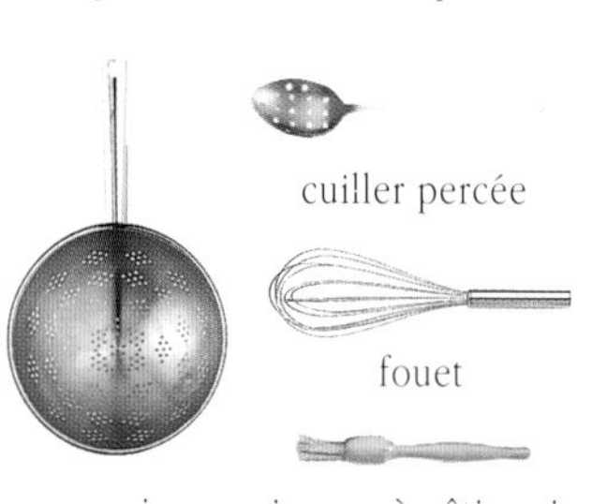

cuiller percée

fouet

passoire

pinceau à pâtisserie

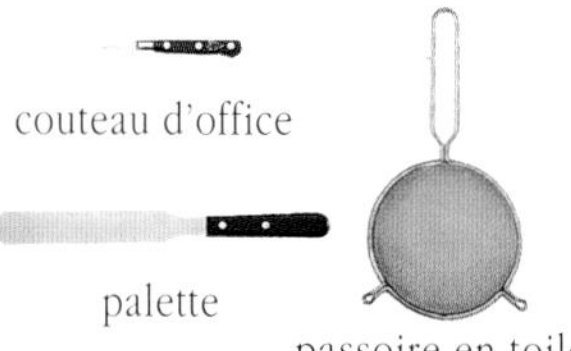

couteau d'office

palette

passoire en toile métallique

bol

saladier

papier absorbant

emporte-pièce de 8 cm de diamètre

plaque à pâtisserie

** ou bol non métallique peu profond et film alimentaire

Un bocal de petits chèvres marinés aux piments rouges et aux herbes dans leur huile dorée égaiera les étagères de votre cuisine. La marinade servira de base à l'assaisonnement de ce plat.

**plus 1 semaine de marinage*

LE MARCHÉ

8 tranches de pain complet

Pour la marinade

4 crottins de chèvre, de 60 à 90 g environ chacun, fermes sans être secs, ou un cylindre de 350 g

2 feuilles de laurier

2 ou 3 brins de thym frais

2 ou 3 brins de romarin frais

2 ou 3 brins d'origan frais

2 cuil. à café de poivre noir en grains

2 petits piments rouges séchés

50 cl d'huile d'olive, ou plus

Pour la vinaigrette

5 à 7 brins de thym frais

2 cuil. à soupe de vinaigre de vin rouge

1 cuil. à café de moutarde de Dijon

sel et poivre

Pour la salade

4 endives de 100 g environ chacune

1 lollo rouge de 250 g environ

INGRÉDIENTS

crottins de chèvre

pain complet

endives

thym frais

lollo rouge

feuilles de laurier

huile d'olive

vinaigre de vin rouge

piments rouges séchés

poivre en grains

moutarde de Dijon

origan frais

romarin frais

DÉROULEMENT

1 FAIRE MARINER LES FROMAGES

2 PRÉPARER LA VINAIGRETTE ET APPRÊTER LA SALADE

3 PRÉPARER LES TOASTS

1 FAIRE MARINER LES CROTTINS DE CHÈVRE

1 Dans un grand bocal, mettez les crottins de chèvre avec les feuilles de laurier, 2 ou 3 brins de thym, le romarin, l'origan, le poivre en grains et les piments. Couvrez largement d'huile d'olive.

2 Fermez hermétiquement le bocal et laissez les fromages mariner 1 semaine au moins.

CONSEIL MALIN
Si vous utilisez un cylindre de chèvre, mettez-le dans un bol non métallique avec les autres ingrédients, couvrez avec du film alimentaire et ne laissez pas mariner plus de 72 h.

La marinade d'huile d'olive est parfumée par les herbes odorantes

2 PRÉPARER LA VINAIGRETTE ET APPRÊTER LA SALADE

1 Retirez les crottins de chèvre de la marinade à l'aide d'une cuiller percée pour les égoutter.

L'huile de la marinade rehausse la saveur de la vinaigrette

2 Filtrez l'huile : il vous en faudra 10 cl pour la vinaigrette et un peu pour le pain grillé.

CONSEIL MALIN
S'il vous reste de l'huile, gardez-la pour d'autres vinaigrettes.

3 Détachez les feuilles de 5 à 7 brins de thym. Dans un bol, mélangez le vinaigre, la moutarde, du sel et du poivre. Ajoutez l'huile réservée en un mince filet, en fouettant pour émulsionner la sauce et la faire épaissir.

4 Ajoutez la moitié du thym. Goûtez et rectifiez l'assaisonnement.

5 Essuyez les endives avec du papier absorbant, ôtez-en la base et retirez les feuilles flétries. Séparez toutes les autres.

6 Lavez soigneusement la lollo rouge sous un filet d'eau froide, retirez les côtes dures et égouttez les feuilles dans la passoire.

7 Mettez les endives dans un saladier et ajoutez-y la salade coupée en morceaux. Mélangez doucement à la main.

3 PRÉPARER LES TOASTS DE CROTTINS DE CHÈVRE

1 Préchauffez le four à 200 °C. Coupez chaque crottin horizontalement.

2 À l'aide de l'emporte-pièce, découpez des ronds dans les tranches de pain complet.

3 Disposez les ronds de pain sur la plaque à pâtisserie et badigeonnez-les avec un peu de l'huile de marinade filtrée. Enfournez-les pour 3 à 5 min.

CONSEIL MALIN

Si vous utilisez un chèvre en cylindre, coupez-le en 8 rondelles d'égale épaisseur.

Les ronds doivent être un peu plus grands que les chèvres

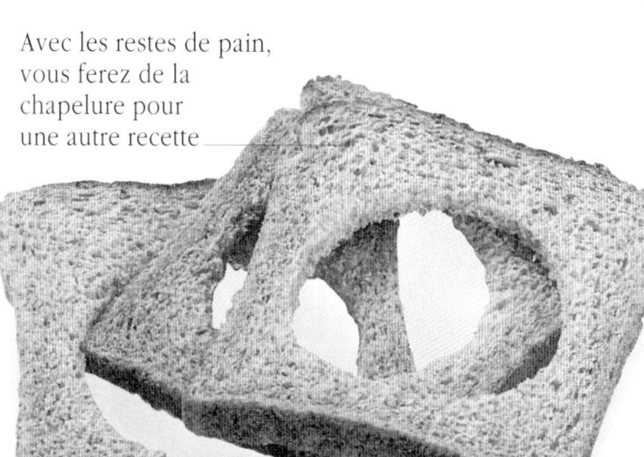

Avec les restes de pain, vous ferez de la chapelure pour une autre recette

4 Préchauffez le gril. Posez un demi-chèvre sur chaque rond de pain grillé. Enfournez pour 2 à 3 min. Le fromage doit être crémeux et doré.

ATTENTION !
Ne laissez pas les chèvres trop chauffer, car leur croûte craquerait.

POUR SERVIR

Assaisonnez la salade avec la vinaigrette et disposez-la sur des assiettes. Posez dessus les toasts au fromage et saupoudrez avec le reste de thym. Servez aussitôt.

Le thym frais se marie bien avec le fromage de chèvre

Le fromage de chèvre chaud contraste avec la salade froide et croquante

V A R I A N T E

SALADE DE CHÈVRE MARINÉ ET PANÉ

1 Faites mariner les chèvres en suivant la recette principale.
2 Préparez la vinaigrette.
3 N'utilisez pas les endives. Retirez les queues d'un bouquet de cresson, lavez-le et égouttez-le. Préparez une lollo rouge et mélangez-la au cresson.
4 Mettez 50 g de farine sur une feuille de papier sulfurisé. Dans un bol profond, battez légèrement un œuf avec une grosse pincée de sel. Mettez 60 g de chapelure sur une autre feuille de papier sulfurisé. Passez les demi-chèvres dans la farine, plongez-les dans l'œuf battu, puis recouvrez-les de chapelure. Retournez-les à l'aide de deux fourchettes.
5 Chauffez 15 g de beurre et 1 cuil. à soupe d'huile de marinade dans une poêle et faites revenir les chèvres en deux fois de 1 à 2 min, jusqu'à ce qu'ils soient dorés et croustillants. Ajoutez 15 g de beurre et 1 cuil. à soupe d'huile de marinade pour la seconde tournée.
6 Assaisonnez la salade de vinaigrette et disposez-la sur des assiettes individuelles. Servez les chèvres à côté.

SAVOIR S'ORGANISER

Vous pouvez laisser les crottins de chèvre dans leur marinade de 3 à 4 semaines au réfrigérateur, mais ils ont tendance à ramollir avec le temps. En revanche, les chèvres en cylindre ne supportent pas plus de 72 h de marinage. Grillez les toasts et dressez la salade au dernier moment.

SALADE DE CHOU ROUGE AUX LARDONS ET AU BLEU

POUR 6 PERSONNES — PRÉPARATION : DE 20 À 25 MIN*

ÉQUIPEMENT

bols

passoire

fouet

couteau chef

poêle

casseroles

moulin à poivre

grande cuiller en métal

spatule en bois

planche à découper

Des lanières de chou rouge enrichies de lardons croustillants et de bleu déposées sur un lit de salade verte composent une copieuse entrée hivernale ou un déjeuner léger pour quatre. Le contraste des couleurs, des textures et des goûts est particulièrement réussi.

SAVOIR S'ORGANISER

Vous pouvez préparer le chou et l'assaisonner 2 h avant de servir. La vinaigrette se garde 1 semaine.

** plus 1 à 2 h de marinage*

LE MARCHÉ

1/2 chou rouge, soit 750 g environ
4 cuil. à soupe de vinaigre de vin rouge
2 l d'eau bouillante
1 petite romaine
100 g de bleu
250 g de poitrine fumée en tranches épaisses

Pour la vinaigrette

4 cuil. à soupe de vinaigre de vin rouge, ou plus
1 cuil. à soupe de moutarde de Dijon
sel et poivre noir fraîchement moulu
20 cl d'huile d'olive

INGRÉDIENTS

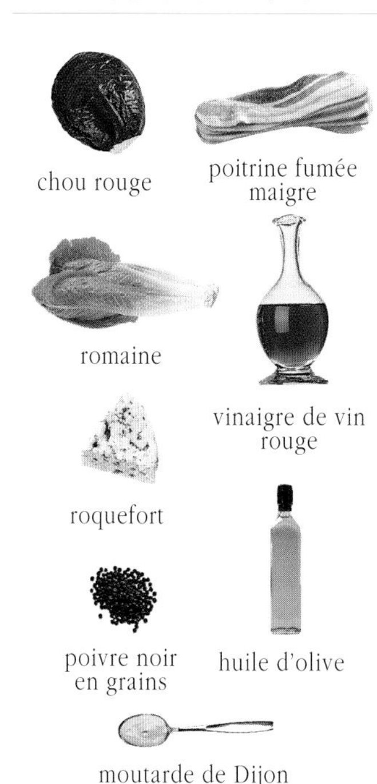

CONSEIL MALIN

Vous pouvez aussi préparer la vinaigrette avec de l'huile d'olive et de l'huile d'arachide en quantités égales.

DÉROULEMENT

1 PRÉPARER LA VINAIGRETTE

2 PRÉPARER LE CHOU

3 PRÉPARER LES AUTRES INGRÉDIENTS

1 PRÉPARER LA VINAIGRETTE

1 Mélangez le vinaigre et la moutarde avec une pincée de sel. Ajoutez du poivre du moulin.

2 Versez l'huile en un mince filet en fouettant pour émulsionner la sauce et l'épaissir.

CONSEIL MALIN

Si vous avez préparé à l'avance une bouteille de vinaigrette, secouez-la bien.

2 PRÉPARER LE CHOU

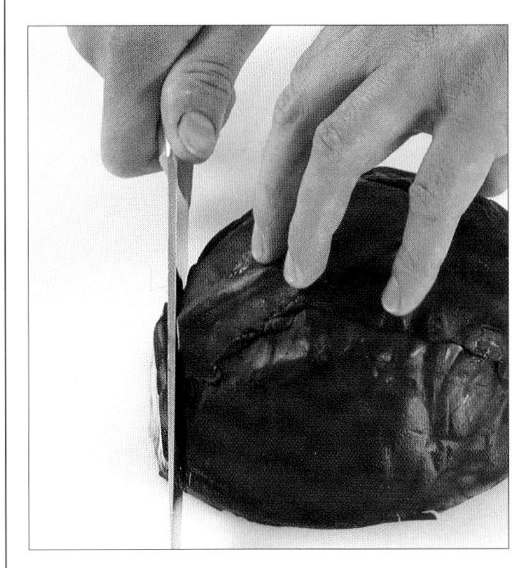

1 Posez la tranche du demi-chou sur la planche à découper. Retirez la base. Ôtez les feuilles abîmées.

Le chou évidé se découpe facilement en lanières

Retirez le trognon dur du chou

2 Coupez le chou en deux dans le sens de la longueur. Appuyez la base des quartiers sur la planche à découper et enlevez le trognon.

3 Émincez finement le chou à l'aide du couteau chef en vous guidant sur la dernière phalange de vos doigts. Éliminez les côtes dures. Mettez les lanières dans un grand bol.

4 Dans une petite casserole, portez le vinaigre à ébullition. Versez-le sur le chou et mélangez bien.

Le chou prend une belle couleur rouge magenta sous l'action du vinaigre chaud et de l'eau bouillante

5 Couvrez le chou d'eau bouillante et laissez-le ramollir de 3 à 4 min. Égouttez-le soigneusement dans la passoire, puis remettez-le dans le bol.

6 Versez suffisamment de vinaigrette sur le chou pour qu'il en soit bien imprégné. Goûtez et rectifiez l'assaisonnement, rajoutez éventuellement un peu de vinaigre. Couvrez le bol et laissez mariner de 1 à 2 h. Pendant ce temps, préparez les autres ingrédients.

3 PRÉPARER LES AUTRES INGRÉDIENTS

1 Retirez la base de la salade. Ôtez les feuilles abîmées. Lavez-la sous l'eau froide, puis égouttez soigneusement les feuilles.

2 Retirez les côtes dures. Empilez les feuilles et roulez-les en cylindre en serrant bien. Coupez-les en lanières assez larges.

Les feuilles de salade roulées en cylindre se découpent facilement

3 Dans un petit bol, émiettez le fromage à la main, mais pas trop finement.

4 Environ 10 min avant de servir la salade, empilez les tranches de poitrine fumée, et coupez-les en lanières. Faites revenir les lardons dans la poêle de 3 à 5 min, en remuant de temps en temps, jusqu'à ce que la graisse ait fondu et que les lardons soient croquants.

5 À l'aide de la grande cuiller, faites glisser les lardons et leur jus de cuisson sur le chou rouge. Réservez-en quelques-uns pour la décoration. Mélangez bien.

Le chou mariné s'enrichit des lardons

Le jus des lardons et les sucs croustillants parfument la salade

6 Tapissez 6 assiettes de salade verte. Arrosez avec le reste de vinaigrette. Déposez le chou aux lardons au centre.

POUR SERVIR
Déposez un peu de bleu et quelques lardons réservés sur les salades et servez aussitôt.

Le chou rouge contraste par sa couleur avec les lardons et les miettes de bleu

VARIANTE

SALADE DE CHOU BLANC AUX LARDONS ET AUX NOIX

Ici, le goût et la texture du chou blanc sont délicatement rehaussés par des noix.

1 Préparez une vinaigrette avec de l'huile de noix et de l'huile d'arachide en quantités égales.
2 N'utilisez pas le bleu. Préparez la romaine en suivant la recette principale. Coupez en lanières 1/2 chou blanc de 750 g en procédant comme pour le chou rouge, mais sans l'arroser de vinaigre. Couvrez d'eau bouillante et laissez ramollir de 3 à 4 min. Égouttez, rincez à l'eau chaude, égouttez de nouveau soigneusement.
3 Hachez grossièrement 100 g de noix, en réservant quelques cerneaux pour la décoration.
4 Mélangez le chou et les noix, et ajoutez la vinaigrette. Préparez les lardons en suivant la recette principale, faites-les glisser sur le chou avec leur jus de cuisson et mélangez bien. Décorez avec les noix réservées et servez sur un lit de feuilles de salade en lanières.

SALADE DE MÂCHE ET DE SAUMON CHAUD

POUR 6 PERSONNES — PRÉPARATION : DE 35 À 40 MIN — CUISSON : DE 6 À 12 MIN

ÉQUIPEMENT

couteau à filets

fouet

robot ménager

pinceau à pâtisserie

palette

couteau d'office

pince à épiler

grande poêle*

grand plat peu profond

bols

torchons

papier absorbant**

plaque à pâtisserie

planche à découper

* ou poêle anti-adhésive

** ou essoreuse à salade

En Bourgogne, quand arrivent le vent et la pluie d'octobre, apparaissent les premiers bouquets de mâche, qui poussent spontanément. Cette salade veloutée, assaisonnée avec une sauce à l'orange et à la noisette, enrichie de crème et de Grand Marnier, devient ici un ravissant écrin pour des tranches de saumon.

SAVOIR S'ORGANISER

Vous pouvez préparer les oranges et la sauce et laver la mâche 24 h à l'avance. Conservez au réfrigérateur les quartiers d'orange dans un bol couvert et la mâche dans un torchon humide. Cuisez le saumon et incorporez les noisettes à la sauce juste avant de servir.

LE MARCHÉ

500 g de filet de saumon
250 g de mâche
1 cuil. à soupe d'huile végétale

Pour la sauce

4 oranges
50 g de noisettes
sel et poivre
2 cuil. à soupe de vinaigre de xérès
1 cuil. à soupe de Grand Marnier
2 cuil. à soupe de crème épaisse
15 cl d'huile de noisette

INGRÉDIENTS

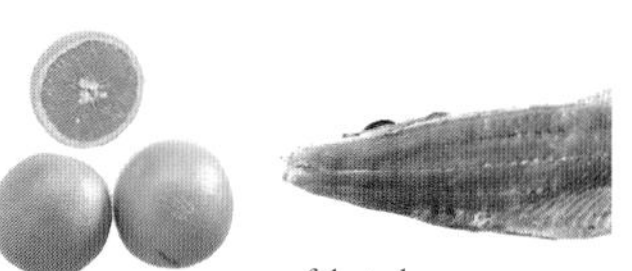

oranges

filet de saumon

mâche***

Grand Marnier

vinaigre de xérès****

crème épaisse

noisettes

huile de noisette

huile végétale

*** ou laitue

**** ou vinaigre de vin blanc

DÉROULEMENT

1 COUPER LES ORANGES ET PRÉPARER LA SAUCE

2 COUPER LE SAUMON ET PRÉPARER LA MÂCHE

3 CUIRE LE SAUMON ET COMPOSER LA SALADE

1 COUPER LES ORANGES EN QUARTIERS ET PRÉPARER LA SAUCE

1 Épluchez les oranges et coupez-les en quartiers (voir encadré ci-dessous). Pressez les membranes au-dessus du bol pour en extraire le reste de jus. Couvrez et mettez au réfrigérateur.

2 Préchauffez le four à 180 °C. Étalez les noisettes sur la plaque à pâtisserie et enfournez pour 12 à 15 min, en remuant de temps en temps. Roulez-les, chaudes, dans un torchon pour en enlever la peau; laissez refroidir.

ATTENTION !

Plus les noisettes sont grillées, plus elles sont parfumées. Ne les laissez pas trop brunir, car elles deviendraient amères.

3 Mettez les noisettes dans le robot ménager et hachez-les grossièrement. Vous pouvez, aussi les concasser avec le couteau chef.

PELER UN AGRUME ET LE COUPER EN QUARTIERS

La chair des agrumes est généralement découpée en quartiers avant d'entrer dans la composition des plats. Préférez ceux qui n'ont pas de pépins.

1 Enlevez les deux extrémités de l'agrume au ras de la chair. Tenez-le debout. En travaillant du haut vers le bas, enlevez le zeste, la membrane et la peau, en suivant la courbure du fruit.

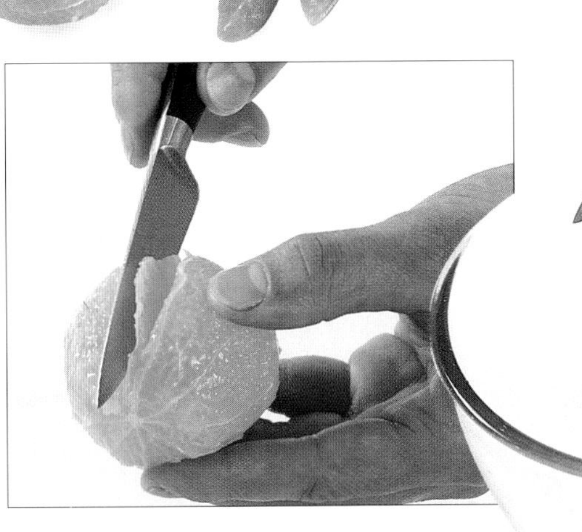

2 En travaillant au-dessus d'un bol pour récupérer tout le jus, tenez le fruit dans une main et glissez la lame d'un couteau d'un côté, puis de l'autre du quartier pour le séparer de sa membrane. Mettez le quartier dans le bol.

Tenez l'agrume au-dessus d'un bol pour y recueillir les quartiers et le jus

3 Continuez ainsi, en rabattant les membranes comme les pages d'un livre, en enlevant tous les pépins.

4 Versez 3 cuil. à soupe du jus d'orange dans un autre bol. Ajoutez du sel et du poivre, le vinaigre, le Grand Marnier et la crème. Mélangez au fouet.

5 Incorporez petit à petit 2 cuil. à soupe d'huile de noisette : la sauce s'émulsionne et épaissit légèrement. Ajoutez les noisettes hachées et fouettez. Goûtez et rectifiez l'assaisonnement.

2 COUPER LE SAUMON ET PRÉPARER LA MÂCHE

1 Rincez le filet de saumon sous l'eau froide. Séchez-le dans du papier absorbant.

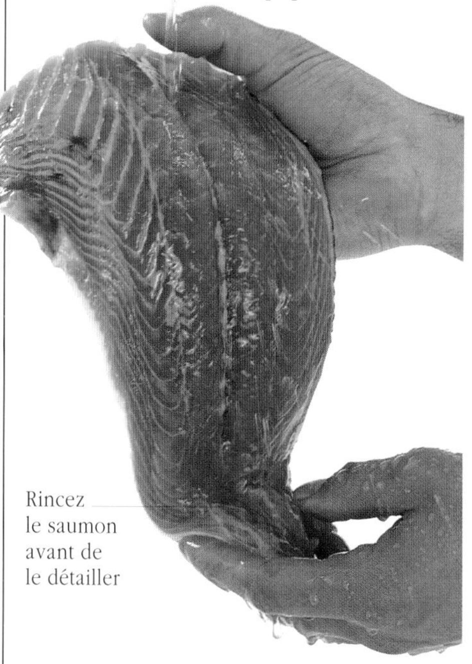

Rincez le saumon avant de le détailler

2 À l'aide du couteau à filets, enlevez tous les cartilages du saumon. Ôtez les petites arêtes qui resteraient avec la pince à épiler.

3 En tenant fermement le poisson, et en travaillant de votre main vers la queue, découpez avec le couteau à filets 12 tranches d'environ 5 mm d'épaisseur : elles doivent être bien plates, sans trace de peau.

La mâche est souvent terreuse : lavez-la à grande eau

Sortez la mâche de l'eau avec les mains, pour que tous les grains de sable restent au fond

4 Lavez la mâche dans une grande quantité d'eau froide et enlevez avec les doigts les racines terreuses, en gardant les petits bouquets entiers. Séchez-la dans un torchon ou dans une essoreuse à salade.

3 CUIRE LE SAUMON ET COMPOSER LA SALADE

1 Assaisonnez la mâche avec la moitié de la sauce. Goûtez et rectifiez l'assaisonnement. Disposez-la sur 6 assiettes. Saupoudrez les tranches de saumon avec du sel et du poivre. Chauffez dans la poêle 1 cuil. à soupe de l'huile végétale. Faites dorer quelques tranches de poisson de 1 à 2 min de chaque côté, sur feu vif.

ATTENTION !
Ne cuisez pas trop le saumon, il se déferait.

2 Mettez les tranches dans le plat et cuisez les autres en plusieurs fois. Badigeonnez-les ensuite avec 2 cuil. à soupe de jus d'orange et 2 cuil. à soupe d'huile de noisette.

3 À l'aide de la palette, déposez 2 tranches de saumon sur le lit de mâche de chaque assiette.

POUR SERVIR
Disposez les quartiers d'orange sur la mâche. Répartissez le reste de sauce entre les assiettes et mettez 1 cuil. de noisettes hachées sur le saumon. Servez aussitôt.

Le saumon chaud contraste agréablement avec la mâche tendre

V A R I A N T E

SALADE DE LOTTE CHAUDE AU RAIFORT

Des tranches de lotte, arrosées d'une crémeuse sauce froide au raifort, égaient cette salade.

1 N'utilisez ni oranges, ni sauce à l'orange et aux noisettes. Préparez la mâche en suivant la recette principale. Faites une sauce au raifort : pressez 1/2 citron; dans un petit bol, mélangez au fouet 2 cuil. à soupe de vinaigre de xérès, le jus de citron, 3 cuil. à soupe de raifort frais râpé ou en conserve, du sel et du poivre. Incorporez petit à petit 20 cl d'huile de noisette ou de maïs : la sauce s'émulsionne et épaissit légèrement. Goûtez et rectifiez l'assaisonnement. Mettez au réfrigérateur. Parez et émincez finement 6 gros radis.

2 Remplacez le filet de saumon par 500 g de filets de lotte. Rincez-les sous l'eau froide, séchez-les et coupez-les en tranches de 5 mm d'épaisseur.

3 Faites sauter les tranches de lotte de 2 à 3 min de chaque côté, en plusieurs fois. Assaisonnez la salade de mâche avec la moitié de la sauce. Goûtez et rectifiez l'assaisonnement. Répartissez la mâche entre 6 assiettes et disposez dessus 3 tranches de lotte par personne. Incorporez au fouet 3 cuil. à soupe de crème dans le reste de sauce. Arrosez-en le poisson et entourez avec les rondelles de radis rouge.

SALADE CRÉMEUSE DE CHOU CRU

POUR 8 À 10 PERSONNES PRÉPARATION : DE 15 À 20 MIN*

ÉQUIPEMENT

couteau chef

couteau éplucheur

bols

fouet

passoire en toile métallique

râpe

spatule en caoutchouc

planche à découper

mandoline**

** ou robot ménager équipé d'un coupe-légumes

La salade de chou a donné naissance à de multiples variantes. Ici, le chou blanc est finement émincé et assaisonné d'une sauce relevée à la crème fleurette. Des carottes râpées apportent de la couleur, et des copeaux des mêmes légumes de l'attrait. Cette recette convient parfaitement pour un généreux pique-nique, mais vous pouvez réduire les proportions de moitié.

SAVOIR S'ORGANISER

Vous pouvez préparer la salade de chou cru 48 h à l'avance et la conserver, couverte, au réfrigérateur.

** plus 4 h au moins de réfrigération*

LE MARCHÉ

500 g de carottes moyennes
1 chou blanc, soit 1,5 kg environ
1 oignon moyen
Pour la sauce
2 cuil. à café de sucre
sel et poivre
20 cl de crème fleurette
15 cl de vinaigre de cidre
2 cuil. à café de moutarde en poudre
2 cuil. à café de graines de carvi
25 cl de mayonnaise

INGRÉDIENTS

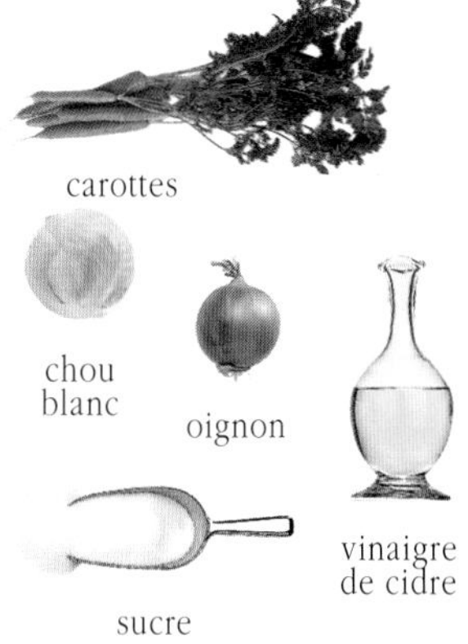

carottes

chou blanc

oignon

vinaigre de cidre

sucre

mayonnaise

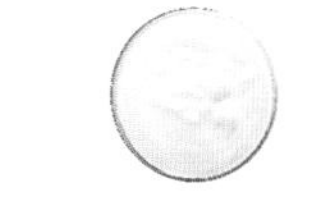

crème fleurette

moutarde en poudre

graines de carvi***

*** ou assaisonnement au céleri

DÉROULEMENT

1 PRÉPARER LES INGRÉDIENTS

2 PRÉPARER LA SAUCE ET COMPOSER LA SALADE

1 PRÉPARER LES INGRÉDIENTS

1 Parez et pelez les carottes. Réservez-en une et, en utilisant les gros trous de la râpe, râpez les autres.

2 À l'aide du couteau éplucheur, prélevez des copeaux sur la dernière carotte, sans aller jusqu'au cœur. Mettez-les dans un bol d'eau froide et réservez-les au réfrigérateur pour qu'ils restent croquants.

La mandoline émince le chou finement et régulièrement

3 Parez le chou et enlevez toutes les feuilles flétries. Coupez-le en deux, puis en quartiers, et éliminez le cœur. Émincez-le sur la mandoline posée sur un bol; enlevez les côtes dures. Vous pouvez aussi utiliser un robot ménager équipé d'un coupe-légumes.

4 Pelez l'oignon, sans ôter sa base, et coupez-le en deux dans le sens de la longueur. Posez les moitiés à plat sur la planche à découper et tranchez-les horizontalement vers la base, sans l'entailler, puis coupez-les verticalement, toujours sans entailler la base. Hachez-les en dés fins.

2 PRÉPARER LA SAUCE ET COMPOSER LA SALADE

1 Mettez le sucre, le sel, le poivre, la crème fleurette et le vinaigre de cidre dans un bol moyen. Ajoutez la moutarde en poudre et les graines de carvi.

La crème fleurette épaissit la sauce

La moutarde réchauffe le chou blanc

2 Incorporez au fouet les ingrédients de la sauce, jusqu'à ce que le mélange soit homogène.

3 Ajoutez la mayonnaise à la sauce et fouettez vivement. Goûtez et rectifiez l'assaisonnement.

Le bol doit être assez grand pour que vous puissiez bien mélanger les ingrédients avec la sauce

4 Ajoutez l'oignon haché et les carottes râpées au chou blanc émincé.

5 Versez la sauce sur la salade, et remuez pour bien la répartir. Couvrez et mettez au réfrigérateur pour 4 h au moins, le temps que les parfums se mêlent. Goûtez et rectifiez l'assaisonnement.

6 Sortez les copeaux de carotte du réfrigérateur et égouttez-les dans la passoire posée au-dessus d'un bol.

Le chou blanc émincé est enrobé de sauce crémeuse et épaisse

Les carottes râpées se marient parfaitement avec le chou blanc

Les copeaux de carotte apportent une touche de couleur

POUR SERVIR

Découvrez la salade et remuez-la une dernière fois. Répartissez-la dans des bols individuels. Décorez avec les copeaux de carotte.

VARIANTE

SALADE DE CHOU CRU AUX POMMES ET À L'ANANAS

Ici, le chou cru émincé est délicieusement parfumé par des pommes râpées et des dés d'ananas. Il accompagne à merveille les plats riches, notamment le porc et les côtelettes grillées.

1 N'utilisez ni les carottes, ni l'oignon, ni la sauce.
2 Ouvrez une boîte de 580 g d'ananas au naturel et coupez les tranches en petits dés. Râpez 4 pommes vertes acidulées (des Granny Smith par exemple) avec leur peau, et mettez-les dans un grand bol.
3 Ajoutez l'ananas et remuez pour que son jus enrobe complètement les pommes, ce qui leur évitera de noircir.
4 Dans un petit bol, mélangez 15 cl de vinaigre de cidre, 25 cl de crème fleurette, 2 cuil. à café de moutarde en poudre, du sel et du poivre. Goûtez et rectifiez l'assaisonnement.
5 Ajoutez le chou émincé dans le grand bol et mélangez.
6 Versez la sauce sur la salade et remuez. Goûtez et rectifiez l'assaisonnement. Couvrez et mettez au réfrigérateur, en suivant la recette principale.
7 Éventuellement, décorez avec des chevrons de pomme.

La sauce crémeuse enrobe le mélange d'ananas, de pommes et de chou

VARIANTE

SALADE DE CHOU CRU BLANC ET ROUGE

Le chou rouge remplace ici les carottes pour donner un plat très coloré. Cette salade d'hiver accompagne parfaitement le rôti de bœuf froid et les restes de volaille.

1 N'utilisez pas de carottes. Émincez le chou blanc en suivant la recette principale.
2 Émincez 1/2 chou rouge (750 g environ). Remplissez une grande casserole d'eau salée et portez à ébullition. Mettez-y le chou rouge, ramenez à ébullition et laissez frémir 1 min.
3 Égouttez le chou rouge dans une passoire. Tant qu'il est encore chaud, arrosez-le avec 4 cuil. à soupe de vinaigre de vin rouge. Remuez et laissez s'égoutter dans la passoire. Hachez l'oignon.
4 Pressez 3 citrons : vous devez obtenir 15 cl de jus environ. Préparez la sauce en suivant la recette principale, en remplaçant le vinaigre de cidre par le jus de citron.
5 Mélangez le chou blanc et le chou rouge dans un grand bol.
6 Versez la sauce sur la salade. Mélangez bien. Goûtez et rectifiez l'assaisonnement. Couvrez et mettez au réfrigérateur.
7 Disposez la salade dans un grand plat.

SALADE DE PÂTES AUX MOULES

POUR 4 À 6 PERSONNES — PRÉPARATION : DE 30 À 35 MIN — CUISSON : DE 8 À 10 MIN

ÉQUIPEMENT

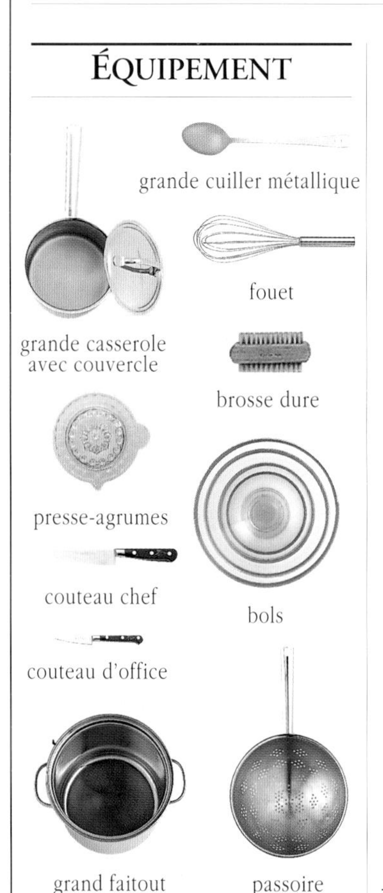

La consistance des fusilis se marie bien avec celle des moules, et leurs spirales absorbent généreusement la sauce. Mais vous pouvez aussi utiliser des conchiglies ou des macaronis.

SAVOIR S'ORGANISER

Vous pouvez préparer la salade de pâtes 24 h à l'avance et la conserver au réfrigérateur : les parfums se mêleront d'autant mieux. Vous la servirez à température ambiante. La vinaigrette se garde 1 semaine au réfrigérateur dans un récipient hermétique, mais n'ajoutez l'ail, les échalotes et les herbes qu'au moment de mélanger les pâtes et les moules.

LE MARCHÉ

1 kg de moules
20 cl de vin blanc sec
250 g de fusilis
3 oignons nouveaux

Pour la vinaigrette

4 échalotes
3 gousses d'ail
1 bouquet d'estragon frais
1 bouquet de persil
2 citrons
sel et poivre
20 cl d'huile d'olive

INGRÉDIENTS

moules

fusilis

échalotes

citrons

persil

huile d'olive

gousses d'ail

estragon frais

vin blanc sec

oignons nouveaux

DÉROULEMENT

1 PRÉPARER LA VINAIGRETTE AUX HERBES

2 PRÉPARER LES MOULES

3 CUIRE LES PÂTES ET COMPOSER LA SALADE

1

PRÉPARER LA VINAIGRETTE AUX HERBES

1 Pelez les échalotes, sans ôter leur base. En les tenant fermement, coupez-les horizontalement, sans entailler la base. Tranchez-les ensuite verticalement, puis hachez-les en dés. Posez le plat de la lame du couteau chef sur chaque gousse d'ail et appuyez avec le poing. Pelez-les et hachez-les finement.

2 Détachez de leur tige les feuilles d'estragon et de persil et rassemblez-les sur la planche à découper. Hachez-les finement.

Le couteau doit être très aiguisé pour ne pas écraser les herbes

Dans cette sauce, le jus de citron remplace le vinaigre

3 Pressez les citrons : vous devez obtenir 10 cl de jus environ.

CONSEIL MALIN

Avant de couper les citrons, roulez-les sur un plan de travail : vous en extrairez un maximum de jus.

4 Mélangez au fouet le jus de citron, la moitié des échalotes hachées, l'ail, du sel et du poivre. Incorporez petit à petit l'huile : la sauce s'émulsionne et épaissit légèrement. Ajoutez les herbes en remuant. Goûtez et rectifiez l'assaisonnement. Réservez.

2

PRÉPARER LES MOULES

Grattez les moules avec le dos de la lame du couteau

1 Grattez les moules pour en enlever tous les parasites.

2 À l'aide du couteau d'office, arrachez tous les filaments qui dépassent des moules.

3 Brossez les moules sous l'eau froide. Jetez celles dont la coquille est cassée ou celles qui ne se referment pas.

4 Mettez dans la grande casserole le vin, le reste des échalotes hachées et beaucoup de poivre. Portez à ébullition et laissez frémir 2 min.

5 Ajoutez les moules, couvrez et laissez-les ouvrir à feu vif de 5 à 7 min, en remuant de temps en temps. Transvasez-les dans un grand bol, sans leur liquide. Laissez-les refroidir pour ne pas vous brûler.

ATTENTION !
Jetez toutes les moules qui ne se sont pas ouvertes.

Les moules cuisent vite; sortez-les de la casserole dès qu'elles sont ouvertes

6 Sortez les moules de leur coquille avec les doigts; gardez-en de 4 à 6 entières.

Servez-vous de vos doigts pour décoquiller les moules

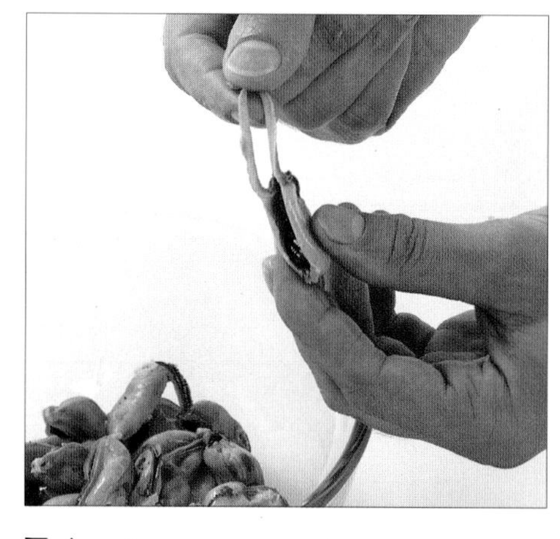

7 Ôtez l'anneau caoutchouteux qui entoure les moules, et mettez celles-ci dans un grand bol.

8 Fouettez vivement la vinaigrette. Versez-la sur les moules.

9 Remuez doucement pour bien enrober les moules de vinaigrette, couvrez et laissez refroidir au réfrigérateur pendant que vous cuisez les pâtes.

3 CUIRE LES PÂTES ET COMPOSER LA SALADE

1 Remplissez le grand faitout d'eau, portez à ébullition et ajoutez 1 bonne cuil. à café de sel. Mettez-y les pâtes et laissez frémir de 8 à 10 min, ou suivant les indications portées sur l'emballage. Remuez pour qu'elles ne collent pas.

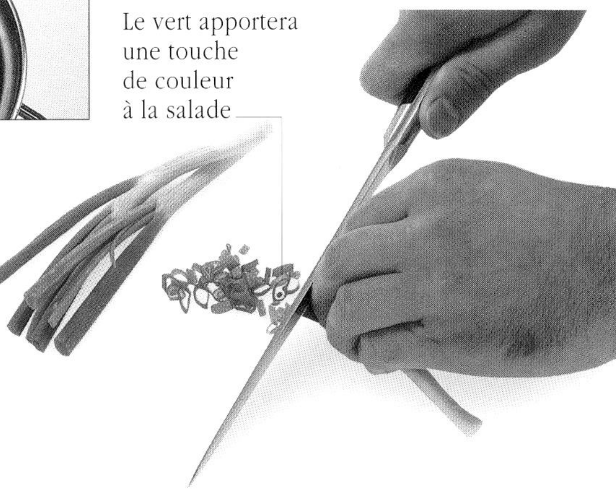

Le vert apportera une touche de couleur à la salade

2 Pendant ce temps, parez les oignons nouveaux et coupez-les en tranches fines, en gardant une partie du vert. Égouttez les pâtes dans la passoire, rincez-les sous l'eau froide, égouttez-les de nouveau.

3 Versez les pâtes égouttées dans le bol de moules assaisonnées. Parsemez des tranches d'oignon nouveau, ajoutez du sel et du poivre et remuez bien. Goûtez et rectifiez l'assaisonnement.

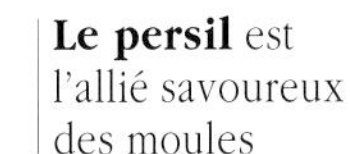

Le persil est l'allié savoureux des moules

Les moules et les pâtes se marient agréablement

POUR SERVIR

Disposez la salade sur 4 à 6 assiettes. Décorez-les avec une moule entière, une tranche de citron et un brin d'estragon.

V A R I A N T E

SALADE DE PÂTES ET DE NOIX SAINT-JACQUES

Les noix de Saint-Jacques sont ici servies avec une sauce crémeuse aux herbes et des pâtes vertes.

1 N'utilisez ni moules, ni vin blanc. Hachez l'ail, 2 échalotes seulement, l'estragon frais et le persil. Hachez 1 bouquet de ciboulette fraîche. Préparez la sauce, avec la moitié de l'ail haché, 1 citron seulement et 15 cl d'huile d'olive. Mélangez au fouet les herbes avec 3 cuil. à soupe de crème épaisse.

2 Remplacez les moules par 500 g de noix de Saint-Jacques. Rincez-les sous l'eau froide, égouttez-les et séchez-les. Coupez les plus grosses en deux dans le sens de la hauteur. Chauffez vivement 1 cuil. à soupe d'huile dans une grande poêle. Mettez-y les noix de Saint-Jacques avec le reste de l'ail et saupoudrez de sel et de poivre. Laissez frire de 1 à 2 min de chaque côté, en les retournant une fois, jusqu'à ce qu'elle soient brun doré et un peu croustillantes. Si elles sont petites, contentez-vous de remuer la poêle pour qu'elles dorent uniformément.

3 Cuisez à grande eau 250 g de pâtes vertes aux épinards et coupez les oignons nouveaux. Égouttez les pâtes. Incorporez-y les oignons nouveaux, les noix de Saint-Jacques et la sauce crémeuse aux herbes. Rectifiez l'assaisonnement, et servez à température ambiante. Décorez avec des brins de ciboulette.

SALADE DE RIZ PRINTANIÈRE

POUR 4 À 6 PERSONNES — PRÉPARATION : DE 20 À 25 MIN* — CUISSON : DE 15 À 20 MIN

ÉQUIPEMENT

casseroles

couteau chef

couteau d'office

bols

cuiller percée**

cuiller métallique

passoire

fouet

ciseaux de cuisine

couteau éplucheur

passoire en toile métallique

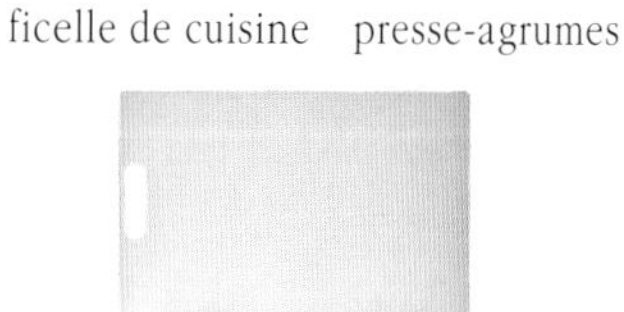

ficelle de cuisine

presse-agrumes

planche à découper

** ou écumoire

Des saveurs et des couleurs printanières se marient dans cette salade d'asperges vertes, de saumon fumé rose et de riz blanc gonflé. L'arôme doux et subtil de l'estragon la parfume grâce au vinaigre de l'assaisonnement. Vous pouvez préparer vous-même des vinaigres aromatisés ou les acheter tout prêts.

SAVOIR S'ORGANISER

Vous pouvez préparer la vinaigrette 1 semaine à l'avance et la conserver dans un récipient hermétique. La salade de riz se garde, couverte, 24 h au réfrigérateur. Sortez-la suffisamment à l'avance pour la servir à température ambiante.

** plus 1 h de réfrigération*

LE MARCHÉ

1 citron
200 g de riz à grains longs
250 g d'asperges vertes
3 branches de céleri
250 g de saumon fumé en tranches
sel et poivre

Pour la vinaigrette

3 cuil. à soupe de vinaigre à l'estragon
2 cuil. à café de moutarde de Dijon
20 cl d'huile de carthame

INGRÉDIENTS

saumon fumé

riz à grains longs

asperges vertes

huile de carthame***

céleri-branche

vinaigre à l'estragon

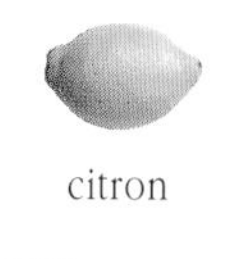

citron

moutarde de Dijon

*** ou huile végétale légère

CONSEIL MALIN

Si les asperges sont très tendres, il n'est pas nécessaire de les éplucher avant de les cuire.

DÉROULEMENT

1 PRÉPARER LE RIZ ET LA SAUCE

2 PRÉPARER LES LÉGUMES ET LE SAUMON; COMPOSER LA SALADE

1 PRÉPARER LE RIZ ET LA SAUCE

1 Remplissez une grande casserole d'eau salée et portez à ébullition. Pressez une moitié du citron dans la casserole, puis mettez-y le demi-citron.

2 Versez le riz en pluie dans l'eau et attendez la nouvelle ébullition. Laissez frémir de 10 à 12 minutes, en remuant de temps en temps, jusqu'à ce que le riz soit tendre.

Versez le riz doucement pour ne pas trop refroidir l'eau

Le citron apporte de la saveur et garde sa blancheur au riz

Ajoutez l'huile lentement, en un mince filet

3 Pendant ce temps, préparez la vinaigrette. Mettez le vinaigre, du sel et du poivre dans un petit bol. Ajoutez la moutarde et fouettez.

4 Incorporez l'huile petit à petit : la sauce s'émulsionne et épaissit légèrement. Goûtez et rectifiez l'assaisonnement; réservez.

5 Égouttez le riz, en éliminant le demi-citron, rincez-le sous l'eau froide pour en enlever l'amidon, égouttez-le de nouveau. Mettez-le dans un grand bol. Pressez le second demi-citron et réservez le jus.

2 PRÉPARER LES LÉGUMES ET LE SAUMON; COMPOSER LA SALADE

1 À l'aide du couteau éplucheur, pelez les asperges et ôtez leur bout ligneux.

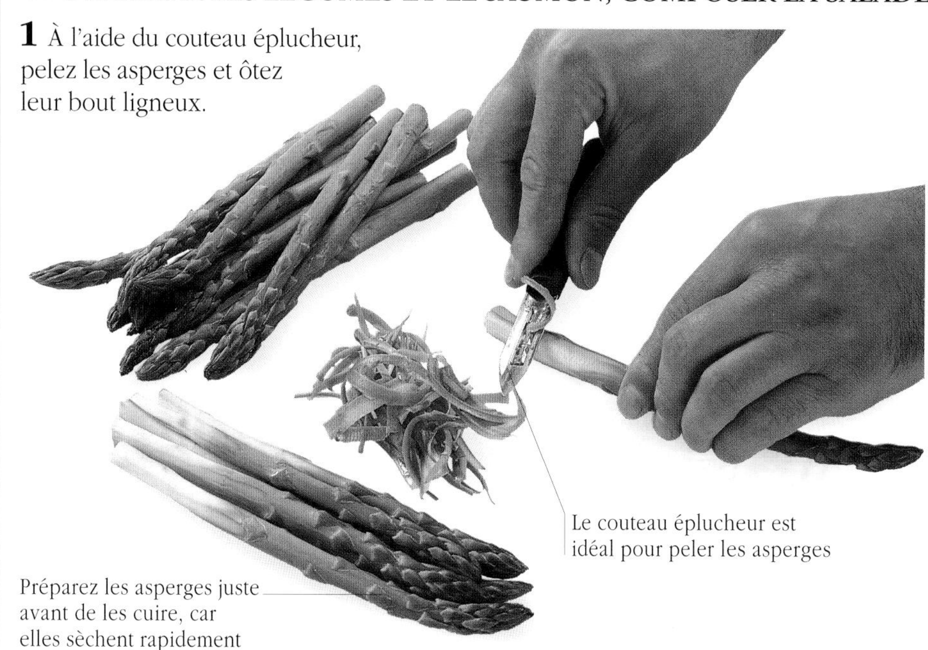

Le couteau éplucheur est idéal pour peler les asperges

Préparez les asperges juste avant de les cuire, car elles sèchent rapidement

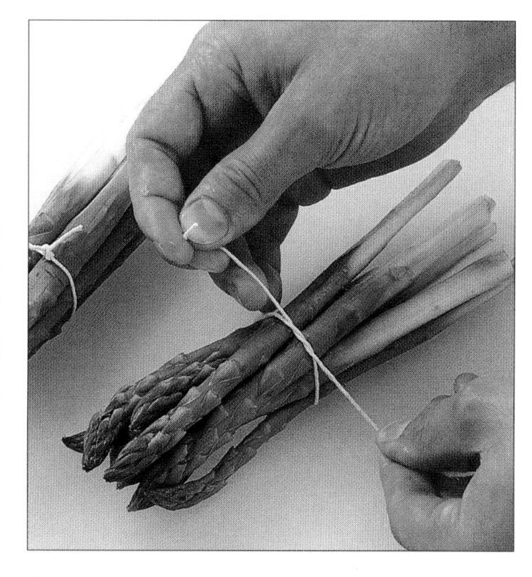

2 Attachez les asperges en 2 bottes identiques avec de la ficelle de cuisine pour les manipuler plus facilement.

3 Remplissez une grande casserole d'eau salée et portez à ébullition. Mettez-y les asperges et laissez frémir de 5 à 7 min, jusqu'à ce qu'elles soient tendres sous la pointe du couteau d'office.

4 Égouttez les asperges, rincez-les sous l'eau froide, égouttez-les de nouveau. Enlevez la ficelle. Coupez les pointes à 5 cm du haut et réservez-les. Détaillez les tiges en morceaux de 1,5 cm.

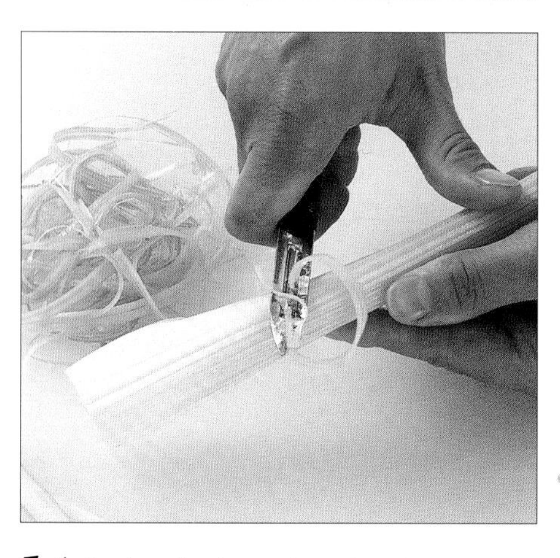

5 Épluchez les branches de céleri avec le couteau éplucheur. Détaillez-les en morceaux de 7,5 cm, que vous couperez en 2 ou 3 lanières. Rassemblez-les et hachez-les en dés.

Les tranches de saumon fumé ne doivent pas être trop fines

Guidez la lame du couteau sur la dernière phalange de vos doigts

6 À l'aide du couteau chef, coupez les tranches de saumon fumé en lanières de 1,5 cm.

7 Fouettez vivement la vinaigrette, réservez-en 1 ou 2 cuil. à soupe et versez le reste sur le riz.

Le saumon fumé enrichit cette salade délicatement parfumée

8 Ajoutez au riz assaisonné les morceaux d'asperge, de céleri et de saumon fumé, puis le jus de citron réservé.

9 Mélangez tous les ingrédients pour bien les enrober de vinaigrette. Goûtez et rectifiez l'assaisonnement. Couvrez et laissez au réfrigérateur 1 h au moins. Servez à température ambiante.

POUR SERVIR

Servez dans des bols, en décorant avec les pointes d'asperge vinaigrées.

Les pointes d'asperge font une décoration attrayante

Le saumon fumé est bien relevé par la vinaigrette

V A R I A N T E

SALADE DE RIZ À LA TRUITE FUMÉE

Le vert vif des petits pois et le rouge des tomates égaient la salade de riz.

1 N'utilisez ni saumon fumé, ni asperges. Cuisez le riz et préparez la vinaigrette en suivant la recette principale.

2 Remplissez une petite casserole d'eau salée et portez à ébullition. Mettez-y 125 g de petits pois frais écossés et laissez frémir de 3 à 5 min, jusqu'à ce qu'ils soient tendres. Égouttez-les, rincez-les sous l'eau froide, égouttez-les de nouveau. Vous pouvez les remplacer par des petits pois surgelés, en suivant les indications portées sur l'emballage.

3 À l'aide d'un couteau d'office, enlevez la peau de 2 truites fumées (250 g environ chacune) et levez les filets en enlevant les arêtes. Écrasez leur chair.

4 Rincez 400 g de tomates cerises et séchez-les dans du papier absorbant. Débarrassez-les de leur queue et coupez-les en deux. Réservez-les pour la décoration.

5 Composez la salade en suivant la recette principale. Goûtez et rectifiez l'assaisonnement. Disposez dans un plat creux et décorez avec les tomates.

SALADE DU JARDIN

 POUR 8 PERSONNES · PRÉPARATION : DE 15 À 30 MIN

ÉQUIPEMENT

essoreuse à salade*

couteau chef

couteau d'office

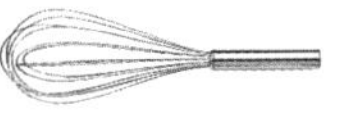
fouet

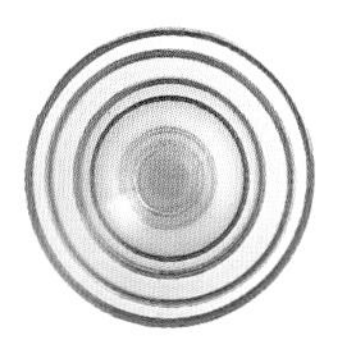
bols

planche à découper

La grande variété des salades désormais disponibles tout au long de l'année sur les marchés est une invitation à la création. Des herbes fraîches relèveront votre composition; un semis de fleurs comestibles la colorera. Une vinaigrette maison, préparée avec de l'huile d'olive vierge extra ou de l'huile de noix et un vinaigre de votre choix, est indispensable.

SAVOIR S'ORGANISER

Vous pouvez préparer la vinaigrette 1 semaine à l'avance et la conserver dans un récipient hermétique. Les salades se gardent 24 h au réfrigérateur, enveloppées dans un torchon humide. Assaisonnez-les juste avant de servir.

LE MARCHÉ

2 endives, soit 150 g environ
1 petite frisée, soit 300 g environ
1 trévise moyenne, soit 150 g environ
125 g de mâche
125 g de roquette
5 à 7 brins de basilic frais
5 à 7 brins d'estragon frais
1 petit bouquet de ciboulette fraîche, si possible avec ses fleurs
quelques fleurs comestibles (facultatif)
Pour la vinaigrette
4 cuil. à soupe de vinaigre de vin rouge
sel et poivre
2 cuil. à café de moutarde de Dijon (facultatif)
20 cl d'huile d'olive vierge extra

INGRÉDIENTS

fleurs comestibles · frisée · roquette

endives

moutarde de Dijon

basilic

trévise

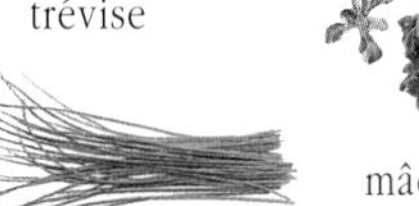
ciboulette · mâche

estragon

huile d'olive · vinaigre de vin rouge

DÉROULEMENT

1 PRÉPARER LES SALADES

2 PRÉPARER LES HERBES ET LA VINAIGRETTE ET COMPOSER LA SALADE

* ou torchon

1 PRÉPARER LES SALADES

1 À l'aide du couteau d'office, ôtez le cœur des endives par la base et débarrassez-les de toutes les feuilles flétries. Essuyez-les avec du papier absorbant humide.

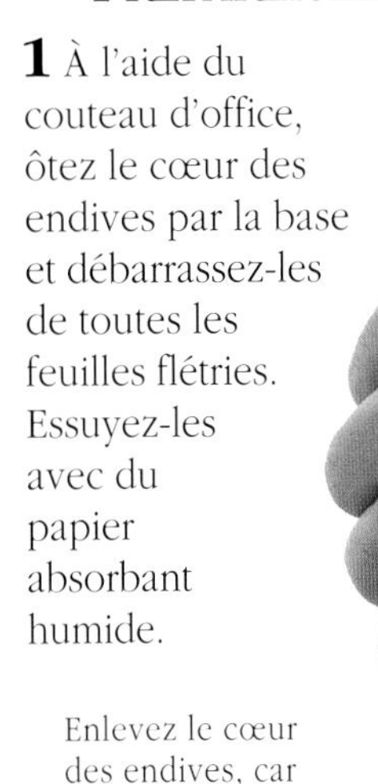

Enlevez le cœur des endives, car il est souvent amer

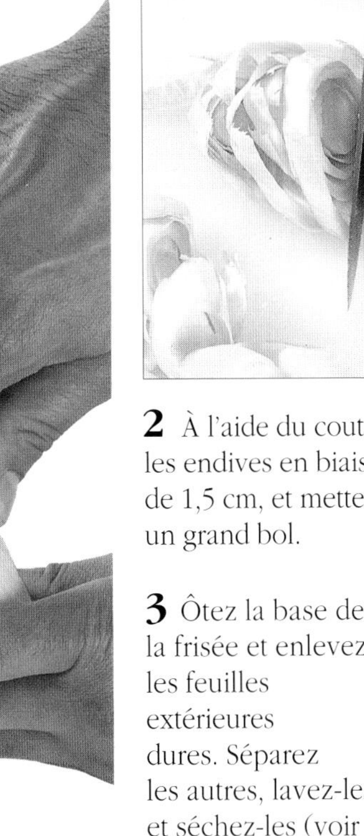

2 À l'aide du couteau chef, coupez les endives en biais, en tranches de 1,5 cm, et mettez-les dans un grand bol.

3 Ôtez la base de la frisée et enlevez les feuilles extérieures dures. Séparez les autres, lavez-les et séchez-les (voir encadré ci-dessous). Mettez-les dans le bol.

La frisée appartient à la même famille que les endives; elle est verte parce qu'elle pousse à l'air libre, et non dans le sol

LAVER ET SÉCHER UNE SALADE

Les salades vertes peuvent être lavées à l'avance; elles se conservent alors 24 h au réfrigérateur, enveloppées dans du papier absorbant ou un torchon humide.

1 Laissez tremper la salade de 15 à 30 min dans l'eau froide pour la débarrasser de son sable et de sa terre et pour raffermir ses feuilles.

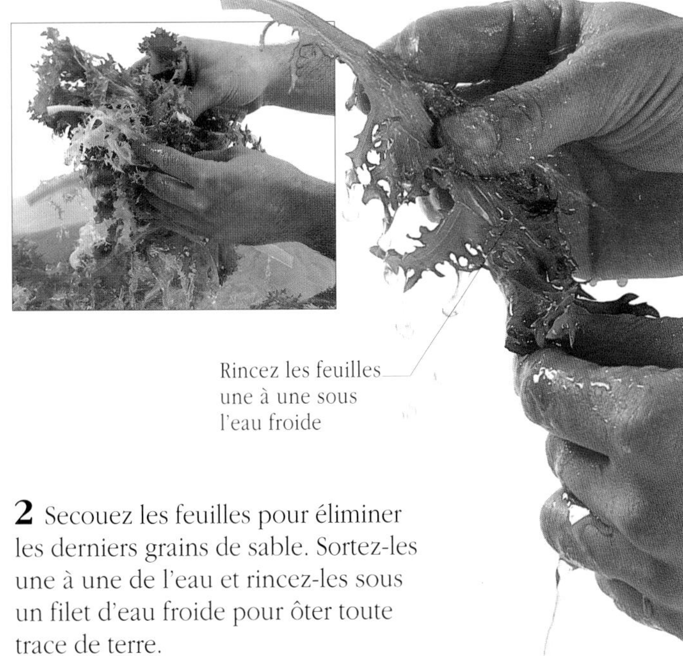

Rincez les feuilles une à une sous l'eau froide

2 Secouez les feuilles pour éliminer les derniers grains de sable. Sortez-les une à une de l'eau et rincez-les sous un filet d'eau froide pour ôter toute trace de terre.

3 Déchirez entre vos doigts les grandes feuilles en 2 ou 3 morceaux. Séchez-les dans une essoreuse ou en les tapotant dans un torchon.

ATTENTION !
L'humidité diluerait la sauce et ramollirait les feuilles.

4 Enlevez toutes les feuilles flétries ou décolorées de la trévise et ôtez sa base. Séparez les autres feuilles, lavez-les et séchez-les (voir encadré p. 61). Mettez-les dans le grand bol.

5 Avec les doigts, enlevez les extrémités des tiges de la mâche, en gardant quelques petits bouquets entiers. Lavez et séchez les feuilles (voir encadré p. 61). Mettez-les dans le grand bol.

6 Lavez et séchez la roquette (voir encadré p. 61), en enlevant les tiges dures. Mettez les feuilles avec les autres dans le grand bol.

2 PRÉPARER LES HERBES ET LA VINAIGRETTE ET COMPOSER LA SALADE

1 Séparez les bouquets de basilic et d'estragon en brins. Détachez de leur tige les feuilles des herbes. Si la ciboulette a des fleurs, coupez-les en leur gardant 5 cm de tige et réservez-les. Détaillez le reste en morceaux de 2,5 cm. Préparez la vinaigrette (voir encadré p. 63).

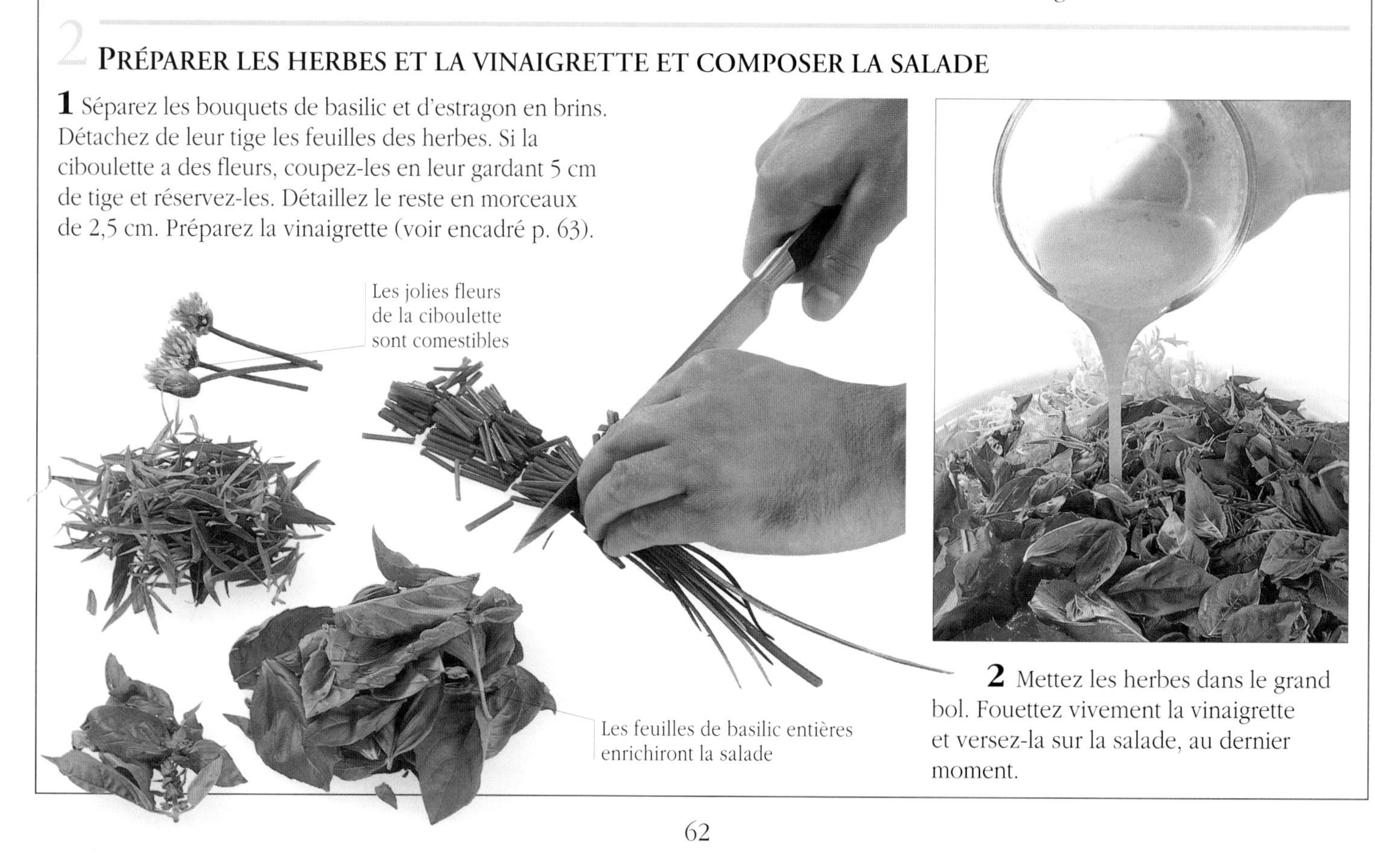

2 Mettez les herbes dans le grand bol. Fouettez vivement la vinaigrette et versez-la sur la salade, au dernier moment.

3 Remuez doucement la salade : soulevez-en une partie et laissez-les retomber. Tournez légèrement le bol et recommencez, jusqu'à ce que les feuilles soient bien enrobées de vinaigrette. Goûtez-en quelques-unes pour vous assurer que l'assaisonnement est bien réparti.

Remuez longuement les feuilles de salade pour qu'elles soient toutes enrobées de vinaigrette

4 Juste avant de servir, décorez le dessus de la salade avec les fleurs de ciboulette et d'autres fleurs comestibles.

POUR SERVIR
Servez aussitôt pour que les feuilles et les fleurs restent fraîches et gardent leurs couleurs vives.

Assurez-vous que les fleurs ne sont pas toxiques

FLEURS À MANGER

Certaines fleurs sont toxiques; ne consommez que celles qui sont sans danger ou vendues dans le commerce et qui ont poussé sans pesticide. Celles qui suivent ne présentent aucun risque. Pensée • Rose • Souci • Bleuet • Violette • Bourrache • Narcisse Chèvrefeuille

PRÉPARER UNE SAUCE VINAIGRETTE

Selon la recette classique, une vinaigrette se prépare avec 1 part de vinaigre pour 3 parts d'huile, mais ces quantités peuvent varier selon votre goût ou les autres ingrédients.

1 Dans un petit bol, fouettez le vinaigre avec le sel, le poivre et la moutarde, si vous l'aimez.

2 Versez l'huile en un mince filet continu et incorporez-la en fouettant : la sauce s'émulsionne et épaissit légèrement. Goûtez et rectifiez l'assaisonnement.

CONSEIL MALIN
La vinaigrette se conserve 1 semaine dans un récipient hermétique; n'ajoutez les arômes qu'au dernier moment.

SALADE GRECQUE

POUR 6 À 8 PERSONNES  PRÉPARATION : DE 25 À 30 MIN*

ÉQUIPEMENT

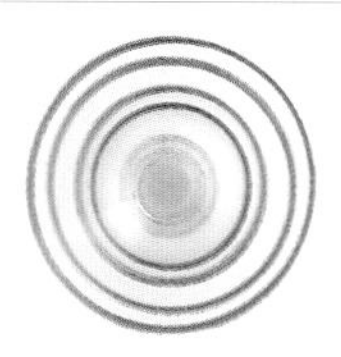

bols

couteau éplucheur

couteau d'office

couteau chef

cuiller métallique

fouet

planche à découper

La feta, fromage de brebis salé, les olives noires épicées et l'huile d'olive parfumée sont des ingrédients incontournables de la cuisine grecque. Elles se marient ici avec des tomates, de l'oignon, des poivrons et des concombres.

SAVOIR S'ORGANISER

Vous pouvez préparer les ingrédients de la salade 6 h à l'avance et les conserver au réfrigérateur. La vinaigrette se garde 1 semaine dans un récipient hermétique. Fouettez-la bien et ajoutez les herbes au dernier moment. Remuez la salade 30 min environ avant de servir.

** plus 30 min de repos*

LE MARCHÉ

1 kg de tomates moyennes
2 petits concombres
2 poivrons verts
1 oignon rouge moyen
200 g de feta
125 g d'olives calamatas ou d'autres olives grecques

Pour la vinaigrette

3 à 5 brins de menthe fraîche
3 à 5 brins d'origan frais
7 à 10 brins de persil
3 cuil. à soupe de vinaigre de vin rouge
sel et poivre
15 cl d'huile d'olive vierge extra

INGRÉDIENTS

tomates

concombres

persil

oignon rouge

feta

huile d'olive

poivrons

origan

menthe

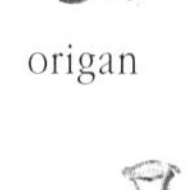

vinaigre de vin rouge

olives

CONSEIL MALIN

Une huile d'olive vierge extra très fruitée fera ici toute la différence.

DÉROULEMENT

1 PRÉPARER LA VINAIGRETTE AUX HERBES

2 PRÉPARER LES LÉGUMES

3 COUPER LE FROMAGE ET COMPOSER LA SALADE

1 PRÉPARER LA VINAIGRETTE AUX HERBES

1 Détachez de leur tige les feuilles de menthe et d'origan, et rassemblez-les toutes sur la planche à découper.

La menthe apporte sa saveur très particulière à la vinaigrette

2 Hachez grossièrement les feuilles, en les maintenant bien en bouquet entre vos doigts. Détachez de leur tige les feuilles de persil et hachez-les.

3 Dans un petit bol, mélangez au fouet le vinaigre de vin rouge, le sel et le poivre. Incorporez l'huile petit à petit : la sauce s'émulsionne et épaissit légèrement.

4 Ajoutez les herbes hachées et fouettez. Goûtez et rectifiez l'assaisonnement.

Les herbes fraîches apportent parfum et saveur

2 PRÉPARER LES LÉGUMES

Choisissez des tomates le plus mûres possible

Les quartiers de tomate coupés en deux ont une jolie forme et relèveront de leur couleur les autres ingrédients

1 Avec la pointe du couteau d'office, ôtez le pédoncule des tomates. Coupez-les en 8 quartiers, puis chacun en deux.

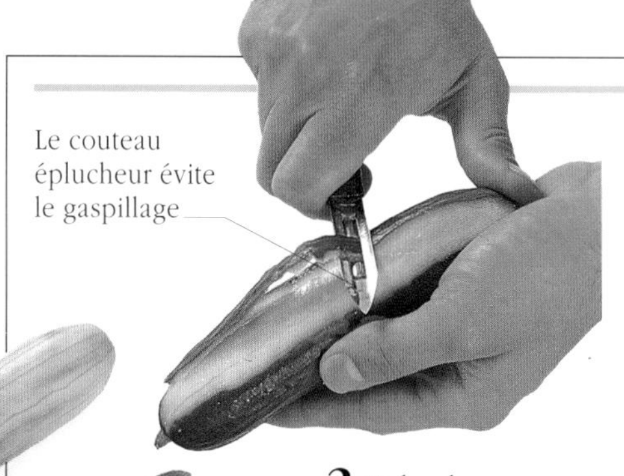

2 Pelez les concombres. Ôtez leurs extrémités et coupez-les en deux dans le sens de la longueur.

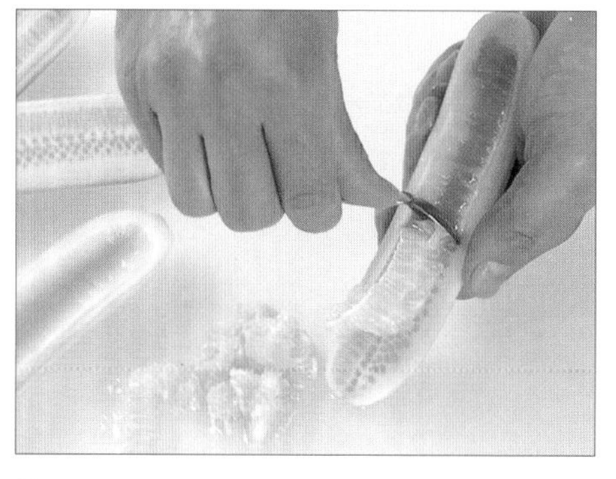

3 Grattez les graines des concombres avec une cuiller à café et jetez-les.

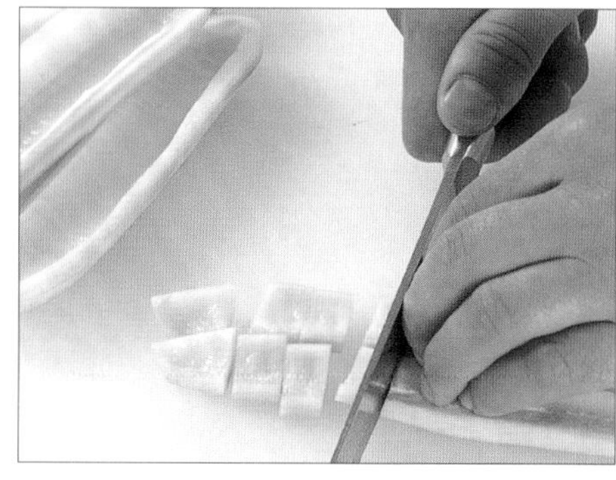

4 Détaillez les moitiés de concombre en 2 ou 3 lanières dans le sens de la longueur, rassemblez-les et coupez-les en morceaux de 1,5 cm.

5 Ôtez le pédoncule des poivrons. Ouvrez-les en deux, grattez les graines et les membranes blanches. Posez les moitiés sur la planche à découper, peau au-dessus, aplatissez-les sous le talon de votre main, et coupez-les en lanières, puis en dés.

6 Épluchez l'oignon. Enlevez une mince tranche sur un de ses côtés pour pouvoir le poser sur la planche à découper. Tranchez-le en fines rondelles. Séparez les anneaux avec vos doigts.

3 COUPER LE FROMAGE ET COMPOSER LA SALADE

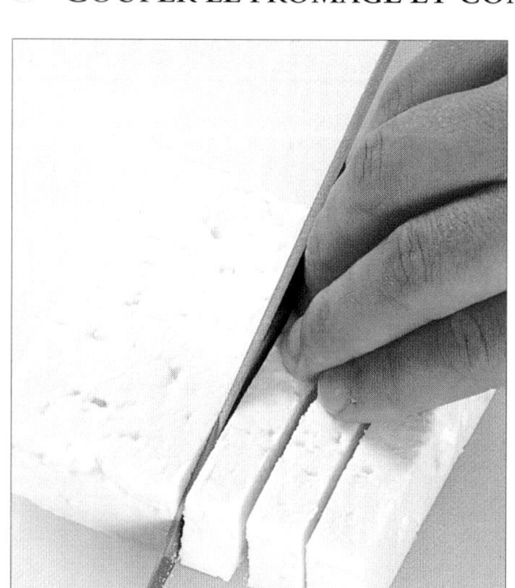

1 Coupez la feta en lanières larges de 1,5 cm. Rassemblez-les et détaillez-les en dés.

2 Mettez les tomates, les concombres, les poivrons et les anneaux d'oignon dans un grand bol. Fouettez vivement la vinaigrette et versez-la sur la salade.

3 Avec la grande cuiller en métal, mélangez les légumes jusqu'à ce qu'ils soient bien enrobés de vinaigrette.

4 Ajoutez les olives et la feta et remuez doucement. Goûtez et rectifiez l'assaisonnement.

CONSEIL MALIN

En Grèce, on sert les olives entières, mais vous pouvez les dénoyauter à l'aide d'un dénoyauteur.

POUR SERVIR

Laissez les arômes se mêler 30 min environ.

VARIANTE

SALADE D'OLIVETTES ET DE MOZZARELLA

1 N'utilisez ni poivrons, ni oignon, ni feta. Coupez 500 g de mozzarella en fines tranches. Ôtez le pédoncule de 6 olivettes et coupez-les chacune en 6 tranches. Pelez un petit concombre, ouvrez-le en deux et enlevez les graines. Coupez chaque moitié en 6 lanières, rassemblez-les et détaillez-les en dés de 5 mm de côté.

2 Posez le plat d'un couteau chef sur 2 gousses d'ail et appuyez avec le poing pour les écraser légèrement. Pelez-les et hachez-les.

3 Remplacez la menthe, l'origan et le persil par un petit bouquet de basilic frais. Détachez de leur tige les feuilles. Gardez-en quelques-unes pour la décoration et hachez les autres grossièrement.

4 Préparez la vinaigrette en suivant la recette principale. Incorporez les gousses d'ail et le basilic hachés. Goûtez et rectifiez l'assaisonnement.

5 Disposez en les alternant les tranches de mozzarella et d'olivettes sur des assiettes individuelles. Mettez au centre quelques dés de concombre. Fouettez vivement la vinaigrette et versez-la à la cuiller sur la salade. Décorez éventuellement avec des feuilles de basilic.

SALADE LYONNAISE

POUR 6 PERSONNES · PRÉPARATION : DE 30 À 35 MIN · CUISSON : DE 20 À 25 MIN

ÉQUIPEMENT

couteau chef

couteau d'office

petite casserole

pinceau à pâtisserie

bols

poêle

petite passoire en toile métallique

cuillers en bois

couteau à pain

cuiller métallique

plaque à pâtisserie

torchon*

planche à découper

* ou essoreuse à salade

Une garniture de poitrine fumée au vinaigre de vin rouge rehausse cette salade d'épinards chaude, très appréciée à Lyon, ville gastronome par excellence. Si vous voulez l'enrichir, ajoutez-y 1 ou 2 œufs durs coupés en quartiers. Les Lyonnais l'apprécient particulièrement avec un œuf poché. Les croûtons aillés sont dans tous les cas l'accompagnement idéal.

SAVOIR S'ORGANISER

Vous pouvez laver les épinards 24 h à l'avance et les conserver au réfrigérateur, enveloppés dans un torchon humide. Faites durcir les œufs la veille. Écalez-les et gardez-les dans un bol d'eau froide. Hachez-les, cuisez la poitrine fumée, préparez les croûtons et tournez la salade juste avant de servir.

LE MARCHÉ

2 œufs
500 g d'épinards frais
250 g de poitrine fumée maigre en tranches
10 cl de vinaigre de vin rouge
Pour les croûtons
1/2 baguette
3 cuil. à soupe d'huile d'olive
1 gousse d'ail

INGRÉDIENTS

épinards frais

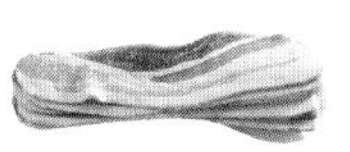

poitrine fumée

œufs

gousse d'ail

demi-baguette

huile d'olive

vinaigre de vin rouge

DÉROULEMENT

1 PRÉPARER LES CROÛTONS

2 PRÉPARER LES INGRÉDIENTS DE LA SALADE

3 COMPOSER LA SALADE

1 PRÉPARER LES CROÛTONS

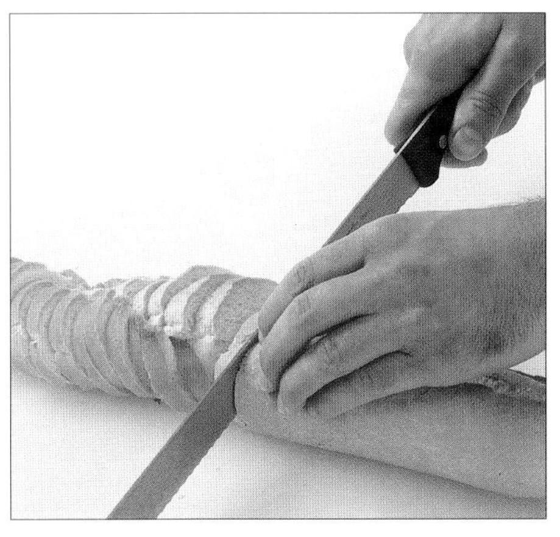

1 Préchauffez le four à 200 °C. À l'aide du couteau à pain, découpez la demi-baguette en tranches de 5 mm.

L'huile d'olive parfume le pain et le rend croustillant à la cuisson

2 Badigeonnez d'huile d'olive les 2 côtés des croûtons et posez-les sur la plaque à pâtisserie. Enfournez-les de 7 à 10 minutes, en les retournant une fois, jusqu'à ce qu'ils soient bien grillés et brun doré.

Coupez une grosse gousse d'ail en deux pour frotter les croûtons

3 Écrasez légèrement la gousse d'ail avec le plat de la lame du couteau chef, pelez-la et coupez-la en deux.

4 Frottez un des côtés de chaque croûton avec la face ouverte de la gousse, puis jetez-la. Réservez les croûtons.

2 PRÉPARER LES INGRÉDIENTS DE LA SALADE

1 Faites durcir les œufs et écalez-les (voir encadré p. 70). Pendant qu'ils cuisent, ôtez la queue et les côtes des épinards. Lavez les feuilles à grande eau.

2 Déchirez les feuilles en gros morceaux. Séchez-les dans le torchon ou dans une essoreuse. Mettez-les dans un bol.

Tapotez les épinards avec le torchon pour les sécher parfaitement

FAIRE DURCIR DES ŒUFS ET LES ÉCALER

Hachés, tranchés ou tamisés, les œufs durs décorent joliment de nombreux plats.

1 Mettez les œufs dans une casserole et couvrez-les largement d'eau froide. Portez à ébullition et laissez frémir 10 min. Retirez du feu et faites couler de l'eau froide dans la casserole pour interrompre la cuisson.

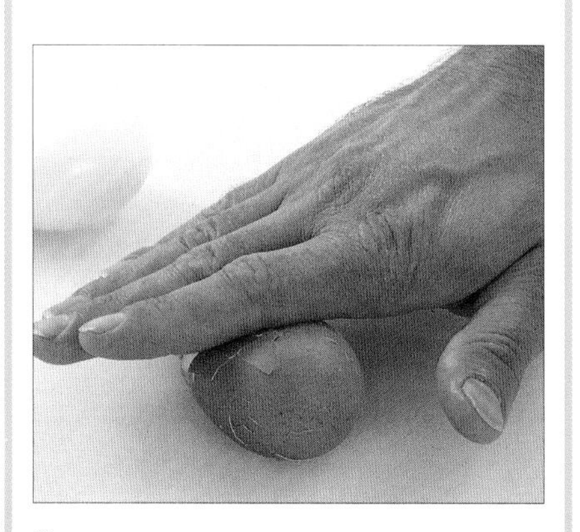

2 Laissez les œufs refroidir. Roulez-les ou tapotez-les pour briser toute la coquille.

3 Écalez les œufs, rincez-les sous l'eau froide et séchez-les dans du papier absorbant.

3 Séparez les jaunes d'œufs des blancs, en les manipulant délicatement. Hachez les blancs. Mettez les jaunes dans la petite passoire posée au-dessus d'un bol. Écrasez-les avec la cuiller métallique; grattez bien le fond du tamis.

Les jaunes d'œufs resteront mousseux si vous ne les écrasez pas trop

4 Rassemblez les tranches de poitrine fumée et détaillez-les en lanières.

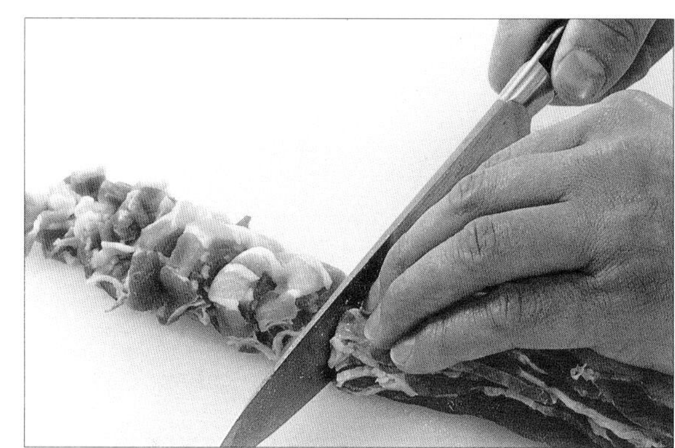

CONSEIL MALIN

Selon la qualité de la poitrine fumée, vous devrez peut-être en enlever l'excès de graisse, ou ajouter de l'huile quand elle sera cuite, pour avoir suffisamment de jus dans les épinards.

3 COMPOSER LA SALADE

La poitrine et la graisse chaudes vont chiffonner les épinards

1 Chauffez la poêle, mettez-y la poitrine fumée et cuisez de 3 à 5 min, jusqu'à ce qu'elle soit croustillante et qu'elle ait perdu sa graisse. Versez le tout sur les épinards : vous devez avoir environ 15 cl de jus de cuisson.

2 Mélangez vivement la poitrine fumée et les épinards, jusqu'à ce que les feuilles soient légèrement chiffonnées.

Tournez la salade avec des cuillers en bois

3 Versez le vinaigre dans la poêle. Portez à ébullition, en remuant pour dissoudre les sucs de cuisson. Laissez bouillir 1 min environ, pour réduire le liquide d'un tiers.

ATTENTION !
Laissez la poêle refroidir un peu pour que le vinaigre n'éclabousse pas.

4 Versez le vinaigre et les sucs de cuisson sur les épinards et la poitrine fumée et mélangez bien.

POUR SERVIR
Disposez la salade sur 6 assiettes individuelles. Parsemez avec le jaune et le blanc d'œuf et servez aussitôt, avec les croûtons.

La sauce à la graisse et au vinaigre cuit légèrement les épinards et les chiffonne

Les croûtons aillés donnent du corps à la salade tendre

VARIANTE
SCAROLE AUX LARDONS

La scarole piquante est tout aussi délicieuse avec une garniture de poitrine fumée chaude. Des tranches de parmesan remplacent les œufs.

1 N'utilisez ni croûtons, ni œufs. Remplacez les épinards par une scarole de 750 g. Enlevez-en la base et les feuilles extérieures trop dures. Séparez les autres et plongez-les dans l'eau froide. Débarrassez-les de leurs côtes dures et coupez les plus grandes en deux. Séchez-les dans un torchon ou dans une essoreuse à salade.

2 À l'aide d'un couteau éplucheur, prélevez de grandes lamelles sur un morceau de 125 g de parmesan.

3 Faites frire les lanières de poitrine fumée en suivant la recette principale et posez-les sur la scarole à l'aide d'une cuiller percée, en gardant la graisse dans la poêle. Laissez refroidir légèrement, puis ajoutez 30 g de pignons. Faites-les frire, en remuant sans arrêt, de 30 à 60 s, jusqu'à ce qu'ils soient grillés et dorés. Mettez-les, avec la graisse chaude, sur la scarole, et mélangez vivement. Versez du vinaigre pour dissoudre les sucs de cuisson de la poêle et composez la salade en suivant la recette principale.

4 Disposez la salade sur 6 assiettes individuelles et décorez avec les lamelles de parmesan. Servez aussitôt, chaud.

SALADE DE FUSILLIS AU PESTO

POUR 6 À 8 PERSONNES, EN ENTRÉE — PRÉPARATION : DE 10 À 15 MIN — CUISSON : DE 8 À 10 MIN

ÉQUIPEMENT

robot ménager

grand faitout

passoire

papier absorbant

grandes fourchettes

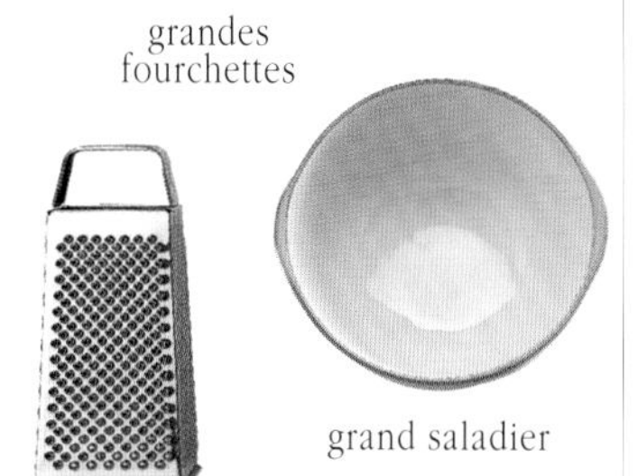
grand saladier

râpe à fromage

spatule en caoutchouc

Le pesto est un condiment italien très classique à base de basilic frais, d'ail, de pignons, de parmesan et d'huile d'olive. Il parfume ici des fusillis servis en entrée, mais qui accompagnent aussi très bien des viandes grillées. Pour cette recette, un robot ménager vous aidera beaucoup : il vous évitera de tout hacher à la main.

SAVOIR S'ORGANISER

Vous pouvez préparer le pesto 48 h à l'avance et le conserver au réfrigérateur, dans un récipient couvert, ou même le congeler. Cuisez les pâtes et mélangez-les avec le pesto juste avant de servir.

LE MARCHÉ

60 g de basilic frais
6 gousses d'ail
50 g de pignons
125 g de parmesan râpé
20 cl d'huile d'olive
sel et poivre
500 g de fusillis
tomates cerises, pour décorer le plat (facultatif)

INGRÉDIENTS

basilic frais

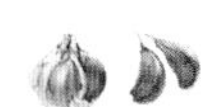
gousses d'ail

pignons

parmesan

huile d'olive

fusillis

DÉROULEMENT

1 PRÉPARER LE PESTO

2 CUIRE LES FUSILLIS

3 POUR TERMINER

1 PRÉPARER LE PESTO

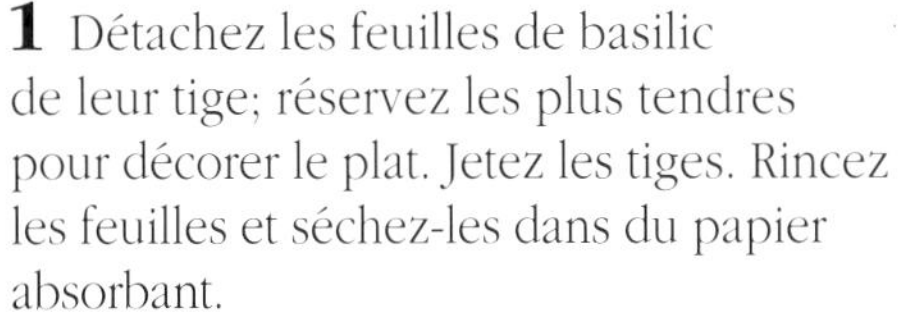

1 Détachez les feuilles de basilic de leur tige; réservez les plus tendres pour décorer le plat. Jetez les tiges. Rincez les feuilles et séchez-les dans du papier absorbant.

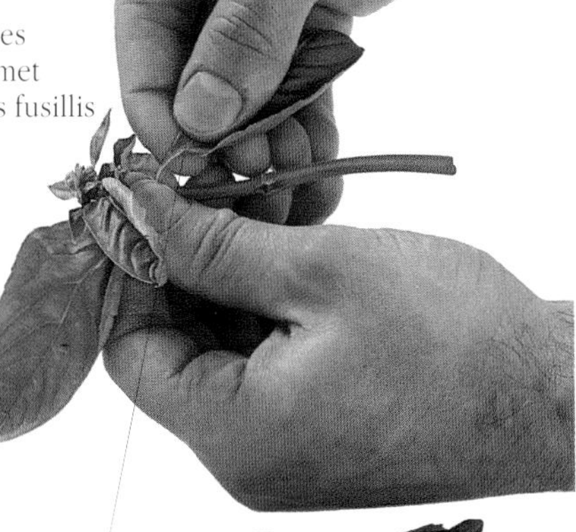

Gardez les petites feuilles du sommet pour décorer les fusillis

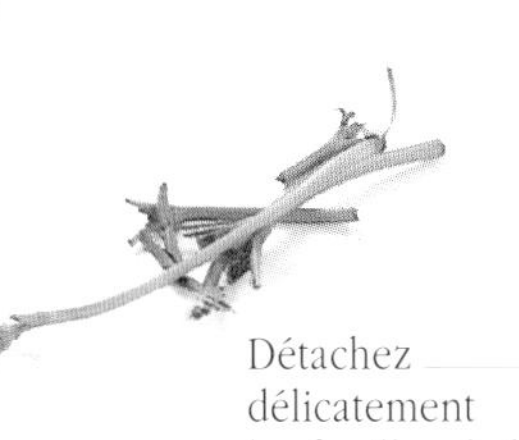

Détachez délicatement les feuilles de leur tige avec les doigts

2 Mettez le basilic dans le bol du robot ménager avec l'ail, les pignons, le parmesan et environ 3 cuil. à soupe d'huile d'olive. Réduisez le tout en une purée lisse, en raclant de temps en temps les parois du bol.

3 Pendant que l'appareil tourne, versez le reste de l'huile d'olive par le cylindre du haut. Ajoutez-le lentement afin que l'émulsion se fasse bien.

CONSEIL MALIN

Le pesto est précieux en cuisine, pour parfumer des spaghettis servis chauds ou relever une soupe de légumes, par exemple. Vous pouvez donc en préparer une bonne quantité et le congeler dans des bacs à glaçons. Vous en prendrez quelques cubes quand vous en aurez besoin.

Raclez les parois du bol à l'aide de la spatule en caoutchouc

Le pesto doit être épais et lisse

4 Quand toute l'huile est incorporée, raclez les parois du bol et remettez brièvement le robot en marche. Salez et poivrez selon votre goût.

2 CUIRE LES FUSILLIS

1 Remplissez le faitout d'eau froide, portez à ébullition et ajoutez 1 cuil. à soupe de sel.

Versez les pâtes progressivement pour ne pas interrompre l'ébullition

2 Faites-y cuire les fusillis de 8 à 10 min (à moins que les indications portées sur l'emballage ne soient différentes) — ils doivent être tendres mais encore fermes (al dente); remuez doucement avec une grande fourchette pour qu'ils ne collent pas.

3 Versez les pâtes dans la passoire et rincez-les sous un filet d'eau froide jusqu'à ce qu'elles soient tièdes. Égouttez-les de nouveau.

Cuisez toujours les pâtes dans une grande quantité d'eau

D'AUTRES PÂTES POUR CE PLAT

Les fusillis sont parfaits pour ce plat, car le pesto pénètre dans leurs spirales. Mais d'autres pâtes conviennent très bien, tels les farfalles, les gnocchis ou les conchiglies.

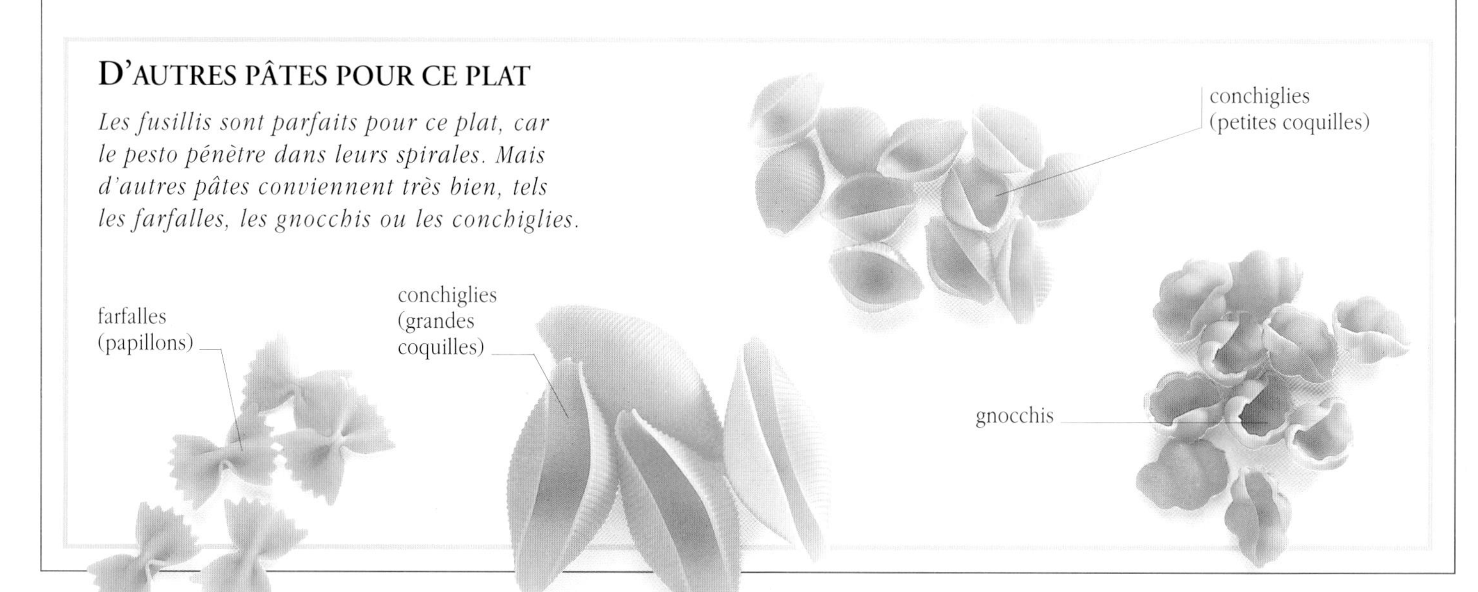

POUR TERMINER

1 Versez le pesto dans le grand saladier et ajoutez les pâtes.

2 Mélangez les pâtes et le pesto à l'aide des grandes fourchettes en bois : les fusillis doivent être bien enrobés de sauce.

POUR SERVIR

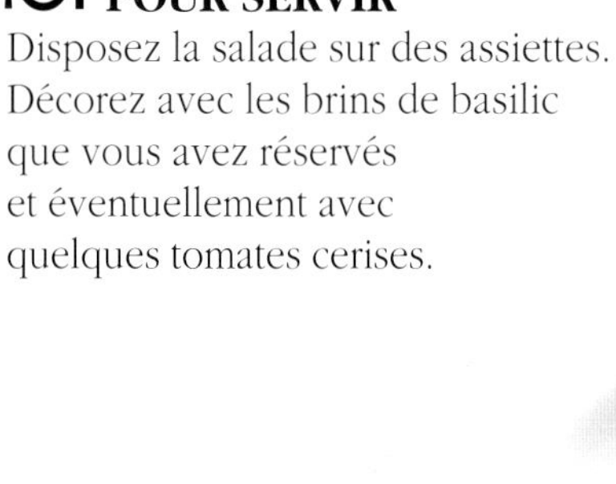

Disposez la salade sur des assiettes. Décorez avec les brins de basilic que vous avez réservés et éventuellement avec quelques tomates cerises.

Le pesto pénètre dans les spirales des fusillis

Un brin de basilic apporte sa fraîcheur

Les tomates cerises forment un brillant contraste

V A R I A N T E

SALADE DE FUSILLIS À LA CORIANDRE

La coriandre fraîche, au goût poivré, se substitue ici au basilic du classique pesto.

1 Remplacez le basilic par la même quantité de coriandre fraîche (baptisée aussi persil arabe ou persil chinois).
2 Préparez le plat en suivant la recette principale.
3 Disposez la salade de pâtes sur un plat de service et décorez-la avec des brins de coriandre.

SALADE TEX-MEX

POUR 6 À 8 PERSONNES — PRÉPARATION : DE 25 À 30 MIN* — CUISSON : DE 1 H À 1 H 30

ÉQUIPEMENT

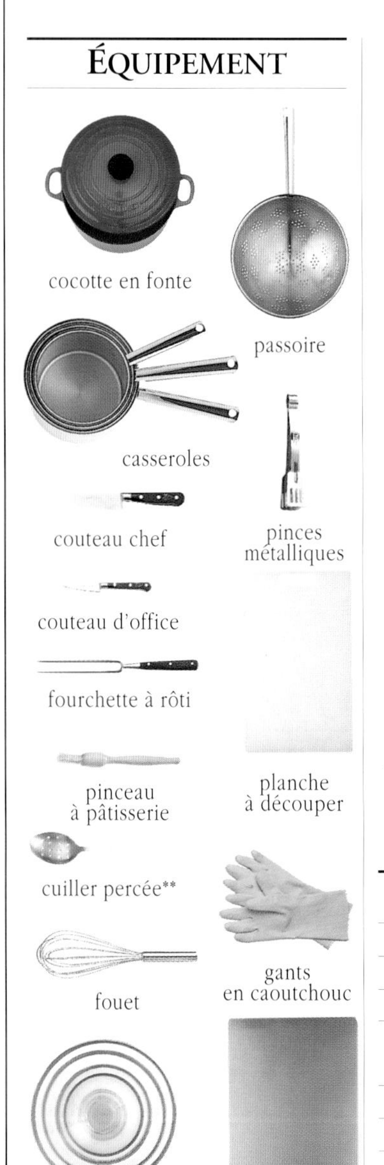

** ou écumoire

Des haricots rouges enrichis d'un semis de poivrons et de maïs sont la base de cette recette tex-mex. Pour changer sa couleur, vous pouvez utiliser des haricots blancs ou, mieux encore, des haricots noirs. Une vinaigrette piquante au piment apporte sa touche originale.

** plus 8 h au moins de trempage*

LE MARCHÉ

400 g de haricots rouges secs
1 oignon
2 clous de girofle entiers
1 bouquet garni composé de 5 ou 6 brins de persil, 2 ou 3 brins de thym frais et 1 feuille de laurier
sel et poivre
4 épis de maïs
1 poivron rouge
1 poivron vert
1 poivron jaune
750 g de tomates
6 tortillas de maïs
1 pincée de piment de Cayenne

Pour la vinaigrette

1 petit bouquet de coriandre fraîche
15 cl de vinaigre de cidre
1/2 cuil. à café de cumin en poudre
3 piments verts frais
15 cl d'huile de carthame, et un peu pour les tortillas et la plaque

INGRÉDIENTS

tortillas

piment de Cayenne

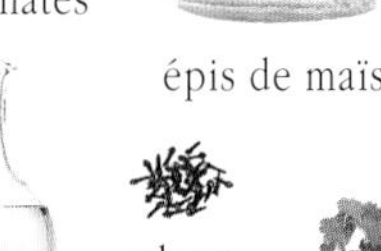

DÉROULEMENT

1 PRÉPARER LES HARICOTS

2 PRÉPARER LA SAUCE AU PIMENT

3 PRÉPARER LES LÉGUMES ET COMPOSER LA SALADE

4 GRILLER LES LANIÈRES DE TORTILLA; TERMINER LA SALADE

PRÉPARER LES HARICOTS

1 Mettez les haricots secs dans un grand bol. Couvrez-les largement d'eau et laissez-les tremper 8 h au moins.

CONSEIL MALIN

Au lieu de faire tremper les haricots, vous pouvez les mettre dans une casserole et les couvrir d'eau. Portez à ébullition et laissez frémir 30 min. Reprenez la recette à l'étape 2.

2 Égouttez les haricots, rincez-les sous l'eau froide, égouttez-les de nouveau.

3 Épluchez l'oignon et piquez-le avec les clous de girofle. Mettez les haricots dans la cocotte. Ajoutez le bouquet garni, l'oignon et le poivre. Couvrez largement d'eau. Portez à ébullition, maintenez-la 10 min, couvrez et laissez mijoter de 1 h à 1 h 30. Ne salez qu'à mi-cuisson.

4 Sortez quelques haricots de la cocotte, laissez-les tiédir, puis pincez-en un entre le pouce et l'index : il doit être très tendre.

5 Égouttez les haricots et enlevez le bouquet garni et l'oignon. Rincez-les sous un filet d'eau froide et égouttez-les de nouveau.

2 PRÉPARER LA SAUCE AU PIMENT

1 Détachez de leur tige les feuilles de coriandre. Rassemblez-les sur la planche à découper et hachez-les finement à l'aide du couteau chef. Mélangez au fouet le vinaigre, le cumin, le sel et le poivre.

2 Ouvrez les piments en deux dans le sens de la longueur et ôtez leur pédoncule. Grattez les graines et les membranes blanches. Coupez les moitiés en lanières très fines, rassemblez-les et détaillez-les en tout petits dés.

Enfilez des gants en caoutchouc, car les piments peuvent brûler la peau

3 Mettez les dés de piment dans le vinaigre parfumé.

ATTENTION !

Protégez-vous toujours les mains avec des gants en caoutchouc quand vous manipulez des piments.

4 Incorporez l'huile de carthame petit à petit : la sauce s'émulsionne et épaissit légèrement. Réservez un peu de coriandre pour la décoration et ajoutez le reste.

3 PRÉPARER LES LÉGUMES ET COMPOSER LA SALADE

1 Enlevez les gaines et les soies des épis de maïs. Remplissez une grande casserole d'eau et portez à ébullition. Mettez-y les épis et laissez cuire de 5 à 7 min.

CONSEIL MALIN

Si vous ne trouvez pas de maïs frais, remplacez-le par 300 g de grains de maïs décongelés. Ajoutez-les à la salade sans les cuire.

Nettoyez bien les épis

2 Sortez un des épis de la casserole : il est cuit si ses grains se détachent facilement sous la pointe du couteau d'office.

3 Égouttez les épis, laissez-les tiédir et détachez-en les grains. Ôtez le pédoncule des poivrons et détaillez-les en dés (voir encadré ci-dessous).

4 Ôtez le pédoncule des tomates et entaillez leur base en croix. Mettez-les dans l'eau bouillante jusqu'à ce que la peau se décolle. Plongez-les aussitôt dans l'eau froide.

Les dés de poivron apportent leurs trois couleurs à la salade

Les haricots rouges sont tendres et bien gonflés

5 Pelez les tomates et coupez-les en deux; égrenez-les et hachez-les grossièrement.

6 Dans un grand bol, mettez les haricots rouges, les grains de maïs, les tomates, les poivrons et la vinaigrette au piment. Remuez doucement. Goûtez et rectifiez l'assaisonnement. Couvrez et laissez au réfrigérateur 1 h au moins.

ÔTER LE PÉDONCULE ET LES GRAINES D'UN POIVRON, ET LE COUPER EN LANIÈRES OU EN DÉS

Avant de couper un poivron en lanières ou en dés, il faut ôter son pédoncule et ses graines.

1 Passez la lame d'un couteau d'office autour du pédoncule et ôtez-le en le faisant tourner. Coupez le poivron en deux dans le sens de la longueur et grattez les graines et les membranes blanches qui se trouvent à l'intérieur. Posez les moitiés à plat sur un plan de travail et aplatissez-les sous le talon de votre main pour les trancher plus facilement.

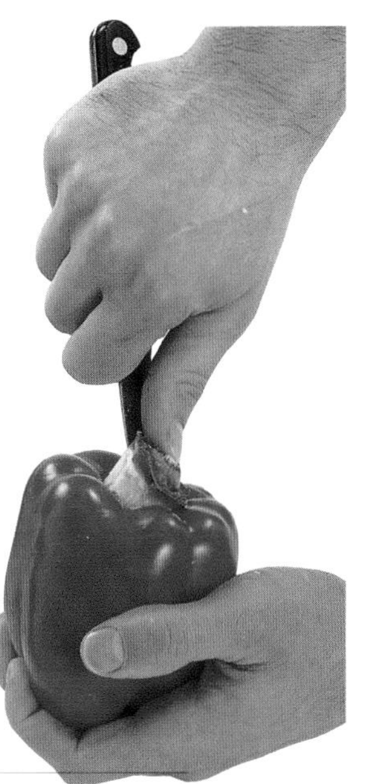

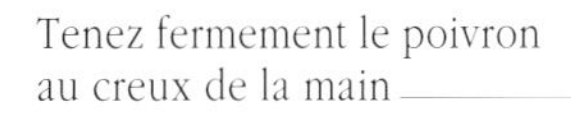

Tenez fermement le poivron au creux de la main

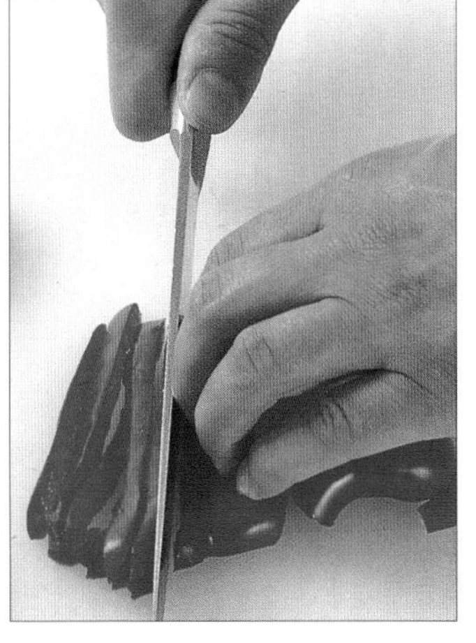

2 À l'aide d'un couteau chef, détaillez les moitiés de poivron en fines lanières dans le sens de la longueur.

3 Pour obtenir des dés, rassemblez les lanières et coupez-les aussi fin que vous le souhaitez.

4 GRILLER LES LANIÈRES DE TORTILLA; TERMINER LA SALADE

1 Avant de servir, préchauffez le gril et graissez la plaque à pâtisserie. Enduisez les tortillas d'huile et assaisonnez-les avec le sel et le piment.

Huilez légèrement les tortillas

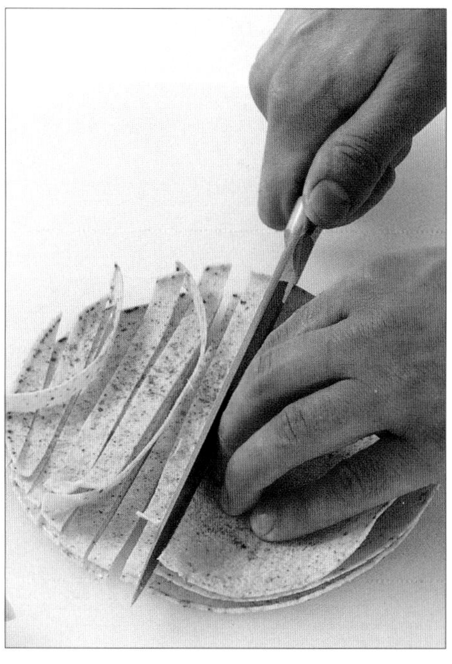

2 Empilez 3 tortillas et coupez-les en lanières de 1 cm. Procédez de la même façon pour les autres.

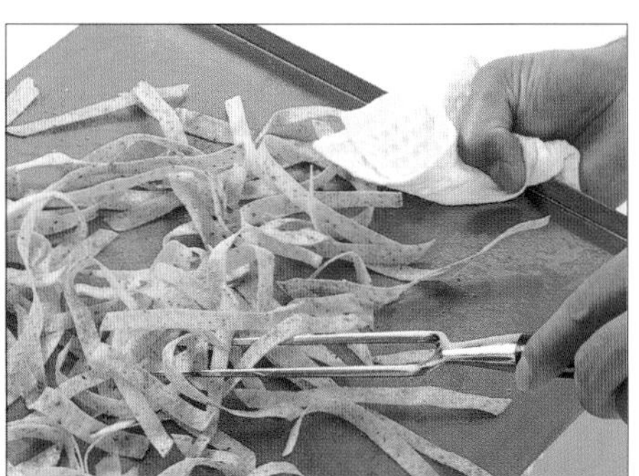

3 Étalez les lanières de tortilla sur la plaque à pâtisserie. Enfournez-les à 10 cm sous la source de chaleur de 4 à 6 min, en les remuant de temps en temps.

Les lanières de tortilla croustillent agréablement

POUR SERVIR

Répartissez la salade dans 6 ou 8 assiettes creuses et couronnez-la des lanières de tortilla. Parsemez-la du reste de coriandre hachée. Servez froid ou à température ambiante.

SAVOIR S'ORGANISER

Vous pouvez préparer la salade 48 h à l'avance : sa saveur se développera. Conservez-la, couverte, au réfrigérateur. Préparez les lanières de tortilla juste avant de servir.

VARIANTE

SALADE DE HARICOTS ROUGES, DE MAÏS ET D'OIGNONS

Dans cette recette, l'oignon rouge et les oignons nouveaux remplacent les poivrons. Des triangles de tortilla accompagnent le plat.

1 N'utilisez pas de poivrons. Préparez les haricots rouges secs, le maïs, les tomates et la vinaigrette au piment en suivant la recette principale.
2 Pelez 1 gros oignon rouge, sans ôter sa base, et ouvrez-le en deux dans le sens de la longueur. Posez les moitiés à plat sur une planche à découper et tranchez-les horizontalement, sans entailler leur base pour qu'elles se défassent pas, puis coupez-les verticalement, toujours sans entailler la base. Détaillez-les en dés.
3 À l'aide d'un couteau chef, parez et émincez finement 2 oignons nouveaux, en gardant une partie du vert.
4 Composez la salade en suivant la recette principale, couvrez et mettez au réfrigérateur 1 h au moins.
5 Préchauffez le gril. Râpez 100 g de cheddar. Mettez 6 tortillas sur une plaque à pâtisserie. Enduisez-les légèrement d'huile et enfournez-les pour 2 ou 3 min, jusqu'à ce qu'elles soient croustillantes. Sortez-les et saupoudrez-les du fromage râpé, de piment de Cayenne et de sel. Remettez-les dans le four de 1 à 2 min, jusqu'à ce que le fromage ait fondu. Posez-les sur une planche à découper et coupez-les chacune en 6 triangles.
6 Disposez la salade sur un grand plat et décorez avec des feuilles de coriandre. Servez les triangles de tortilla à part.

VARIANTE

SALADE AUX HARICOTS ET GUACAMOLE

Dans cette variante colorée, des haricots rouges et blancs sont assaisonnés de vinaigrette au piment quand ils sont encore chauds. Préparez le guacamole et ajoutez les poivrons, les tomates et les oignons nouveaux juste avant de servir.

1 N'utilisez ni maïs ni poivron jaune. Faites tremper séparément 175 g de haricots rouges secs et 175 g de haricots blancs secs. Piquez 2 oignons de clous de girofle et composez 2 bouquets garnis. Cuisez les haricots dans 2 cocottes différentes, en suivant la recette principale. Pendant ce temps, préparez la vinaigrette au piment.
2 Égouttez les légumes, enlevez les oignons et les bouquets garnis, et rincez les haricots sous l'eau chaude. Égouttez-les de nouveau et mettez-les dans un bol. Tant qu'ils sont encore chauds, arrosez-les de vinaigrette et mélangez bien.
3 Coupez les poivrons rouge et vert et les tomates en suivant la recette principale; ajoutez-les aux haricots. Préparez le guacamole. Pelez et hachez une gousse d'ail et mettez-la dans un bol. Coupez 3 avocats (750 g environ) tout autour du noyau dans le sens de la longueur. Faites pivoter les 2 moitiés et séparez-les. Enfoncez la lame d'un couteau chef dans le noyau et sortez-le en le faisant tourner doucement. Retirez la pulpe des avocats et mettez-la dans le bol. Mélangez-la avec l'ail à l'aide d'une fourchette, en l'écrasant contre les parois. Ajoutez une pincée de sel et 4 ou 5 gouttes de tabasco, puis le jus de 1 citron vert; mélangez bien.
4 Disposez un anneau de haricots sur 6 ou 8 assiettes. Mettez 1 cuil. de guacamole au centre. Décorez éventuellement avec des brins de coriandre.

SALADE NIÇOISE

POUR 6 PERSONNES · PRÉPARATION : DE 25 À 30 MIN ·  CUISSON : DE 15 À 20 MIN

ÉQUIPEMENT

bols

couteau chef

couteau d'office

fouet

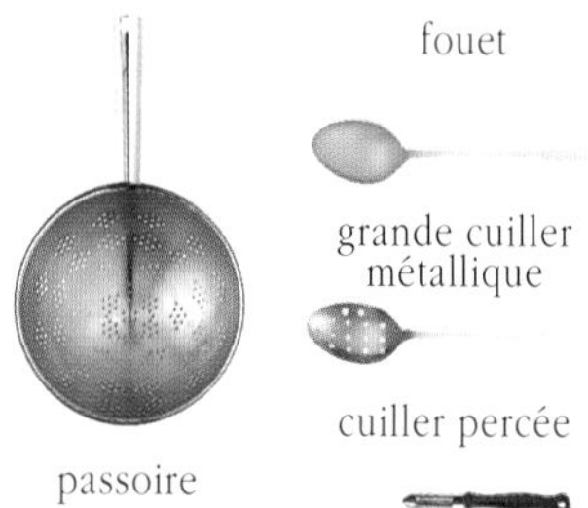

passoire

grande cuiller métallique

cuiller percée

couteau éplucheur

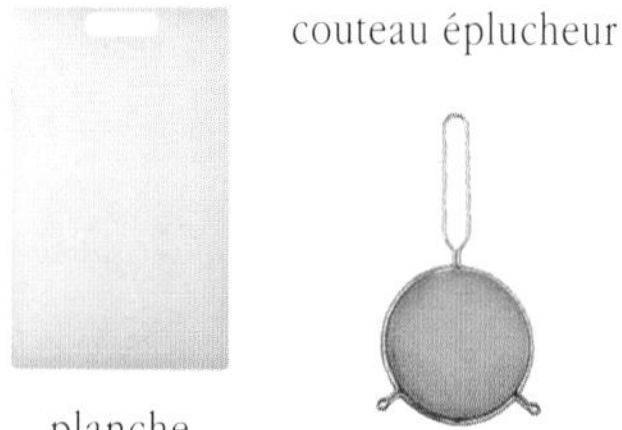

planche à découper

passoire en toile métallique

casseroles, dont 1 avec couvercle

Cette salade originaire de Nice a donné au grand chef Escoffier l'occasion d'en créer de nombreuses variantes. Celle-ci réunit des pommes de terre, des haricots verts, des œufs, des tomates, des anchois et du thon en conserve.

SAVOIR S'ORGANISER

Vous pouvez préparer la sauce 1 semaine à l'avance et la conserver dans un récipient hermétique; n'ajoutez l'ail et les herbes qu'au moment de servir. Les œufs durs se gardent 24 h; écalez-les et gardez-les dans de l'eau froide. Les autres ingrédients peuvent attendre 6 h. N'assaisonnez pas les haricots et ne composez pas la salade plus de 1 h avant de servir.

LE MARCHÉ

1 kg de pommes de terre
sel et poivre
350 g de haricots verts
6 œufs
500 g de tomates moyennes
10 filets d'anchois
2 petites boîtes de thon
125 g d'olives noires

Pour la sauce

3 gousses d'ail
7 à 10 brins de thym frais
1 bouquet de cerfeuil frais
15 cl de vinaigre de vin rouge
2 cuil. à café de moutarde de Dijon
40 cl d'huile d'olive

INGRÉDIENTS

thon en conserve

haricots verts

filets d'anchois

œufs

pommes de terre

olives noires

tomates

thym frais

cerfeuil frais*

gousses d'ail

moutarde de Dijon

vinaigre de vin rouge

huile d'olive

* ou persil

DÉROULEMENT

1 CUIRE LES POMMES DE TERRE ET PRÉPARER LA SAUCE

2 PRÉPARER ET COMPOSER LA SALADE

1 CUIRE LES POMMES DE TERRE ET PRÉPARER LA SAUCE AUX HERBES

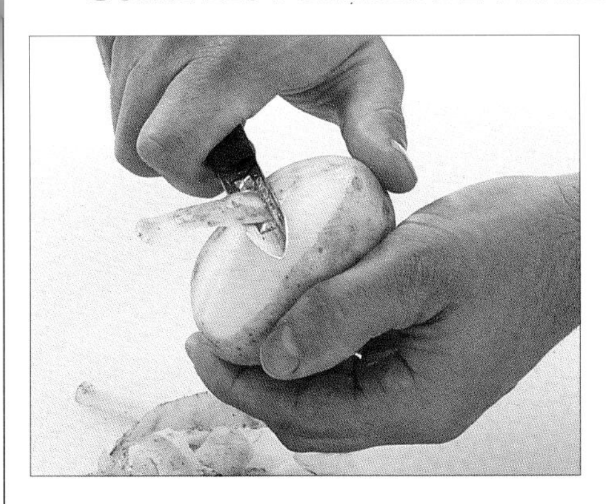

1 Épluchez les pommes de terre et coupez-les en 2 ou 4 morceaux si elles sont grosses. Mettez-les dans une grande casserole d'eau froide salée, couvrez et portez à ébullition. Laissez frémir de 15 à 20 min, jusqu'à ce qu'elles soient tendres.

Un couteau bien aiguisé permet de ne pas écraser le cerfeuil

Le thym apporte sa saveur méditerranéenne

2 Pendant ce temps, préparez la vinaigrette : épluchez et hachez finement les gousses d'ail. Détachez de leur tige les feuilles de thym et de cerfeuil. Hachez-les finement à l'aide du couteau chef.

3 Dans un bol, mélangez au fouet le vinaigre de vin avec la moutarde, l'ail haché, du sel et du poivre. Incorporez petit à petit l'huile : la sauce s'émulsionne et épaissit légèrement.

Versez l'huile en un mince filet continu, en fouettant vivement

La sauce commence à épaissir

4 Mettez dans la vinaigrette le thym et le cerfeuil hachés et fouettez pour bien mélanger. Goûtez et rectifiez l'assaisonnement.

5 Égouttez les pommes de terre, rincez-les sous l'eau chaude, égouttez-les de nouveau. Coupez-les en cubes et mettez-les dans un grand bol.

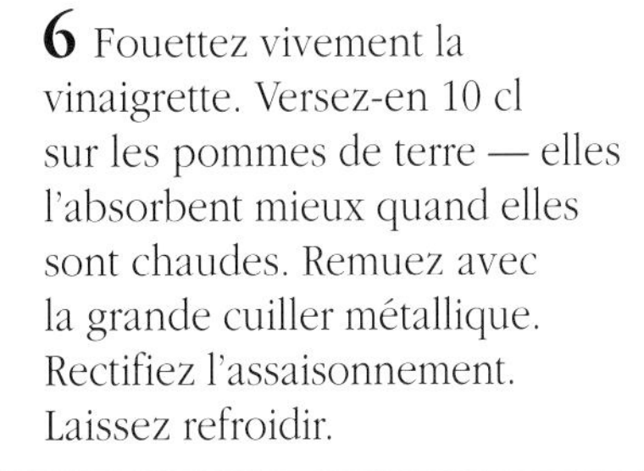

6 Fouettez vivement la vinaigrette. Versez-en 10 cl sur les pommes de terre — elles l'absorbent mieux quand elles sont chaudes. Remuez avec la grande cuiller métallique. Rectifiez l'assaisonnement. Laissez refroidir.

2 PRÉPARER ET COMPOSER LA SALADE

1 Équeutez les haricots. Remplissez une casserole d'eau salée et portez à ébullition. Cuisez-y les haricots de 5 à 7 min, jusqu'à ce qu'ils soient juste tendres. Égouttez-les, rincez-les sous l'eau froide, égouttez-les de nouveau.

2 Mettez les haricots dans un bol. Fouettez le reste de vinaigrette et versez-en 3 cuil. à soupe sur les haricots. Remuez pour bien les enrober. Goûtez et rectifiez l'assaisonnement.

Les quartiers d'œuf feront partie du décor

3 Plongez les œufs dans une casserole d'eau froide, portez à ébullition et laissez frémir 10 min. Mettez-les dans l'eau fraîche. Laissez refroidir et égouttez. Écalez les œufs et rincez-les sous l'eau froide. Coupez-les en quartiers.

4 Pelez les tomates (voir encadré ci-dessous). Coupez-les en deux et détaillez chaque moitié en 4 quartiers. Égouttez les anchois et le thon; mettez-le dans un bol.

PELER UNE TOMATE

1 Remplissez une petite casserole d'eau et portez à ébullition. Ôtez le pédoncule de la tomate, retournez-la et entaillez-la en croix avec la pointe d'un couteau d'office.

2 Mettez-la dans l'eau bouillante de 8 à 15 s, selon son degré de maturité, jusqu'à ce que la peau se décolle en frisant au niveau de la croix. Plongez-la aussitôt dans l'eau fraîche.

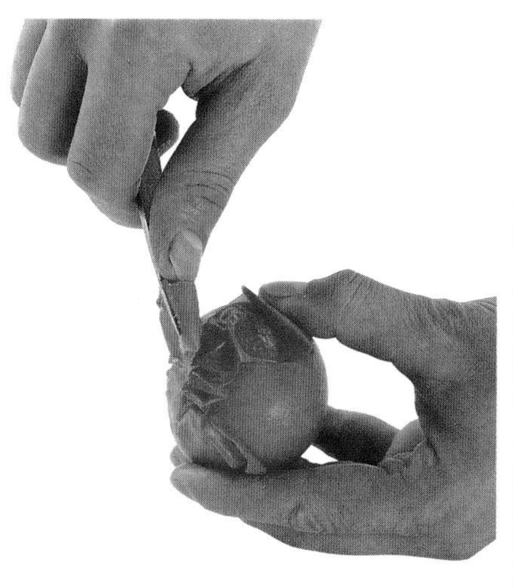

3 Quand la tomate a refroidi, pelez-la à l'aide du couteau d'office.

5 Écrasez le thon à la fourchette. Fouettez la vinaigrette et versez-en 2 cuil. à café sur le poisson.

Les ingrédients de la salade ne sont pas mélangés, mais tous disposés séparément

6 Disposez les pommes de terre dans un grand plat creux. Mettez les haricots au centre et couronnez avec le thon.

7 Décorez le thon de quelques quartiers d'œuf et de tomate et disposez les autres tout autour du plat. Fouettez le reste de sauce et arrosez-en la salade.

POUR SERVIR

Disposez les olives et les anchois croisés entre le centre et le bord d'œufs et de tomates.

Les anchois salés rehaussent la salade

V A R I A N T E

SALADE NIÇOISE AU THON FRAIS GRILLÉ

Cette salade moins traditionnelle s'enrichit de thon frais mariné et grillé.

1 Mettez 6 brochettes en bambou dans un plat peu profond rempli d'eau et laissez-les gonfler 30 min. Vous pouvez aussi utiliser des brochettes en métal qui n'ont pas besoin de tremper. Préparez la vinaigrette en suivant la recette principale.
2 Ôtez le pédoncule des tomates et coupez-les en quartiers. N'utilisez pas le thon en conserve. Coupez 1 kg de thon frais en cubes de 2,5 cm de côté et enfilez-les sur les brochettes, en les alternant avec les quartiers de tomate. Mettez les brochettes dans un plat peu profond non métallique. Fouettez vivement la vinaigrette et versez-en 10 cl sur le thon. Couvrez et laissez mariner 1 h au réfrigérateur, en retournant les brochettes de temps en temps.
3 Préparez les autres ingrédients de la salade et disposez-les sur des assiettes individuelles.
4 Préchauffez le gril et graissez la grille à pâtisserie. Posez-y les brochettes, en réservant la marinade pour les arroser. Assaisonnez le thon de sel et de poivre. Enfournez les brochettes à 7 cm environ sous la source de chaleur pour 2 min environ. Retournez les brochettes, arrosez le thon et les tomates de la marinade réservée et enfournez de nouveau pour 2 min, jusqu'à ce que le thon soit doré à l'extérieur et légèrement translucide à l'intérieur. Posez une brochette sur chaque assiette de salade et arrosez du reste de vinaigrette. Servez aussitôt.

TOURTE FROIDE ET SALADE

POUR 8 À 10 PERSONNES · PRÉPARATION : DE 50 À 60 MIN* · CUISSON : 1 H 30

ÉQUIPEMENT

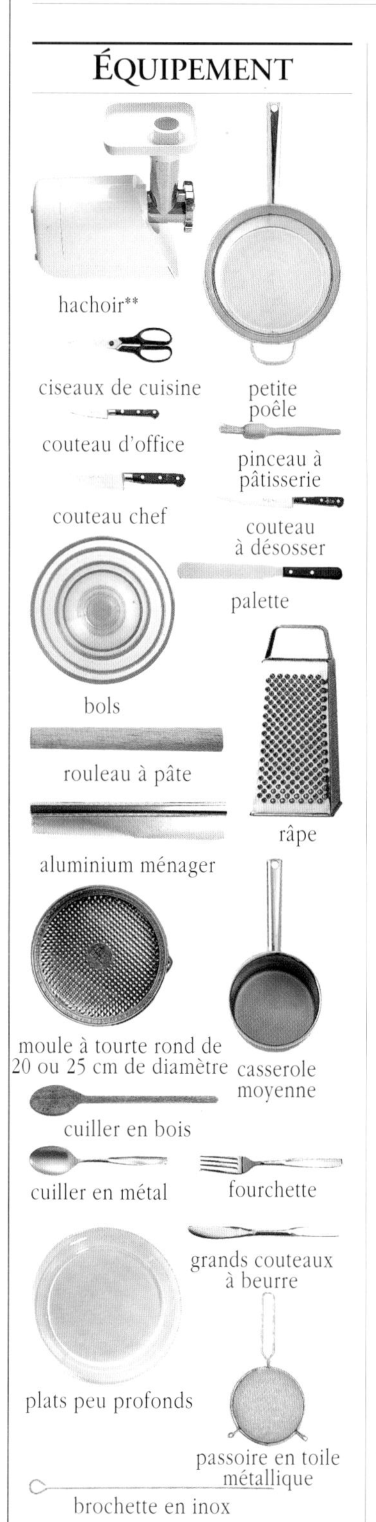

** ou robot ménager

Une croûte moelleuse au beurre et au saindoux entoure une riche garniture de poulet, de porc, d'œufs durs et de jambon. Ce plat se déguste avec de la salade verte, du chutney d'oignons ou de petits oignons au vinaigre.

SAVOIR S'ORGANISER

Vous pouvez préparer le pâté en croûte 3 jours à l'avance et le conserver au réfrigérateur, ou même le congeler pendant 1 mois.

**plus 6 à 8 h de temps de réfrigération*

LE MARCHÉ

- 4 beaux blancs de poulet sans peau, soit environ 750 g
- 400 g de porc maigre désossé
- 1 citron
- 9 œufs
- 1 cuil. à café de thym séché
- 1 cuil. à café de sauge séchée
- noix de muscade en poudre
- sel et poivre
- 400 g de jambon maigre cuit
- un peu de beurre pour graisser le moule

Pour la pâte

- 500 g de farine
- 2 cuil. à café de sel
- 75 g de beurre
- 75 g de saindoux
- 15 cl ou plus d'eau

INGRÉDIENTS

blancs de poulet

œufs

porc

jambon

citron

beurre

saindoux

thym séché

noix de muscade en poudre

sauge séchée

farine

DÉROULEMENT

1 PRÉPARER LA PÂTE

2 PRÉPARER LA GARNITURE

3 FONCER LE MOULE

4 GARNIR ET CUIRE LA TOURTE

1 PRÉPARER LA PÂTE

1 Au-dessus d'un grand bol, tamisez la farine assaisonnée d'une pincée de sel. Creusez un puits au centre.

2 Mettez le beurre et le saindoux dans le puits et découpez-les en petits morceaux à l'aide des grands couteaux à beurre.

CONSEIL MALIN

Si vos mains sont chaudes, le beurre fondra et la pâte sera huileuse. Dans ce cas, préparez-la dans un robot ménager.

3 Travaillez le mélange jusqu'à ce qu'il s'émiette; soulevez-le et roulez-le entre vos doigts pour l'aérer.

4 Creusez de nouveau un puits. Versez-y l'eau et mélangez rapidement avec un des couteaux. Rajoutez 1 ou 2 cuil. à soupe d'eau si la pâte vous semble trop sèche.

5 Pétrissez la pâte avec vos doigts jusqu'à ce qu'elle ne colle plus.

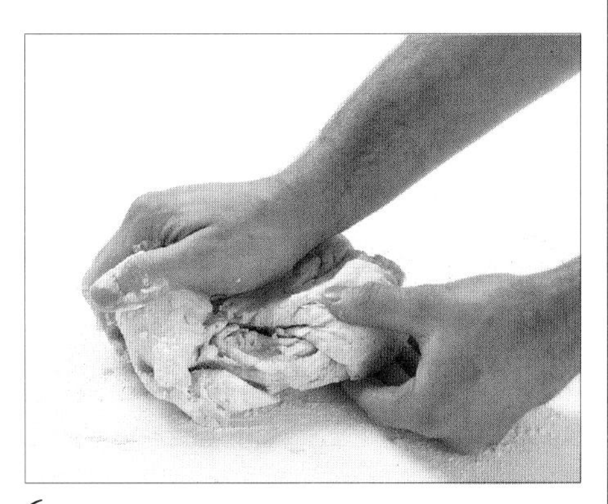

6 Posez la pâte sur un plan de travail fariné et pétrissez-la sous le talon de vos mains jusqu'à ce qu'elle soit lisse. Laissez-la reposer, emballée, 30 min au réfrigérateur. Pendant ce temps, préparez la garniture.

2 PRÉPARER LA GARNITURE

1 Enlevez le tendon des blancs de poulet. Coupez-en deux en morceaux, ainsi que le porc; réservez les autres blancs.

2 Hachez les morceaux de porc et de poulet à l'aide du hachoir équipé de la grille la plus fine ou d'un robot ménager. Mettez le hachis dans un grand bol.

CONSEIL MALIN
Le hachoir donne une consistance plus légère; si vous utilisez un robot ménager, ne le faites pas tourner trop longtemps.

3 Râpez le zeste d'un demi-citron au-dessus du bol.

CONSEIL MALIN
Pour récupérer tout le zeste, passez sur la râpe une petite brosse dure.

4 Battez 2 œufs à la fourchette; ajoutez-les au hachis avec le thym, la sauge, la noix de muscade, le sel et le poivre. Mélangez vigoureusement à l'aide de la cuiller en bois de 3 à 5 min jusqu'à ce que la préparation se décolle des parois du bol.

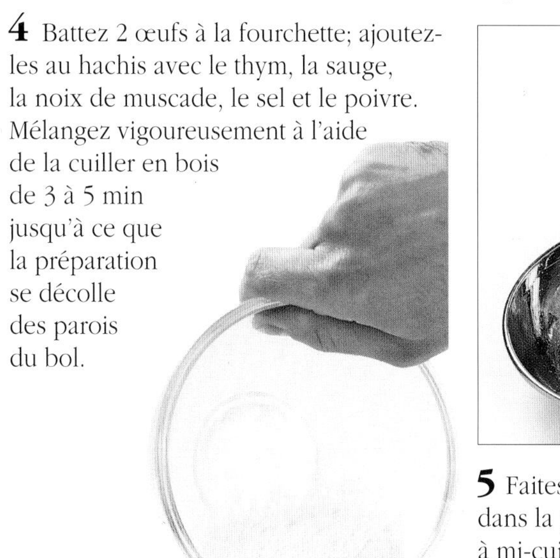

Les œufs battus lient le hachis

5 Faites frire une noix de garniture dans la petite poêle, en la retournant à mi-cuisson. Goûtez et rectifiez l'assaisonnement.

La présentation sera plus agréable si vous découpez le poulet et le jambon en dés réguliers

6 Découpez les 2 blancs restants et le jambon en dés réguliers. Mélangez-les à la garniture.

CONSEIL MALIN
Pour une présentation raffinée, disposez régulièrement les cubes de poulet et de jambon entre des couches de hachis au lieu de les mélanger.

3 FONCER LE MOULE

1 Beurrez le fond et les côtés du moule à tourte à l'aide du pinceau à pâtisserie.

CONSEIL MALIN

Pour chemiser le moule, vous pouvez utilisez du beurre fondu ou ramolli.

2 Roulez en boule 3/4 de la pâte; réservez le reste, emballé, au réfrigérateur. Sur un plan de travail fariné, abaissez la pâte en un disque de 5 mm d'épaisseur, suffisamment grand pour tapisser entièrement le moule (posez celui-ci sur la pâte pour vérifier que le disque est assez grand).

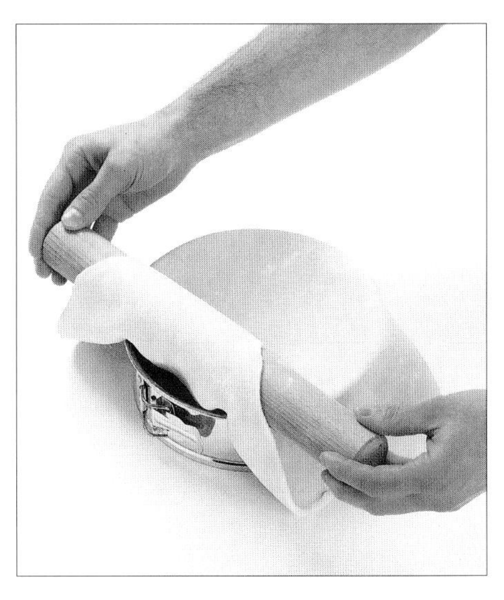

3 Enroulez doucement la pâte sur le rouleau à pâte et déroulez-la au-dessus du moule.

ATTENTION !

N'étirez pas trop la pâte, elle se rétracterait en cuisant.

4 Foncez le moule; pressez la pâte sur le fond et sur les côtés pour qu'elle y adhère bien. La pâte ne doit pas plisser quand vous l'appliquez sur les bords.

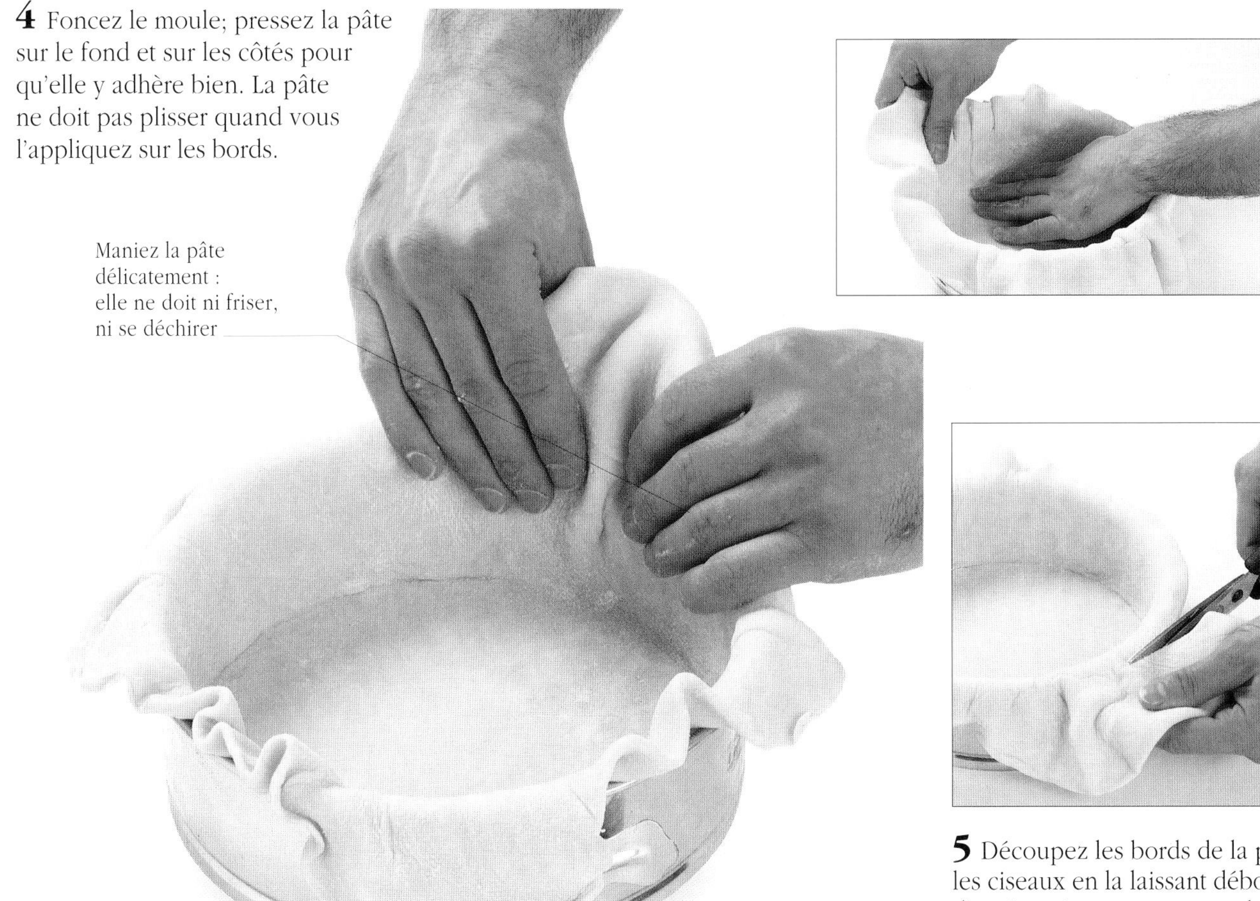

5 Découpez les bords de la pâte avec les ciseaux en la laissant déborder d'environ 1 cm tout autour du moule. Mélangez les chutes au reste de la pâte.

4 GARNIR ET CUIRE LA TOURTE

1 Mettez 8 œufs dans une casserole d'eau froide. Portez à ébullition et laissez frémir 10 min. Retirez la casserole du feu et remplissez-la immédiatement d'eau froide pour interrompre la cuisson. Laissez les œufs refroidir et écalez-les.

2 Étalez la moitié de la garniture dans le moule. Enfoncez-y légèrement les œufs durs puis recouvrez du reste de garniture, en tassant bien pour ne pas laisser de vide.

3 Repliez les bords de la pâte sur la garniture. Battez le dernier œuf avec une pincée de sel et utilisez-en un peu pour badigeonner le rebord de pâte à l'aide du pinceau.

4 Abaissez le reste de pâte en un disque d'environ 5 mm d'épaisseur. Posez le moule dessus et découpez en suivant le bord pour obtenir un couvercle de la taille exacte du moule.

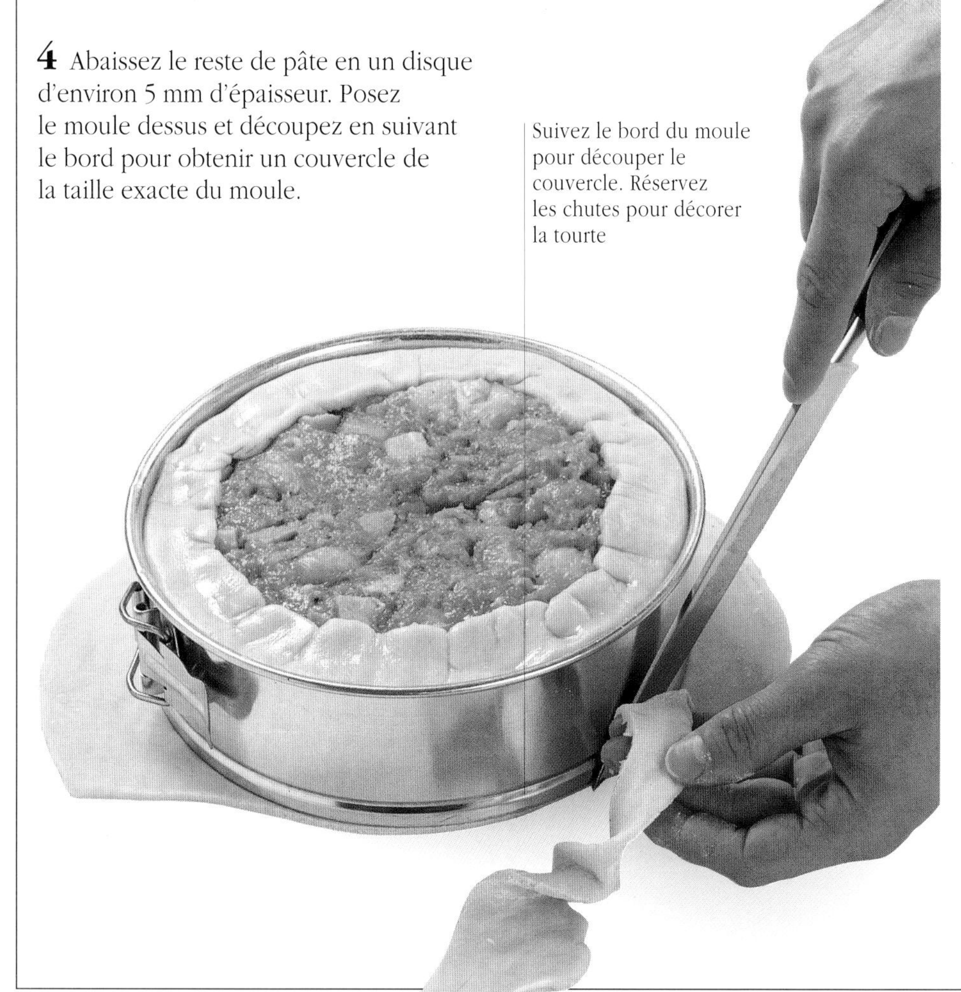

Suivez le bord du moule pour découper le couvercle. Réservez les chutes pour décorer la tourte

5 Posez le couvercle de pâte sur la garniture et soudez les bords en les pressant fermement l'un sur l'autre.

6 À l'aide de la brochette, percez un trou au centre du couvercle; glissez-y un petit rouleau d'aluminium ménager. Cette cheminée permettra à la vapeur de s'échapper pendant la cuisson.

7 Abaissez les chutes de pâte sur une épaisseur d'environ 5 mm; découpez-les en bandes de 2,5 cm de large puis taillez chaque bande en biais pour obtenir des losanges. Dessinez sur le dessus des entailles avec le côté non affûté de la lame du couteau d'office. Formez des feuilles en incurvant légèrement les losanges.

Disposez les feuilles sur le couvercle et badigeonnez-les d'œuf battu

8 Enduisez le couvercle, à l'aide du pinceau, d'œuf battu; décorez-le des feuilles et badigeonnez-les. Mettez la tourte au réfrigérateur pour l'affermir. Préchauffez le four à 200 °C.

9 Enfournez la tourte pour 1 h environ, jusqu'à ce que le couvercle soit dur. Réduisez la température du four à 180 °C et laissez-y le plat encore 30 min. Assurez-vous que la tourte est cuite en piquant la brochette 30 s dans la garniture : elle doit ressortir chaude. Quand la tourte est froide, enlevez la cheminée et mettez au réfrigérateur pour 6 à 8 h.

ATTENTION !

Si la tourte brunit trop vite, couvrez-la d'aluminium ménager. Si la dorure craquelle, badigeonnez de nouveau d'œuf battu.

POUR SERVIR

Démoulez la tourte. Servez-la froide, entière ou découpée en parts généreuses.

Les dés de poulet et de jambon entourent les œufs durs dans le hachis de viande parfumé aux herbes

V A R I A N T E

TOURTE CHAUDE AU POULET ET AU JAMBON

Cette tourte se réalise en suivant la recette principale, mais sans les œufs durs. Elle se sert chaude, en entrée, accompagnée d'une sauce crémeuse au raifort.

Pour préparer la sauce au raifort, battez 25 cl de crème épaisse. Lorsqu'elle est moins dense, ajoutez 2 ou 3 cuil. à soupe de raifort frais râpé ou 3 ou 4 cuil. à soupe de raifort râpé et séché. Goûtez et rectifiez l'assaisonnement.

LES LÉGUMES

TARTE FLAMANDE AUX LÉGUMES

POUR 8 PERSONNES — PRÉPARATION : DE 50 À 55 MIN* — CUISSON : DE 40 À 45 MIN

ÉQUIPEMENT

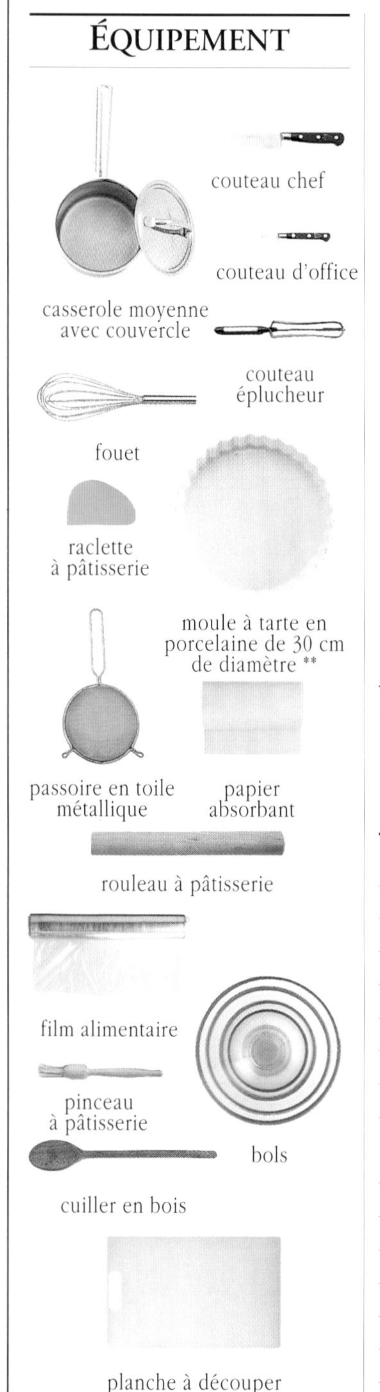

** ou poêle

Cette copieuse tarte, proche de la pizza, se compose d'une pâte rappelant celle de la brioche — mais beaucoup moins longue à préparer — et d'une délicieuse julienne de légumes.

SAVOIR S'ORGANISER

Vous pouvez préparer la pâte 24 h à l'avance et la conserver au réfrigérateur, mais la tarte est meilleure juste au sortir du four.

**plus 1 h 30 de temps de repos*

LE MARCHÉ

Pour la pâte

10 g de levure de boulanger ou 1 1/2 cuil. à café de levure chimique
2 cuil. à soupe d'eau tiède
huile végétale pour graisser le bol
250 g de farine de blé supérieure ou plus
1 cuil. à café de sel
3 œufs
125 g de beurre doux ramolli et un peu pour graisser le moule et le film alimentaire

Pour les légumes

500 g de champignons de Paris
8 à 10 oignons nouveaux
4 carottes moyennes
2 navets moyens
100 g de beurre doux
sel et poivre

Pour la crème

4 œufs
25 cl de crème épaisse
1/4 de cuil. à café de noix de muscade en poudre

INGRÉDIENTS

DÉROULEMENT

1 PRÉPARER LA PÂTE

2 PRÉPARER LES LÉGUMES

3 FONCER LE MOULE

4 GARNIR ET CUIRE LA TARTE

1 PRÉPARER LA PÂTE À BRIOCHE

1 Si vous utilisez de la levure de boulanger, émiettez-la dans un petit bol contenant de l'eau tiède et laissez-la reposer 5 min. Huilez légèrement un bol de taille moyenne.

2 Tamisez la farine assaisonnée d'une pincée de sel au-dessus du plan de travail. Creusez un puits au centre et versez-y la levure ainsi que les œufs.

3 Mélangez du bout des doigts la levure et les œufs dans le puits pour obtenir une préparation homogène. Incorporez progressivement la farine à l'aide de la raclette à pâtisserie et travaillez la pâte jusqu'à ce qu'elle soit souple; si elle colle, rajoutez un peu de farine.

4 Posez la pâte sur un plan de travail fariné et pétrissez-la à la main 10 min en la tirant vers le haut puis en la laissant retomber jusqu'à ce qu'elle soit très élastique et prenne l'aspect d'une peau de chamois. Rajoutez éventuellement de la farine jusqu'à ce que la pâte se détache facilement du plan de travail.

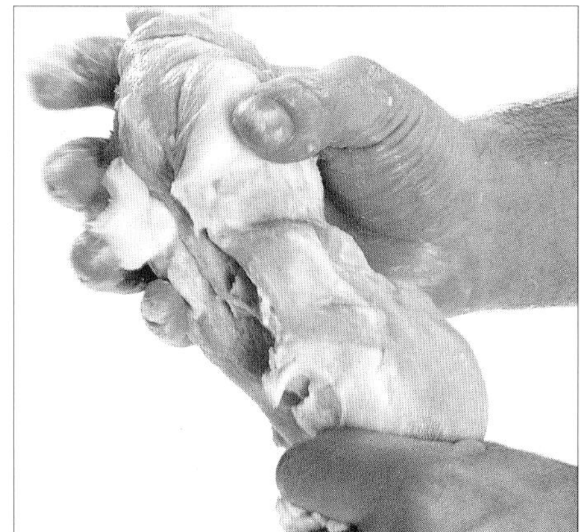

5 Ajoutez le beurre et incorporez-le en pressant et en pinçant le mélange, puis pétrissez de 3 à 5 min, jusqu'à ce que la pâte soit bien souple.

CONSEIL MALIN

Vous pouvez pétrir la pâte et incorporer le beurre dans un robot ménager muni de fouets spéciaux.

6 Formez une boule et mettez-la dans le bol huilé. Couvrez avec le film alimentaire huilé et laissez reposer la pâte 1 h au réfrigérateur. Si vous manquez de temps, préparez-la la veille et conservez-la au froid.

2 PRÉPARER LES LÉGUMES

1 Coupez les pieds des champignons au niveau des chapeaux et essuyez-les dans du papier absorbant.

2 Posez les têtes des champignons à plat sur la planche à découper et émincez-les de haut en bas à l'aide du couteau chef. Empilez les tranches et détaillez-les en petits bâtonnets.

3 Coupez la racine des oignons nouveaux et détaillez-les en rondelles.

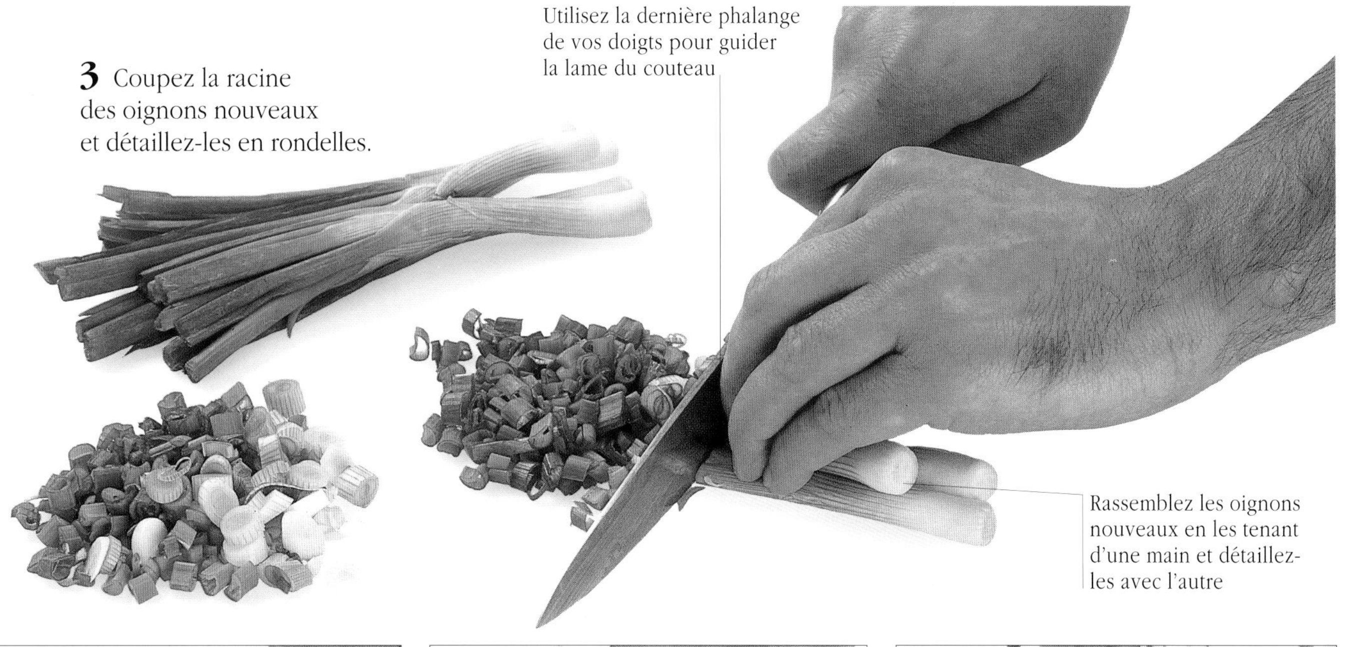

Utilisez la dernière phalange de vos doigts pour guider la lame du couteau

Rassemblez les oignons nouveaux en les tenant d'une main et détaillez-les avec l'autre

4 Épluchez les carottes et les navets et taillez-les en julienne (voir encadré p. 97).

5 Chauffez le beurre dans une casserole. Mettez-y les bâtonnets de carottes et laissez-les suer 5 min, en remuant de temps en temps.

6 Ajoutez les bâtonnets de champignons et de navets, salez et poivrez.

DÉCOUPER DES LÉGUMES EN JULIENNE

Les légumes taillés en julienne, de la taille d'une allumette, sont faciles à préparer et à cuire. Le principe est le même pour le céleri, les carottes, les courgettes, tous les légumes dont vous aurez besoin.

1 Épluchez les légumes et coupez ceux qui sont trop longs en morceaux de 7 cm.

2 Pour les légumes ronds, commencez par tailler un côté au carré pour pouvoir les poser à plat sur le plan de travail.

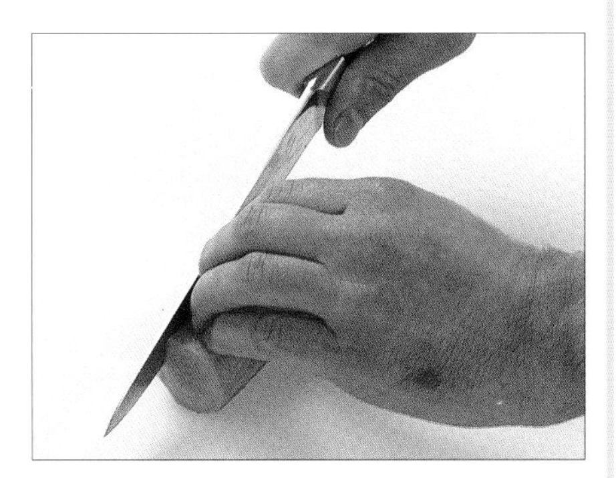

3 En tenant fermement le légume d'une main, émincez-le dans le sens de la longueur.

Coupez de haut en bas sur toute l'épaisseur

4 Empilez les tranches et taillez-les en julienne en utilisant la dernière phalange de vos doigts pour guider la lame du couteau. Tous les bâtonnets doivent avoir la même épaisseur pour cuire à la même vitesse.

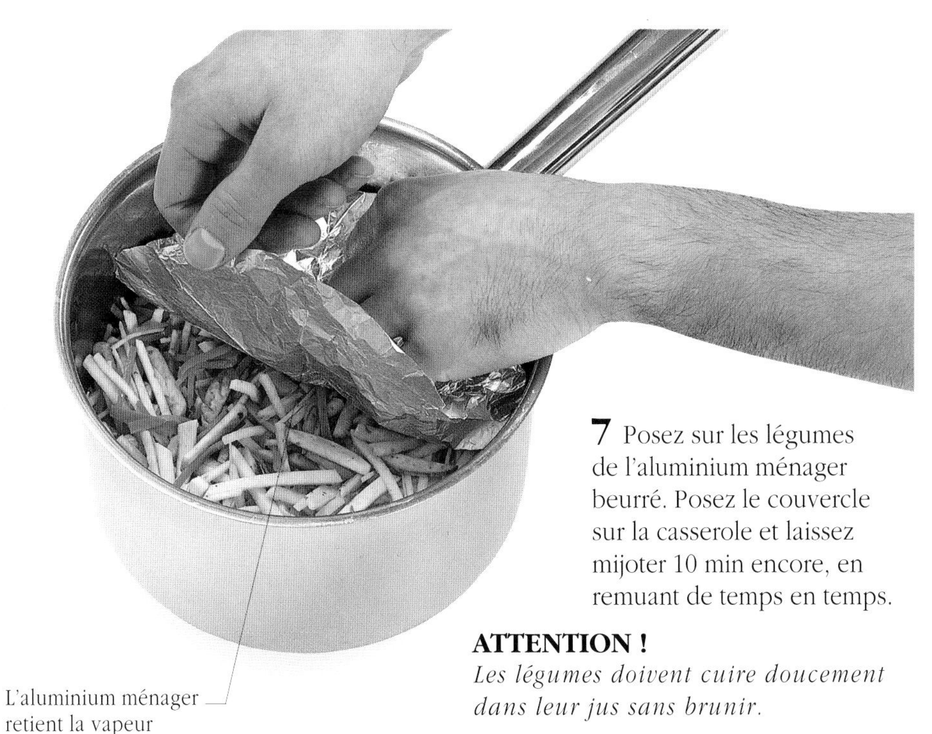

L'aluminium ménager retient la vapeur

7 Posez sur les légumes de l'aluminium ménager beurré. Posez le couvercle sur la casserole et laissez mijoter 10 min encore, en remuant de temps en temps.

ATTENTION !
Les légumes doivent cuire doucement dans leur jus sans brunir.

8 Retirez la casserole du feu, ajoutez les oignons nouveaux et mélangez. Goûtez et rectifiez l'assaisonnement.

3 FONCER LE MOULE

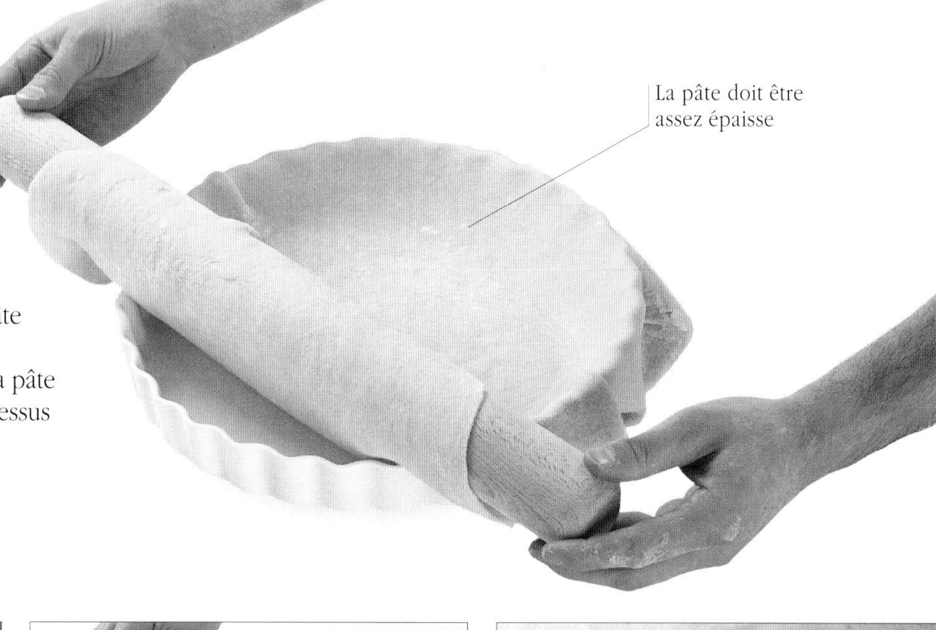

1 Beurrez le moule. Pétrissez légèrement la pâte pour en chasser l'air. Farinez le plan de travail et abaissez la pâte en un cercle dépassant de 7 cm le diamètre du moule. Enroulez la pâte sur le rouleau et déroulez-la au-dessus du moule.

ATTENTION !
N'étirez pas trop la pâte; elle se rétracterait à la cuisson.

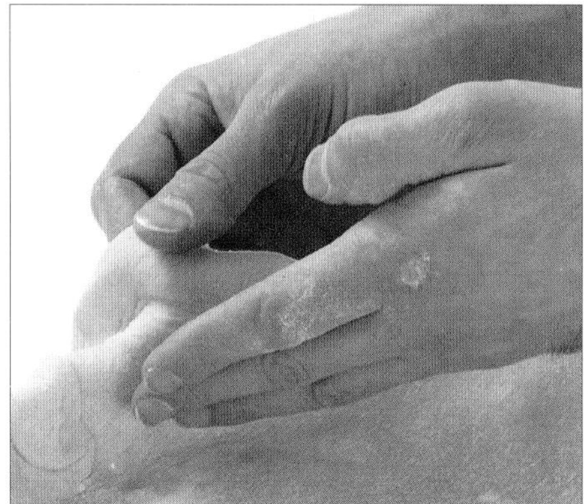

2 Relevez délicatement les bords d'une main et, de l'autre, pressez la pâte sur le fond et les parois du moule.

3 Passez le rouleau à pâtisserie sur le bord du moule pour éliminer l'excès de pâte.

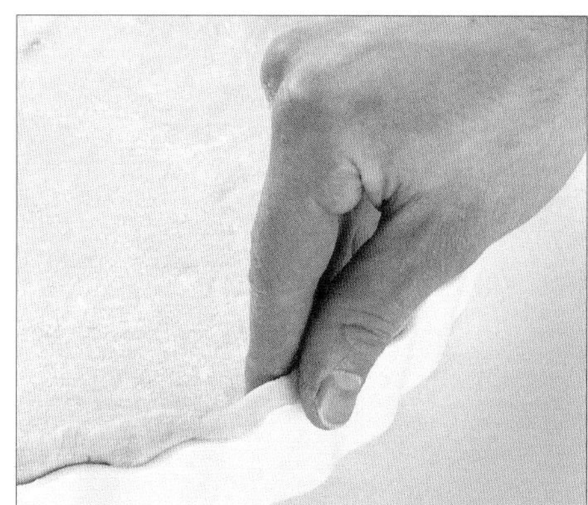

4 Pincez la pâte entre le pouce et l'index pour la faire remonter au-dessus du bord du moule.

4 GARNIR ET CUIRE LA TARTE

1 Préchauffez le four à 200 °C. Répartissez les légumes sur le fond de la tarte.

2 Fouettez les œufs avec la crème, du sel, du poivre et la noix de muscade en poudre. Versez cette préparation sur les légumes.

CONSEIL MALIN
Assaisonnez bien la crème aux œufs.

Rabattez délicatement les bords de pâte sur la garniture

3 Repliez les bords de la pâte sur la garniture pour former une bordure. Laissez lever de 20 à 30 min dans un endroit chaud : la pâte va gonfler.

4 Enfournez pour 40 à 45 min. Assurez-vous que la tarte est cuite en piquant un couteau dans la garniture : il doit ressortir sec. Si la croûte dore trop vite, recouvrez la tarte d'aluminium ménager.

POUR SERVIR

Servez chaud ou à température ambiante.

La garniture de légumes est riche et onctueuse

La pâte à brioche, vite faite, dore joliment

VARIANTE

PISSALADIÈRE

1 Préparez la pâte.
2 Faites tremper 80 g de filets d'anchois en boîte 1 h dans 15 cl de lait. Égouttez et coupez les filets en deux dans le sens de la longueur. Dénoyautez 150 g d'olives noires.
3 Épluchez 12 oignons moyens (1,4 kg environ), puis émincez-les finement.
4 Détachez quelques feuilles de thym et de romarin de leur tige, rassemblez-les sur la planche à découper et hachez-les.
5 Chauffez 4 cuil. à soupe d'huile d'olive dans une poêle, salez, poivrez et ajoutez les oignons. Faites-les fondre de 25 à 30 min. Ajoutez les herbes.
6 Coupez 150 g de tomates cerises.
7 Abaissez la pâte en un cercle dépassant de 3 cm le diamètre du moule et foncez-le. Répartissez les oignons sur le fond de pâte.

8 Posez les anchois sur les oignons en formant des croisillons. Décorez avec les moitiés de tomates cerises (tranche tournée vers le haut) et les olives. Laissez la tarte lever en suivant la recette principale et enfournez pour 40 à 45 min.
9 Enduisez la tarte d'un peu d'huile d'olive juste avant de servir.

QUICHE AUX BROCOLIS ET AUX CHAMPIGNONS

POUR 6 À 8 PERSONNES — PRÉPARATION : DE 45 À 50 MIN* — CUISSON : DE 30 À 35 MIN

ÉQUIPEMENT

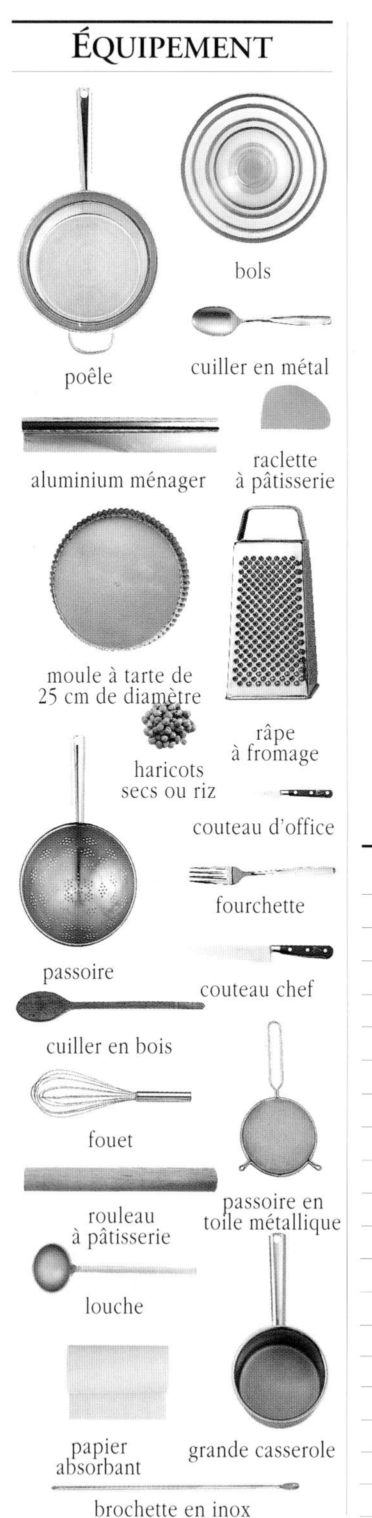

La quiche, délicieux plat lorrain, a conquis le monde. Dans cette variante originale, des brocolis sont disposés sur un lit de champignons sautés. Choisissez-les bien verts et à tige ferme.

** plus 45 min de temps de repos*

LE MARCHÉ

1 ou 2 bouquets de brocolis, soit 500 g environ
sel et poivre
200 g de champignons
2 gousses d'ail
30 g de beurre
noix de muscade en poudre

Pour la pâte

200 g de farine
1 jaune d'œuf
1/2 cuil. à café de sel
3 cuil. à soupe d'eau ou plus
100 g de beurre doux et un peu pour graisser le moule

Pour la crème

3 œufs
2 jaunes d'œufs
40 cl de lait
25 cl de crème épaisse
60 g de parmesan râpé
noix de muscade en poudre

INGRÉDIENTS

champignons
brocolis
noix de muscade en poudre
farine
gousses d'ail

parmesan râpé
lait

œufs
beurre

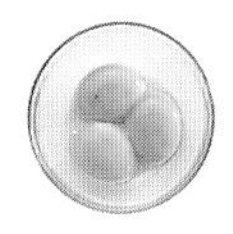

jaunes d'œufs

crème épaisse

DÉROULEMENT

1 PRÉPARER LA PÂTE

2 FONCER LE MOULE

3 CUIRE LA PÂTE À BLANC

4 CUIRE LES LÉGUMES

5 GARNIR ET CUIRE LA QUICHE

1 PRÉPARER LA PÂTE À TARTE

1 Tamisez la farine sur le plan de travail et creusez un puits au centre. Mettez-y le jaune d'œuf, le sel et l'eau.

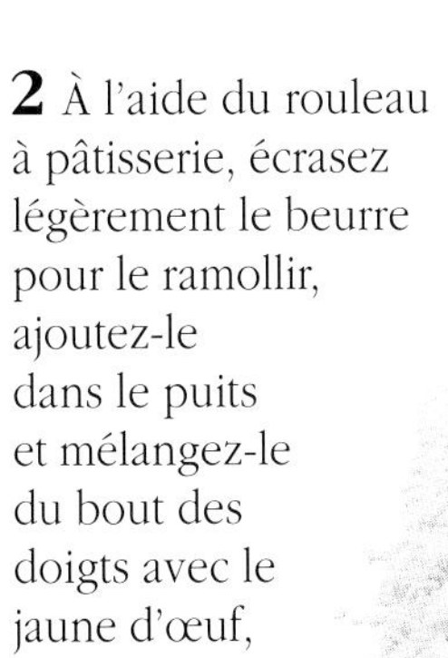

2 À l'aide du rouleau à pâtisserie, écrasez légèrement le beurre pour le ramollir, ajoutez-le dans le puits et mélangez-le du bout des doigts avec le jaune d'œuf, le sel et l'eau.

Utilisez le bout de vos doigts pour travailler la pâte

3 Incorporez progressivement la farine à l'aide de la raclette à pâtisserie en partant de l'extérieur. Continuez à travailler du bout des doigts pour obtenir une préparation lisse. Formez une boule.

CONSEIL MALIN

Si la pâte est trop sèche, ajoutez-lui un peu d'eau.

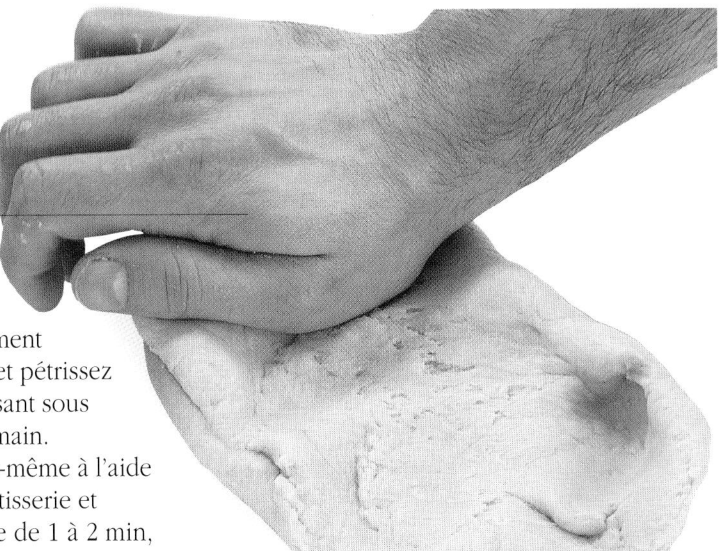

Pétrissez la pâte jusqu'à ce qu'elle soit bien souple

4 Farinez légèrement le plan de travail et pétrissez la pâte en la pressant sous le talon de votre main. Repliez-la sur elle-même à l'aide de la raclette à pâtisserie et pétrissez-la encore de 1 à 2 min, jusqu'à ce qu'elle soit souple et se détache du plan de travail en un seul morceau.

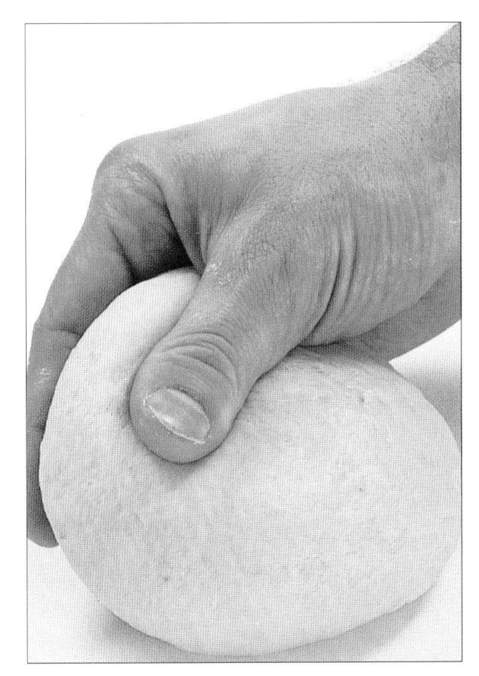

5 Formez une boule de pâte, couvrez-la et laissez-la reposer au frais 30 min pour qu'elle raffermisse.

2 FONCER LE MOULE

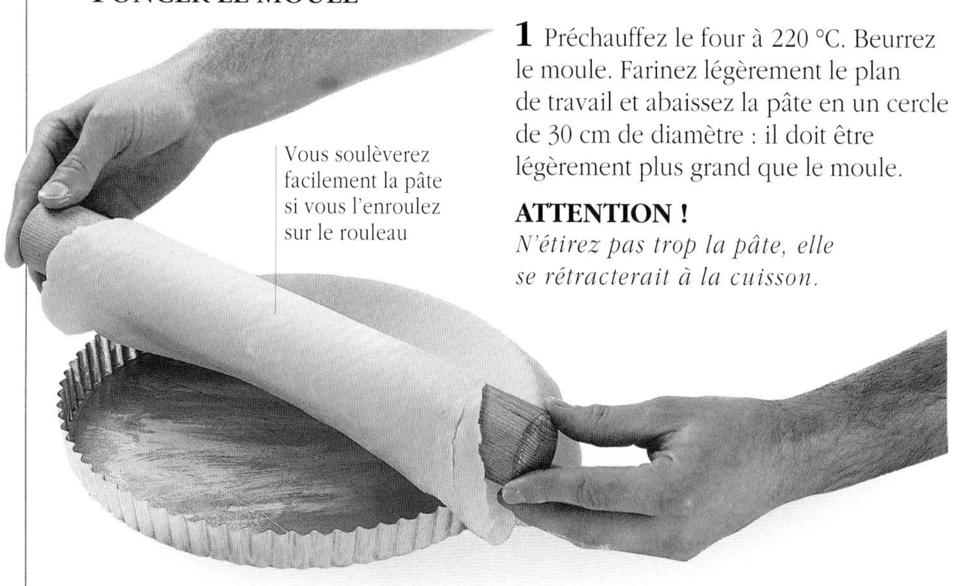

Vous soulèverez facilement la pâte si vous l'enroulez sur le rouleau

1 Préchauffez le four à 220 °C. Beurrez le moule. Farinez légèrement le plan de travail et abaissez la pâte en un cercle de 30 cm de diamètre : il doit être légèrement plus grand que le moule.

ATTENTION !
N'étirez pas trop la pâte, elle se rétracterait à la cuisson.

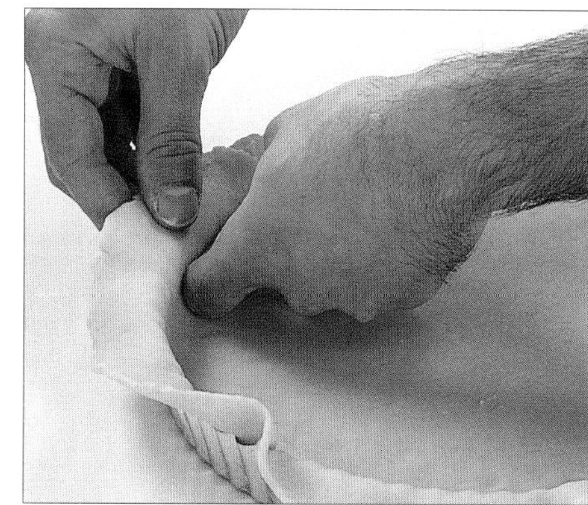

2 Remontez délicatement la pâte le long du bord du moule d'une main et, avec l'index de l'autre main, pressez-la régulièrement pour qu'elle adhère bien.

3 Passez le rouleau à pâtisserie sur le bord du moule pour enlever l'excès de pâte.

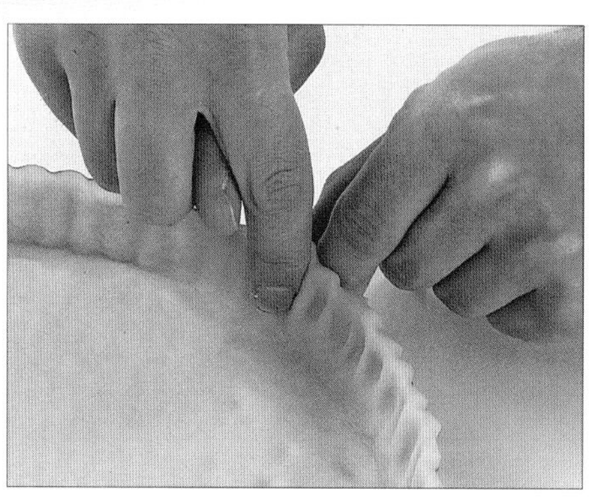

4 Pressez la pâte avec l'index contre le bord du moule pour la faire pénétrer dans les cannelures.

5 Piquez plusieurs fois le fond avec la fourchette pour éviter la formation de bulles d'air pendant la cuisson. Laissez reposer au frais au moins 15 min.

3 CUIRE LA PÂTE À BLANC

L'aluminium évite à la pâte de se déformer pendant la cuisson à blanc

1 Couvrez le fond de tarte d'une double épaisseur d'aluminium ménager en appuyant bien. L'aluminium doit dépasser de 4 cm le bord du moule.

2 Répartissez sur l'aluminium une couche de haricots secs ou de riz, qui empêchera la pâte de gonfler pendant la cuisson.

3 Enfournez le fond de tarte pour 15 min. Pendant ce temps, cuisez les légumes. Quand la pâte commence à dorer, enlevez les haricots et l'aluminium; réduisez la température du four à 190 °C.

4 Poursuivez la cuisson 5 min pour que la pâte dore encore un peu. Sortez le moule et vérifiez à la main que la pâte est ferme. Réservez, mais laissez le four allumé.

4 CUIRE LES LÉGUMES

1 Coupez les tiges des brocolis, mais gardez-en environ 5 cm. Enlevez la première peau de la queue à l'aide du couteau d'office.

2 Détachez les bouquets de leur tige et coupez-les en bâtonnets dans le sens de la longueur.

Égouttez les brocolis dès qu'ils sont tendres

Une passoire vous permettra d'égoutter au mieux les brocolis

3 Remplissez à moitié une casserole d'eau, salez et portez à ébullition. Cuisez-y les brocolis de 3 à 5 min, jusqu'à ce qu'ils soient tendres. Versez-les dans la passoire, rincez-les sous un filet d'eau froide, égouttez-les de nouveau.

NETTOYER ET ÉMINCER DES CHAMPIGNONS

Les champignons doivent être soigneusement nettoyés. Rincez-les rapidement; évitez de les laisser tremper car ils se gorgent vite d'eau.

1 Essuyez les champignons avec du papier absorbant ou un linge humide. S'ils sont très sales, plongez-les dans un bol d'eau froide puis égouttez-les dans une passoire.

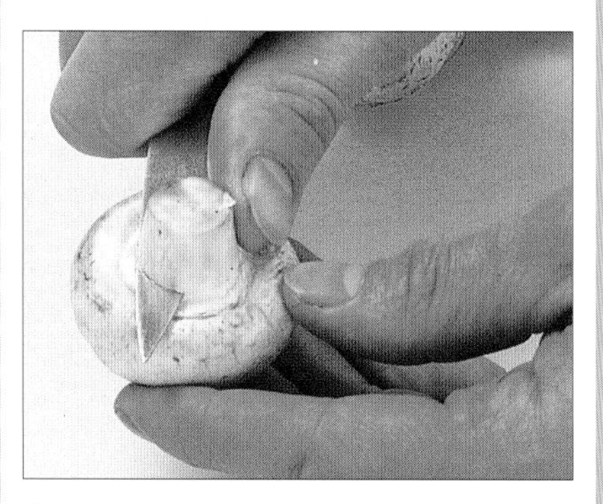

2 Avec un couteau d'office, coupez les pieds au niveau des chapeaux. Pour des champignons sauvages, enlevez l'extrémité des queues.

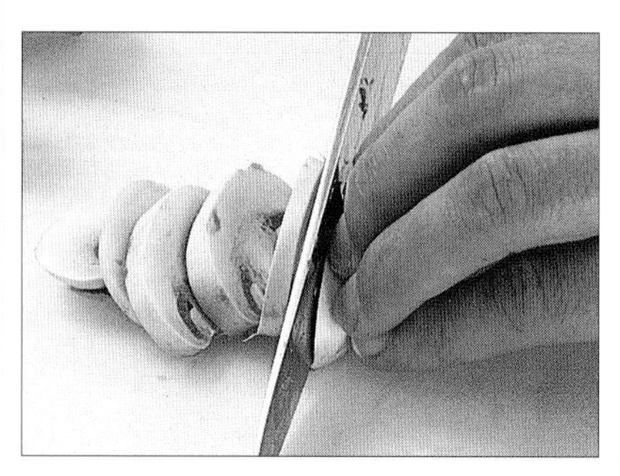

3 Posez les têtes des champignons à plat sur la planche à découper et émincez-les de haut en bas à l'aide d'un couteau chef, en tranches plus ou moins épaisses.

4 Nettoyez et coupez les champignons en tranches (voir encadré à gauche). Posez le plat du couteau chef sur chaque gousse d'ail et appuyez avec le poing. Pelez-les et hachez-les finement.

5 Chauffez le beurre dans la poêle. Mettez-y les champignons, l'ail, du sel, du poivre et une pincée de noix de muscade, et laissez cuire 5 min en remuant. Goûtez et rectifiez l'assaisonnement.

ATTENTION !
L'eau des champignons doit s'évaporer car elle détremperait la garniture.

5 GARNIR ET CUIRE LA QUICHE

1 Préparez la crème au fromage. Dans un petit bol, battez les œufs entiers avec les jaunes d'œufs, le lait, la crème, le fromage râpé, du sel, du poivre et une pincée de noix de muscade.

2 Avec la cuiller en métal, répartissez les champignons sur le fond de tarte. Posez par-dessus les bouquets et les tiges de brocolis en partant de l'extérieur.

Disposez les brocolis de façon régulière

3 À l'aide de la louche, versez la crème au fromage sur les légumes de façon à les recouvrir presque complètement.

La crème au fromage ne recouvre pas complètement les brocolis

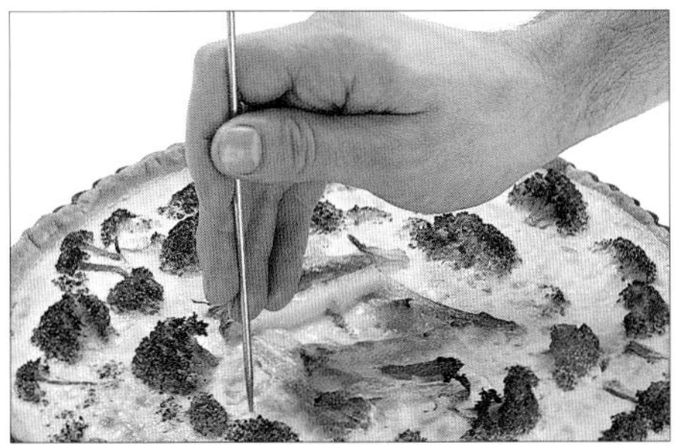

4 Enfournez la quiche pour 30 à 35 min. Assurez-vous qu'elle est cuite en piquant dans la garniture une brochette en inox : elle doit ressortir sèche.

CONSEIL MALIN

La brochette piquée au centre de la quiche doit ressortir sèche.

POUR SERVIR

Coupez la quiche en parts; servez-la chaude ou tiède.

La crème au parmesan est truffée de tendres morceaux de brocolis et de champignons

La pâte est croustillante et fondante

V A R I A N T E

QUICHE AUX COURGETTES ET AUX CHAMPIGNONS

Des rondelles de courgette remplacent ici les brocolis.

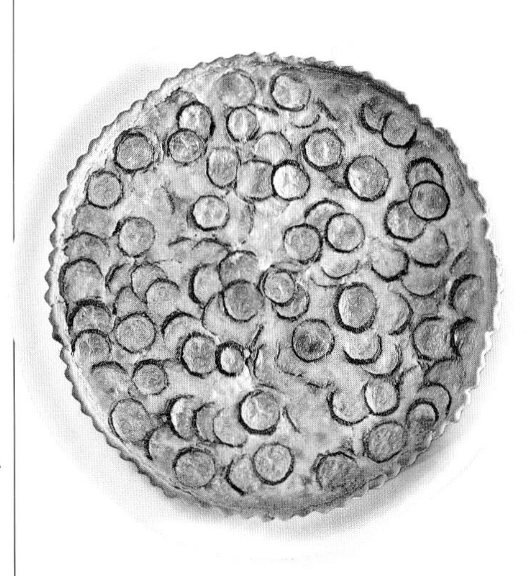

1 Préparez la pâte à tarte. Foncez le moule et cuisez le fond de tarte à blanc en suivant la recette principale.
2 Ôtez les extrémités de 3 courgettes moyennes (400 g environ) et coupez-les en tranches de 5 cm d'épaisseur. Remplissez à moitié une casserole d'eau, salez et portez à ébullition. Cuisez-y les courgettes de 1 à 2 min, jusqu'à ce qu'elles soient tendres. Égouttez-les, rincez-les à l'eau froide, puis séchez-les soigneusement dans du papier absorbant.
3 Cuisez les champignons et préparez la crème au fromage en suivant la recette principale.
4 Garnissez la quiche en disposant les rondelles de courgettes sur les champignons. Versez la crème sur les légumes et enfournez.

SAVOIR S'ORGANISER

Vous pouvez préparer la quiche 48 h à l'avance et la conserver, bien couverte, au réfrigérateur. Réchauffez-la de 10 à 15 min dans le four préchauffé à 180 °C.

CANNELLONIS D'AUBERGINE

POUR 4 À 6 PERSONNES — PRÉPARATION : DE 40 À 45 MIN* — CUISSON : DE 50 MIN À 1 H

ÉQUIPEMENT

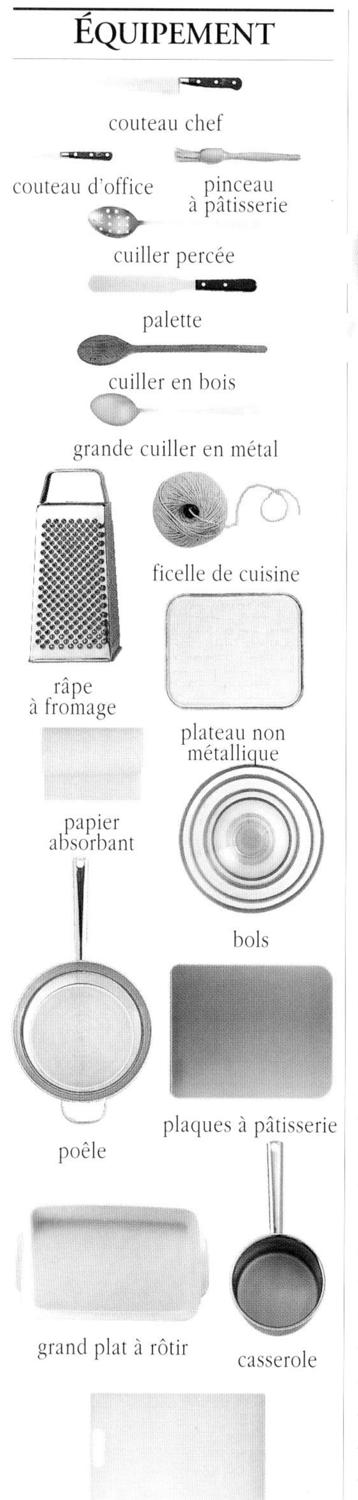

De minces tranches d'aubergine légèrement dorées sont garnies d'une farce à la ricotta et à la mozzarella parfumée au basilic. Cuites au four dans une riche sauce à la tomate, elles se présentent comme de vrais cannellonis.

SAVOIR S'ORGANISER

Vous pouvez cuire les aubergines 48 h à l'avance et les conserver, couvertes, au frais. Réchauffez-les de 15 à 20 min au four à 180 °C.

**plus 30 minutes de temps de repos*

LE MARCHÉ

4 aubergines, soit 1,5 kg environ
sel et poivre
4 cuil. à soupe d'huile d'olive
250 g de mozzarella
1 bouquet moyen de basilic frais
250 g de ricotta
30 g de parmesan râpé

Pour la sauce

1,5 kg de tomates moyennes
5 gousses d'ail
3 oignons moyens
10 cl d'huile d'olive
10 cl de purée de tomates
1 bouquet garni (voir encadré p. 108)
sucre cristallisé

INGRÉDIENTS

aubergines

bouquet garni — gousses d'ail

basilic frais

purée de tomates — tomates

huile d'olive — parmesan râpé

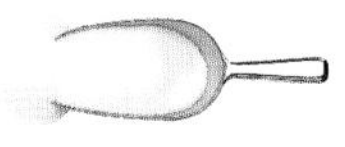

sucre cristallisé

oignons

mozzarella

ricotta

DÉROULEMENT

1 PRÉPARER LES AUBERGINES

2 PRÉPARER LA SAUCE

3 FARCIR ET CUIRE LES CANNELLONIS

1 PRÉPARER LES AUBERGINES

1 Ôtez les extrémités des aubergines et coupez-les en tranches de 1 cm d'épaisseur dans le sens de la longueur. Posez-les sur un plateau non métallique; elles ne doivent pas se chevaucher. Saupoudrez-les généreusement de sel des deux côtés. Laissez-les dégorger 30 min. Préchauffez le four à 190 °C.

CONSEIL MALIN
Le sel fait sortir le jus amer des aubergines.

Le couteau chef permet de couper des tranches nettes

2 Rincez les aubergines à l'eau courante et séchez-les dans le papier absorbant. Huilez légèrement chaque tranche avec le pinceau à pâtisserie trempé dans l'huile d'olive et posez-les toutes, côté graissé, sur les plaques à pâtisserie. Huilez l'autre côté.

Ne mettez pas trop d'huile sur les aubergines car elles la boivent très vite

3 Enfournez pour 20 min en retournant les tranches une fois, jusqu'à ce qu'elles soient tendres et dorées. Laissez-les refroidir sur les plaques à pâtisserie. N'éteignez pas le four.

ATTENTION !
Ne laissez pas cuire les aubergines trop longtemps : si elles sont trop tendres, elles seront difficiles à garnir.

2 PRÉPARER LA SAUCE À LA TOMATE

1 Entaillez en croix la base des tomates. Mettez-les de 8 à 15 s dans une casserole d'eau bouillante : la peau se décolle au niveau de la croix. Plongez-les dans un bol d'eau fraîche et pelez-les. Coupez-les en deux, pressez-les dans votre main pour en chasser les graines, et concassez-les.

Quand les tomates ont été ébouillantées, elles se pèlent facilement

2 Posez le plat du couteau chef sur chaque gousse d'ail et appuyez avec le poing. Pelez-les et hachez-les. Épluchez les oignons en gardant leur base. Coupez-les en deux. Émincez les moitiés horizontalement, sans entailler la base, puis verticalement, toujours sans entailler la base. Hachez-les finement.

3 Chauffez l'huile dans la poêle et faites-y fondre les oignons à feu moyen de 3 à 4 min, en remuant de temps en temps avec la cuiller en bois; ils ne doivent pas brunir. Ajoutez l'ail, la purée de tomates, le bouquet garni, les tomates concassées, une pincée de sucre, le sel et le poivre. Couvrez et laissez mijoter 10 min.

4 Poursuivez la cuisson 15 min à découvert en remuant de temps en temps, jusqu'à ce que la sauce ait épaissi. Retirez le bouquet garni à l'aide de la cuiller en bois. Goûtez et rectifiez l'assaisonnement.

COMPOSER UN BOUQUET GARNI

Ce bouquet de plantes aromatiques se jette en fin de cuisson. Pour le préparer, réunissez 2 ou 3 brins de thym frais, 1 feuille de laurier et de 10 à 12 tiges de persil. Liez-les avec de la ficelle de cuisine et nouez-en les extrémités en laissant une longueur suffisante pour attacher le bouquet garni à la poignée de la cocotte.

3 FARCIR ET CUIRE LES CANNELLONIS D'AUBERGINE

1 Répartissez le tiers de la sauce à la tomate sur le fond d'un plat à rôtir de 35 x 25 cm.

2 Coupez la mozzarella en tranches de 1 cm puis en bâtonnets de la même épaisseur. Détachez les feuilles de basilic de leur tige et réservez-en quelques-unes pour décorer le plat.

CONSEIL MALIN
Il vous faut une feuille de basilic par tranche d'aubergine.

Placez la mozzarella à l'extrémité de l'aubergine

3 À l'aide de la palette, étalez 1 cuil. à soupe de ricotta sur une tranche d'aubergine. Placez une feuille de basilic à l'une de ses extrémités, posez par-dessus un bâtonnet de mozzarella et poivrez. Roulez la tranche d'aubergine. Coupez éventuellement le morceau de mozzarella qui dépasse.

4 Placez le rouleau dans le plat. Procédez de la même façon pour toutes les tranches d'aubergine.

5 À l'aide d'une cuiller, répartissez le reste de sauce à la tomate sur les cannellonis d'aubergine et saupoudrez de parmesan râpé. Enfournez pour 20 à 25 min jusqu'à ce que la sauce bouillonne et dore légèrement.

La sauce doit recouvrir les cannellonis

POUR SERVIR

Disposez quelques cannellonis d'aubergine sur des assiettes individuelles chaudes, nappez-les d'un peu de sauce à la tomate et décorez avec les feuilles de basilic que vous avez réservées.

Les cannellonis d'aubergine restent moelleux

VARIANTE

CANAPÉS D'AUBERGINE

1 Ôtez les extrémités des aubergines et coupez-les en rondelles de 1 cm d'épaisseur; vous devez en avoir 36 (6 par personne). Disposez-les sur un plateau non métallique, saupoudrez-les généreusement de sel et attendez de 20 à 30 min; rincez-les, séchez-les et cuisez-les dans l'huile d'olive en suivant la recette principale.

2 Préparez la sauce en la faisant réduire de 5 à 10 min. Laissez-la tiédir.

3 Coupez 300 g de mozzarella en 24 tranches de 5 mm d'épaisseur.

4 Mélangez la ricotta à la moitié de la sauce à la tomate tiède.

5 Détachez les feuilles de basilic de leur tige; réservez-en 6 pour décorer le plat.

6 Huilez un plat à rôtir. Étalez 2 ou 3 cuil. à soupe de sauce à la tomate et à la ricotta sur une grande rondelle d'aubergine. Recouvrez d'une tranche de mozzarella et de 2 ou 3 feuilles de basilic, et couvrez d'une rondelle d'aubergine plus petite que la première. Posez dessus une autre couche de farce, une tranche de mozzarella et du basilic, et terminez par une petite rondelle d'aubergine. Maintenez le canapé avec une pique à cocktail pour qu'il ne se défasse pas.

7 Mettez le canapé dans le plat à rôtir. Procédez de la même façon pour les autres.

8 Enfournez pour 10 à 15 min, jusqu'à ce que les canapés soient très chauds et que la mozzarella ait fondu.

9 Réchauffez le reste de sauce. Nappez-en des assiettes chaudes et posez-y 2 canapés. Ôtez les piques à cocktail; décorez de feuilles de basilic.

CRÊPES AUX BETTES ET AUX TROIS FROMAGES

POUR 6 PERSONNES — PRÉPARATION : 1 H* — CUISSON : DE 20 À 25 MIN

ÉQUIPEMENT

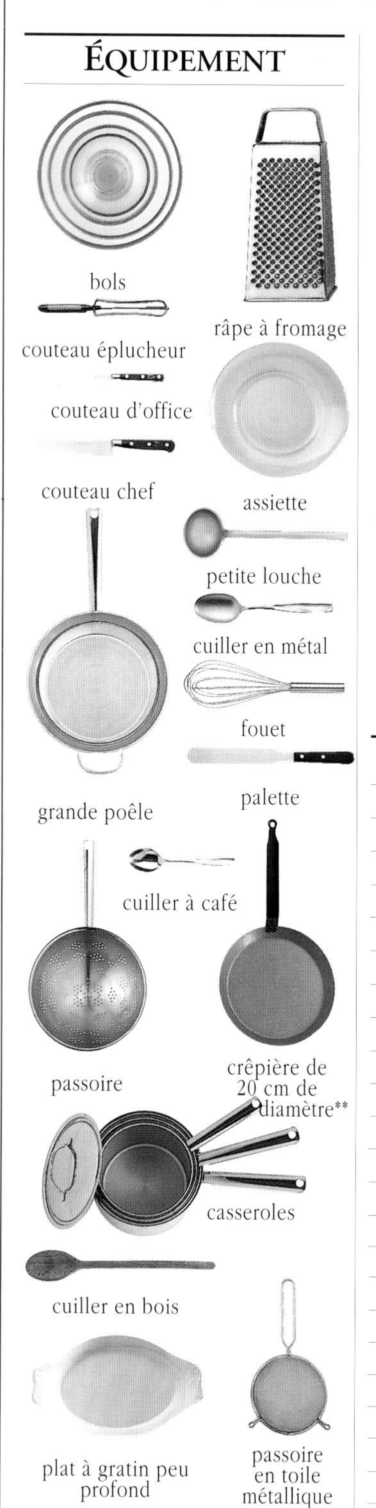

**ou poêle à fond plat

Des crêpes fines comme de la dentelle sont garnies d'une farce à base de bettes (ou d'épinards ou de chou chinois), de fromage de chèvre, de feta, d'échalotes hachées et d'ail, et nappées d'une sauce légère à la crème.

**plus 30 à 60 min de temps de repos*

LE MARCHÉ

beurre pour graisser le plat à gratin

Pour la pâte à crêpes

150 g de farine de blé supérieure
1/2 cuil. à café de sel
3 œufs
25 cl de lait
3 ou 4 cuil. à soupe d'huile végétale

Pour la farce

750 g de bettes
3 échalotes
2 gousses d'ail
30 g de beurre
100 g de fromage de chèvre frais
125 g de feta fraîche
sel et poivre
noix de muscade en poudre

Pour la sauce

25 cl de lait
30 g de beurre
2 cuil. à soupe de farine de blé supérieure
20 cl de crème épaisse
noix de muscade en poudre
30 g de gruyère râpé pour gratiner les crêpes

INGRÉDIENTS

bettes

gousses d'ail

échalotes

gruyère

feta

fromage de chèvre frais

lait

noix de muscade en poudre

œufs

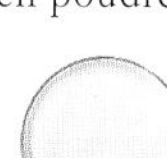
beurre

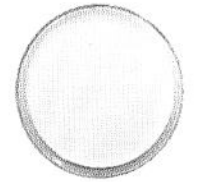

crème épaisse

farine de blé supérieure

huile végétale

DÉROULEMENT

1 PRÉPARER LES CRÊPES

2 PRÉPARER LES BETTES

3 PRÉPARER LA FARCE

4 GARNIR ET CUIRE LES CRÊPES

1 Préparer les crêpes

1 Tamisez la farine légèrement salée au-dessus d'un bol moyen et creusez un puits au centre. Mettez-y les œufs et incorporez-les à l'aide du fouet.

2 Versez la moitié du lait et fouettez jusqu'à ce que la préparation soit homogène. Incorporez encore 1/4 du lait. Couvrez et laissez reposer de 30 min à 1 h. Préparez les bettes et la farce (voir pp. 112-113).

3 Lorsque la pâte a reposé, incorporez le reste du lait jusqu'à ce que la pâte soit fluide.

Laissez bien reposer la pâte : l'amidon de la farine gonflera et les crêpes seront plus légères

Les bulles qui se forment sur le bord de la crêpe indiquent que la crêpière est chaude

4 Chauffez à feu vif 1 cuil. à soupe d'huile dans la crêpière. Assurez-vous qu'elle est suffisamment chaude en y déposant une goutte de pâte : elle doit grésiller. Versez-y le contenu d'une petite louche de pâte en faisant tourner la crêpière de façon à en napper régulièrement le fond.

5 Cuisez la crêpe de 1 à 2 min à feu vif jusqu'à ce que la pâte soit prise au-dessus et dorée en dessous. Retournez-la à l'aide de la palette ou faites-la sauter, et poursuivez la cuisson de 30 à 60 s jusqu'à ce qu'elle soit dorée de l'autre côté.

6 Déposez la crêpe sur l'assiette. Préparez les autres en rajoutant éventuellement un peu d'huile dans la crêpière : vous devez obtenir 12 crêpes. Empilez-les sur l'assiette pour qu'elles restent chaudes et moelleuses.

2 PRÉPARER LES BETTES

1 À l'aide du couteau chef, coupez la base des cardes des bettes et ôtez leurs parties dures. Lavez-les à grande eau.

Les feuilles et les côtes des bettes cuisent séparément

Coupez les cardes en morceaux épais

2 Retirez l'enveloppe verte des cardes et réservez-les. À l'aide du couteau éplucheur, ôtez les filandres.

3 Coupez les côtes en tranches de 1 cm de large et réservez-les. Remplissez d'eau une grande casserole, portez à ébullition et salez. Cuisez-y les feuilles vertes de 2 à 3 min jusqu'à ce qu'elles soient tendres. Versez-les dans la passoire, rincez-les sous un filet d'eau froide; égouttez-les de nouveau. Hachez les feuilles à l'aide du couteau chef.

3 PRÉPARER LA FARCE

1 Hachez les échalotes (voir encadré p. 113). Posez le plat du couteau chef sur chaque gousse d'ail et appuyez avec le poing. Pelez-les et hachez-les finement.

Les échalotes hachées parfument la farce

Hachez finement l'ail en basculant la lame du couteau d'avant en arrière

2 Chauffez le beurre dans une grande poêle. Faites-y fondre l'ail et les échalotes hachées de 1 à 2 min; ils ne doivent pas brunir. Ajoutez les cardes et laissez-les revenir de 3 à 5 min en remuant, jusqu'à ce qu'elles soient tendres.

Lorsque les cardes ont ramolli, ajoutez les feuilles vertes

3 Ajoutez les feuilles de bette hachées et faites-les revenir de 2 à 3 min, jusqu'à ce qu'elles aient perdu toute leur eau. Retirez la poêle du feu.

4 Émiettez le fromage de chèvre frais puis la feta sur la préparation. Salez, poivrez et ajoutez un peu de noix de muscade en poudre selon votre goût. Mélangez et réservez.

Émiettez le fromage à la main

HACHER UNE ÉCHALOTE

Une échalote se coupe généralement en tranches de 3 mm de large. Mais plus elles seront minces, plus les dés seront fins.

1 Séparez éventuellement l'échalote en deux. Pelez les deux moitiés, posez-les sur la planche à découper et tenez-les fermement avec les doigts. Émincez-les horizontalement en partant du sommet, mais sans entailler la base.

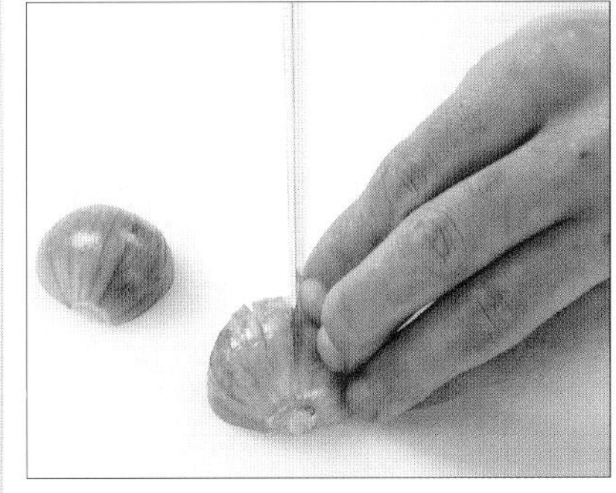

2 Émincez ensuite verticalement, en partant du sommet, toujours sans entailler la base.

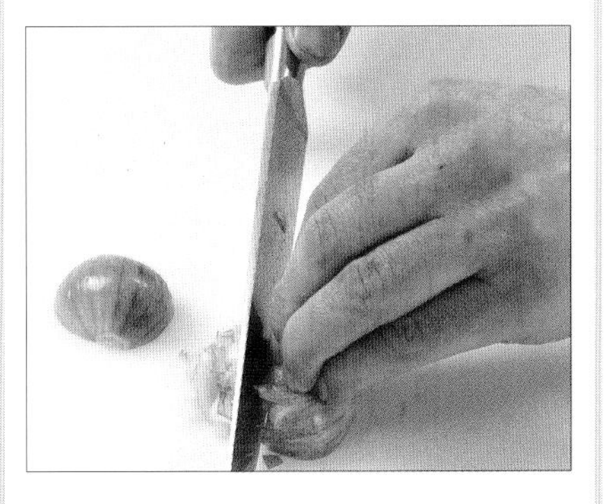

3 Ciselez l'échalote en dés plus ou moins fins selon la recette que vous préparez.

4 FARCIR ET CUIRE LES CRÊPES

1 Préchauffez le four à 180 °C. Beurrez le plat à gratin. Pour préparer la sauce blanche, portez le lait à ébullition dans une casserole. Chauffez le beurre à feu moyen dans une autre casserole. Incorporez-y la farine au fouet et chauffez de 30 à 60 s, jusqu'à ce que le mélange mousse.

2 Retirez du feu, laissez tiédir et incorporez le lait bouillant à l'aide du fouet. Remettez la casserole sur le feu et poursuivez la cuisson, sans cesser de fouetter, jusqu'à ce que la sauce frémisse et épaississe. Incorporez la crème. Salez, poivrez et ajoutez un peu de noix de muscade en poudre; cuisez encore 2 min. Retirez du feu, couvrez et tenez au chaud.

Appuyez fortement le fromage sur la râpe

3 Râpez le gruyère sur les gros trous de la râpe.

4 Déposez 2 cuil. bien remplies de farce sur le côté le moins doré d'une crêpe.

Beurrez le plat à gratin pour que les crêpes n'attachent pas

La face la plus dorée des crêpes doit se trouver à l'extérieur

5 Pliez la crêpe en deux, puis de nouveau en deux, pour former un triangle. Mettez-la dans le plat à gratin. Procédez de la même façon pour les autres crêpes.

6 Disposez les crêpes dans le plat à gratin en les faisant se chevaucher.

Les crêpes qui se chevauchent se dessèchent moins

7 Réchauffez éventuellement la sauce en la remuant un peu pour qu'elle redevienne onctueuse. Nappez-en les crêpes à l'aide de la cuiller. Saupoudrez de gruyère râpé. Enfournez pour 20 à 25 min, jusqu'à ce que la sauce bouillonne et dore. Servez chaud dans le plat à gratin.

Le gruyère forme une belle croûte sur le plat

Les crêpes sont toutes gonflées de fromage et de bettes

SAVOIR S'ORGANISER

Vous pouvez farcir les crêpes 72 h à l'avance et les conserver au réfrigérateur, ou même les congeler. Réchauffez-les au dernier moment.

VARIANTE

CRÊPES FOURRÉES AUX CHAMPIGNONS

Les crêpes sont ici garnies d'une farce aux champignons et aux herbes.

1 Préparez les crêpes.
2 Essuyez 250 g de shiitake ou d'autres champignons sauvages frais avec du papier absorbant, ôtez leurs pieds et coupez les plus gros en deux. Émincez-les en tranches de 1 cm d'épaisseur. Vous pouvez les remplacer par 50 g de champignons sauvages séchés que vous laisserez gonfler 30 min dans de l'eau chaude avant de les égoutter. Nettoyez 250 g de petits champignons de Paris, coupez les pieds au niveau des chapeaux et émincez-les.
3 Chauffez le beurre dans une poêle, faites-y fondre 5 min l'ail, les échalotes hachées et les champignons en remuant sans arrêt, jusqu'à ce qu'ils aient perdu toute leur eau. Réservez quelques champignons sautés pour décorer le plat.
4 Détachez de leur tige quelques feuilles de persil, d'estragon et de ciboulette, par exemple. Hachez-les.
5 Préparez la sauce blanche, en réservant la crème pour plus tard; ajoutez-y les herbes. Incorporez la moitié de la sauce aux champignons et farcissez les crêpes avec cette préparation. Repliez les deux côtés de chaque crêpe et roulez-les. Disposez-les dans un plat à gratin beurré.
6 Incorporez la crème fraîche au reste de la sauce; nappez les crêpes. Enfournez-les, sans les saupoudrer de gruyère râpé. Décorez avec les champignons.

MÉLI-MÉLO DE LÉGUMES À LA MÉDITERRANÉENNE

Grand aïoli

POUR 8 PERSONNES — PRÉPARATION : DE 50 MIN À 1 H — CUISSON : DE 1 H 5 À 1 H 10

ÉQUIPEMENT

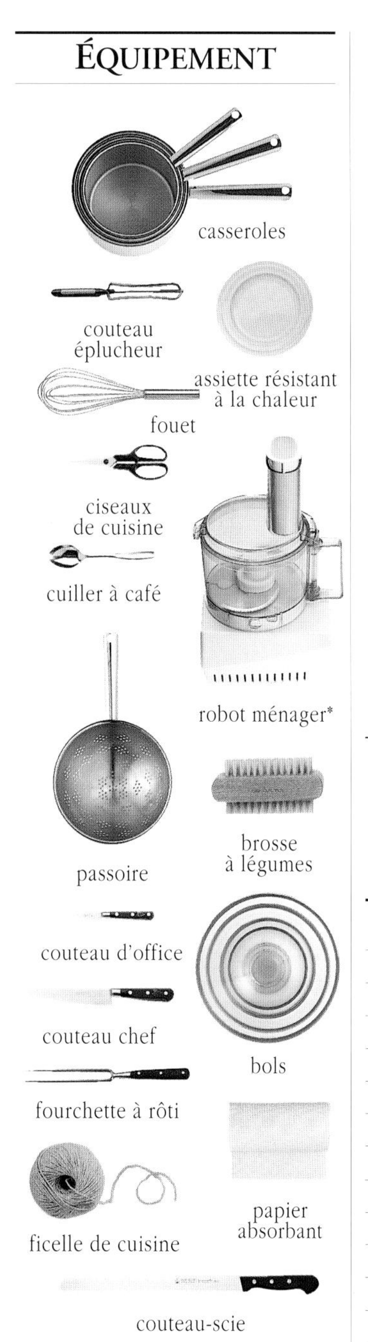

ou mixeur *

Ce «grand aïoli» rassemble des légumes méditerranéens très variés, cuits et servis froids accompagnés d'un aïoli bien relevé. À Marseille, ce plat de fête se déguste traditionnellement le mercredi des Cendres; il est parfois accompagné de calamars, de morue séchée ou d'escargots.

SAVOIR S'ORGANISER

Vous pouvez préparer les œufs durs et la sauce 48 h à l'avance et les conserver au réfrigérateur. Les légumes se conservent 6 h à température ambiante.

LE MARCHÉ

8 œufs
8 artichauts poivrades ou moyens
1 citron
500 g de carottes petites ou moyennes
4 bulbes de fenouil
500 g de pommes de terre nouvelles
500 g d'asperges

Pour l'aïoli

2 œufs
5 à 7 brins d'herbes fraîches, persil et estragon par exemple
1 1/2 cuil. à soupe de beurre
1 1/2 cuil. à soupe de farine de blé supérieure
15 cl d'eau bouillante
4 gousses d'ail ou plus selon votre goût
4 cuil. à soupe d'huile d'olive
sel et poivre

INGRÉDIENTS

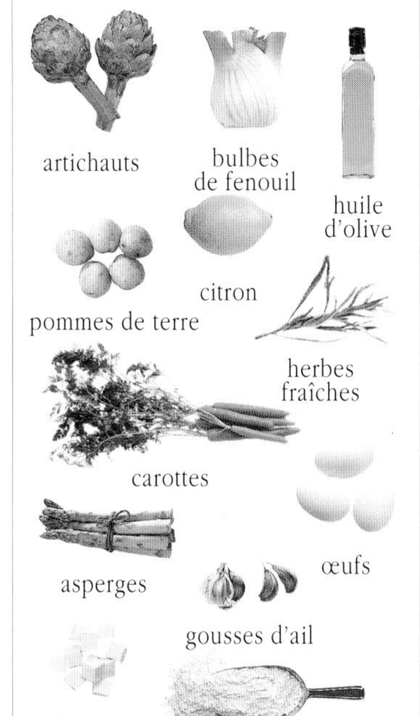

DÉROULEMENT

1 PRÉPARER L'AÏOLI

2 PRÉPARER ET CUIRE LES ARTICHAUTS

3 PRÉPARER ET CUIRE LES LÉGUMES

4 PRÉPARER ET CUIRE LES ASPERGES

1 PRÉPARER L'AÏOLI

Plongez les œufs dans un bol d'eau fraîche pour les écaler plus facilement

1 Mettez les 10 œufs dans une casserole d'eau froide, portez à ébullition et laissez frémir 10 min. Égouttez.

2 Mettez les œufs dans un bol d'eau fraîche, laissez-les refroidir et égouttez-les. Écalez-les. Rincez-les sous l'eau froide. Laissez-en 8 dans le bol.

3 Coupez en deux les 2 œufs restants et sortez les jaunes. Réservez les blancs pour une autre préparation. Détachez les feuilles des herbes de leur tige et réservez-en quelques-unes pour décorer le plat.

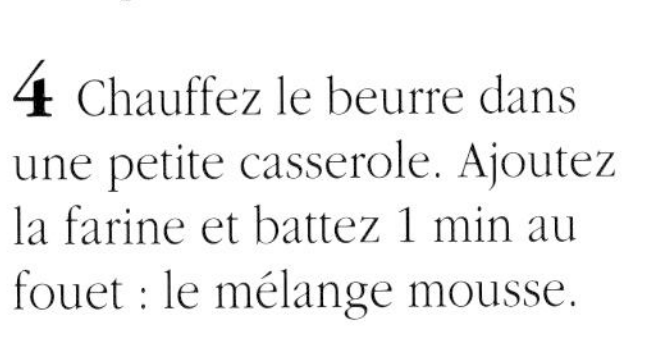

4 Chauffez le beurre dans une petite casserole. Ajoutez la farine et battez 1 min au fouet : le mélange mousse.

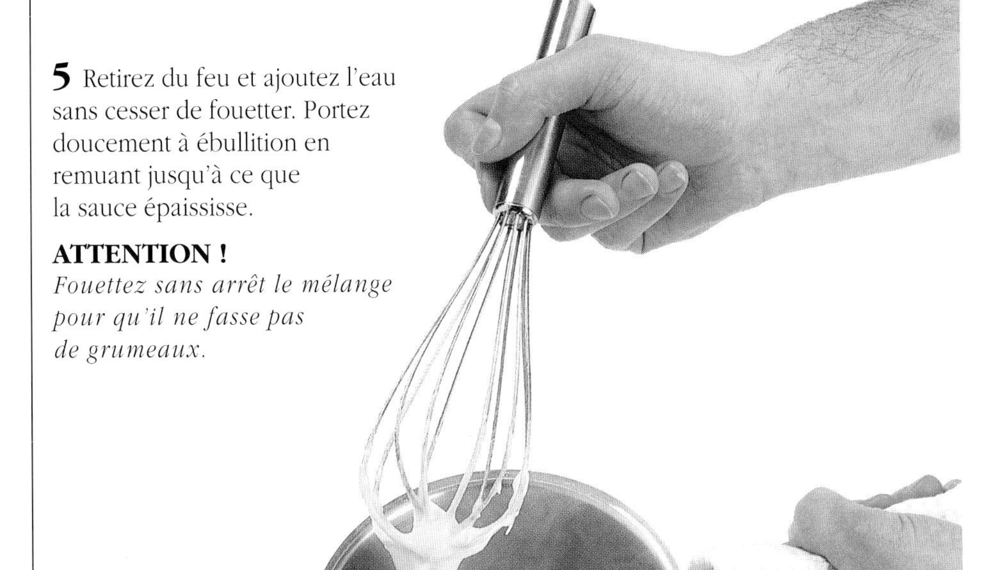

5 Retirez du feu et ajoutez l'eau sans cesser de fouetter. Portez doucement à ébullition en remuant jusqu'à ce que la sauce épaississe.

ATTENTION !
Fouettez sans arrêt le mélange pour qu'il ne fasse pas de grumeaux.

La sauce doit être suffisamment épaisse pour napper le fouet

6 Versez la préparation dans le robot ménager, ajoutez les jaunes d'œufs durs et les gousses d'ail épluchées. Réduisez les ingrédients en purée. Sans arrêter l'appareil, ajoutez petit à petit l'huile d'olive; la sauce va devenir crémeuse. Goûtez et rectifiez l'assaisonnement; versez dans une saucière.

2 PRÉPARER ET CUIRE LES ARTICHAUTS

CONSEIL MALIN
Si l'artichaut est très tendre, retirez une à une les feuilles violettes extérieures, pour ne garder que le cœur, puis raccourcissez-le.

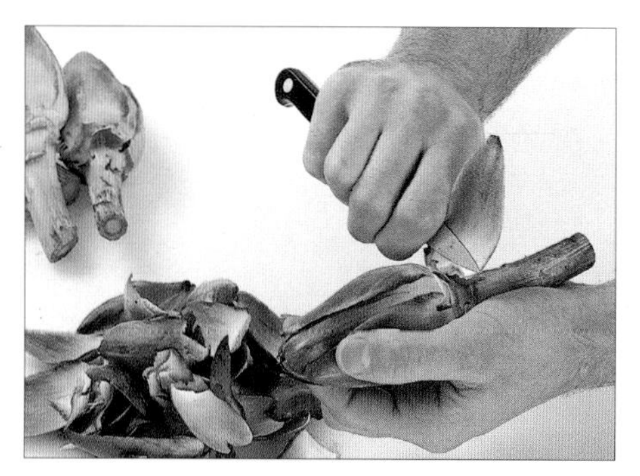

1 Si vous utilisez des artichauts moyens, préparez les fonds (voir encadré ci-dessous). S'il s'agit d'artichauts poivrades, coupez les queues à 5 cm de la base. Détachez à la main les grandes feuilles extérieures dures et vertes; celles que vous gardez doivent être tendres.

Le jus de citron empêche les artichauts de noircir

2 À l'aide du couteau-scie, raccourcissez une partie des feuilles sans détacher la tige. Frottez la surface des artichauts avec le citron coupé en deux au fur et à mesure que vous les préparez.

3 Avec le couteau d'office, épluchez la tige de chaque artichaut et coupez-la pour n'en garder que la partie tendre.

PRÉPARER UN FOND D'ARTICHAUT

1 Cassez la queue de l'artichaut au ras des feuilles : les fibres de la base partent en même temps.

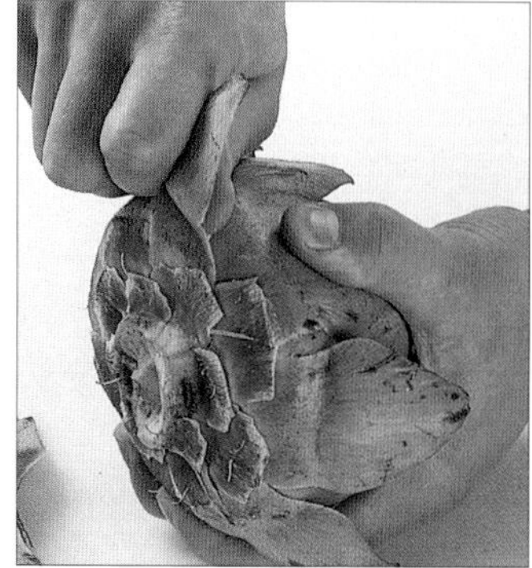

2 Détachez à la main les grandes feuilles extérieures.

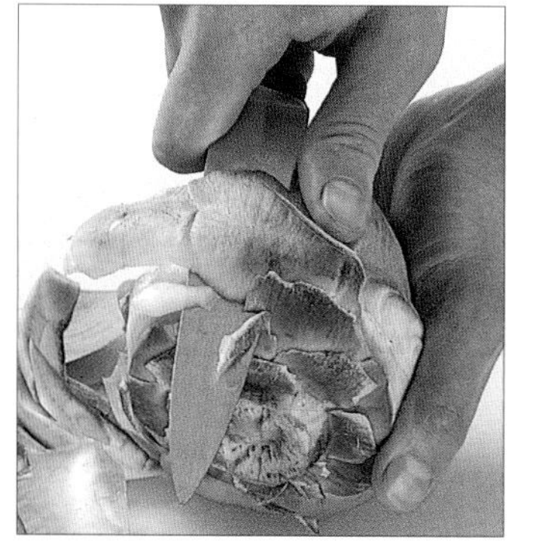

3 À l'aide d'un couteau bien aiguisé, enlevez les autres feuilles jusqu'à obtenir un cône de feuilles tendres.

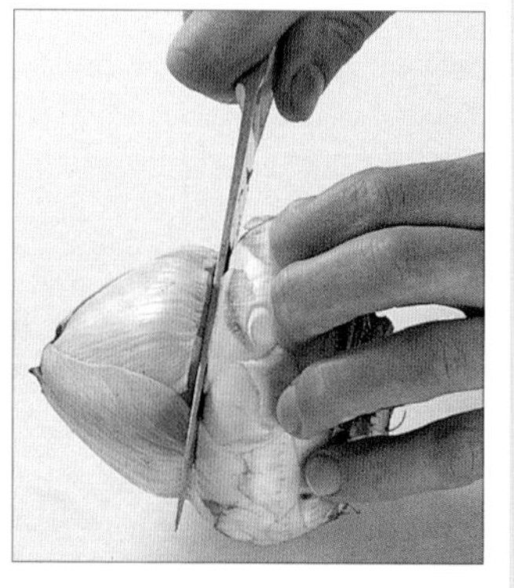

4 Coupez le cône de petites feuilles juste au-dessus du foin.

5 Ôtez les dernières feuilles vert foncé du fond de l'artichaut et égalisez-le en aplanissant légèrement la base et en taillant les bords en biseau. Frottez-le avec un citron coupé en deux pour qu'il ne noircisse pas, puis plongez-le dans un bol d'eau fraîche additionnée du jus d'un demi-citron et réservez-le jusqu'à la cuisson.

4 Coupez les artichauts poivrades en deux, ou en quatre s'ils sont trop gros. Enduisez de nouveau de citron toutes les tranches.

5 Remplissez une casserole d'eau, salez et portez à ébullition. Mettez-y les artichauts poivrades ou les fonds d'artichaut et maintenez-les immergés à l'aide de l'assiette résistant à la chaleur. Cuisez de 20 à 25 min pour les premiers et de 15 à 20 min pour les seconds.

6 Versez les artichauts dans la passoire et laissez-les refroidir. Quand ils sont tièdes, ôtez le foin à l'aide de la petite cuiller. Enlevez également les feuilles violettes des artichauts poivrades et coupez les fonds en quatre.

3 PRÉPARER ET CUIRE LES LÉGUMES

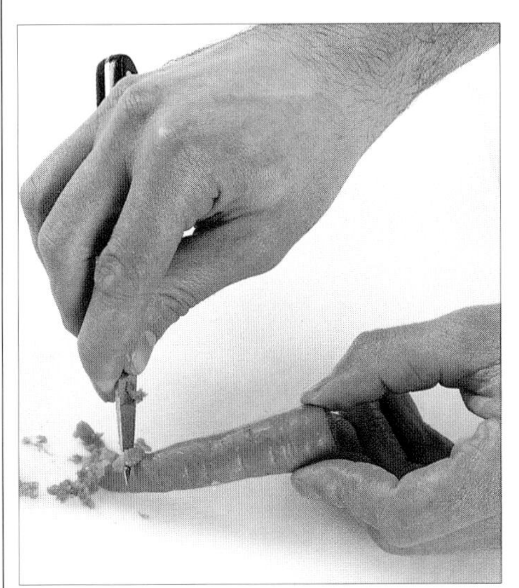

1 Coupez les fanes des petites carottes à 5 cm de la base. Grattez-les avec un couteau d'office pour en enlever la peau. Si vous utilisez des carottes moyennes sans fanes, épluchez-les et coupez-les en quatre dans le sens de la longueur.

CONSEIL MALIN

Les carottes à peau épaisse s'épluchent avec un couteau éplucheur.

2 Lavez les carottes et plongez-les dans une casserole d'eau froide. Portez à ébullition et laissez frémir de 8 à 10 min. Elles sont cuites quand la pointe du couteau d'office s'y enfonce facilement. Versez-les dans la passoire, rincez-les sous l'eau froide, égouttez-les de nouveau.

3 Ôtez la base et les tiges vertes des bulbes de fenouil. Détachez les grosses feuilles extérieures.

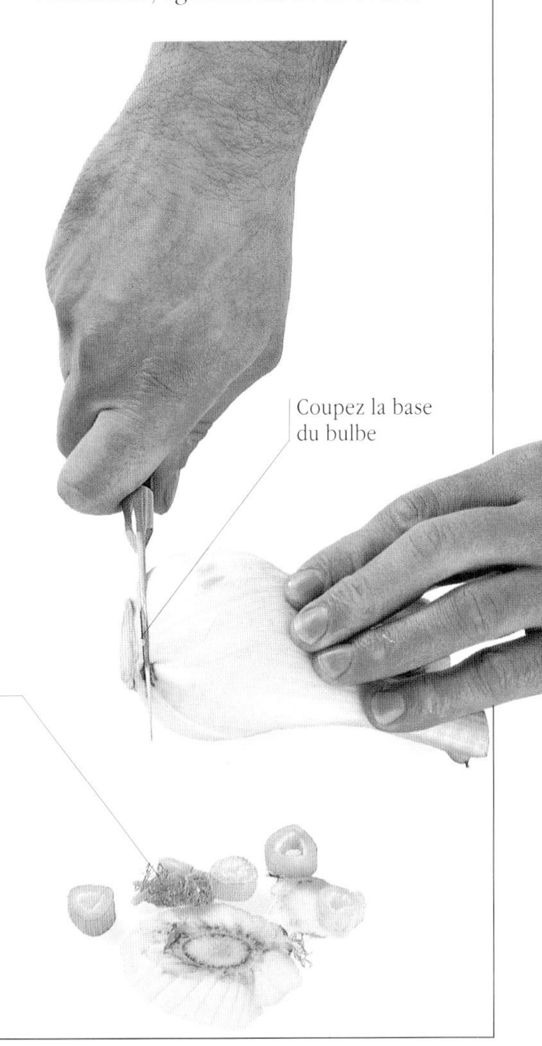

4 Coupez chaque bulbe en quatre dans le sens de la longueur. Remplissez une casserole d'eau, salez et portez à ébullition. Mettez-y les fenouils et cuisez-les de 12 à 15 min. Versez-les dans la passoire, rincez-les sous un filet d'eau froide, égouttez-les de nouveau.

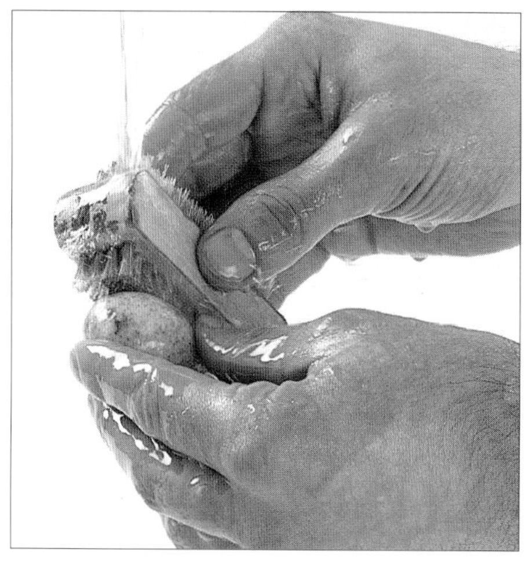

5 Brossez doucement les pommes de terre sous un filet d'eau froide. Coupez les plus grosses en deux.

CONSEIL MALIN

Choisissez des pommes de terre de même taille pour qu'elles cuisent à la même vitesse.

6 Plongez les pommes de terre dans une casserole d'eau froide, portez à ébullition et cuisez-les de 15 à 20 min, jusqu'à ce qu'elles soient tendres. Versez-les dans la passoire, rincez-les sous un filet d'eau froide, égouttez-les de nouveau.

4 PRÉPARER ET CUIRE LES ASPERGES

1 À l'aide du couteau éplucheur, retirez la peau épaisse des asperges. Coupez éventuellement les bouts trop fibreux. Ne pelez pas les jeunes asperges dont les pointes sont fragiles.

Pelez toujours les asperges de la pointe vers le bout

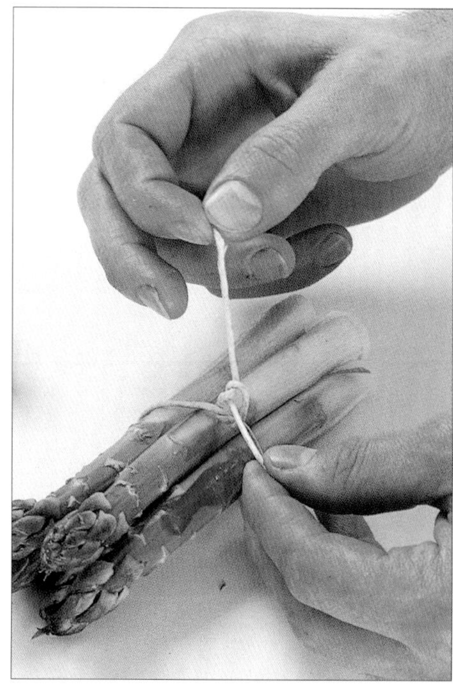

2 Liez de 5 à 7 asperges en petites bottes avec de la ficelle de cuisine. Remplissez une grande casserole d'eau, salez et portez à ébullition. Cuisez-y les asperges de 5 à 6 min, jusqu'à ce qu'elles soient tendres.

CONSEIL MALIN

Choisissez une casserole large pour que les asperges y tiennent bien à plat.

3 À l'aide de la fourchette à rôti, mettez les bottes d'asperges dans la passoire, rincez-les sous un filet d'eau froide et égouttez-les sur du papier absorbant.

Soulevez les asperges avec précaution pour ne pas casser les pointes

L'aïoli sera plus ou moins relevé selon le nombre de gousses d'ail que vous aurez utilisées

POUR SERVIR

Sortez de l'eau et essuyez les 8 œufs que vous avez réservés; coupez-les en deux. Disposez joliment les légumes sur un plat de service. Décorez avec les œufs et les herbes et servez, à température ambiante, avec l'aïoli.

Les artichauts poivrades et le fenouil sont des légumes typiquement provençaux

VARIANTE

SALADE DE LÉGUMES ET SAUCE AU TAHINA

Dans cette variante du grand aïoli, les mêmes légumes sont servis avec du tahina, une pâte orientale à base de graines de sésame.

1 Préparez et cuisez les légumes, et faites durcir 8 œufs en suivant la recette principale.

2 Pour la sauce, réduisez en purée deux gousses d'ail dans un robot ménager ou un mixeur. Ajoutez 150 g de tahina, le jus d'un citron (soit 4 cuil. à café environ) et une grosse pincée de sel. Réduisez en un mélange onctueux et ajoutez de l'eau, petit à petit, jusqu'à ce que la sauce ait la consistance de la crème fleurette.

3 Disposez les légumes sur des assiettes individuelles avec 1 œuf dur coupé en deux et, au centre, un petit ramequin de sauce au tahina. Servez avec des pains pita grillés.

MINESTRONE À LA GÉNOISE

POUR 6 PERSONNES  PRÉPARATION : DE 1 H 30 À 2 H* CUISSON : DE 45 MIN À 1 H

ÉQUIPEMENT

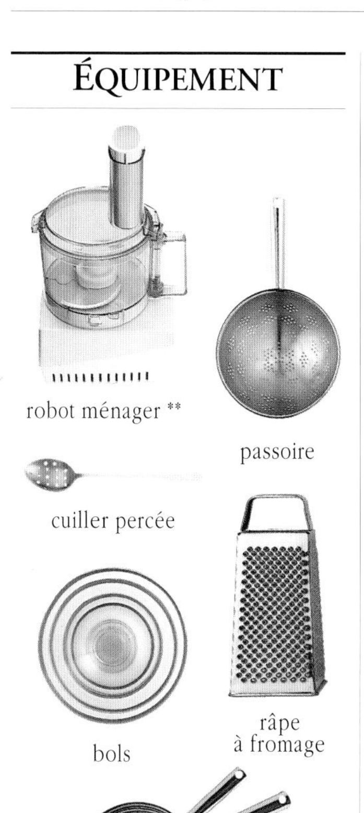

robot ménager **

passoire

cuiller percée

bols

râpe à fromage

casseroles

cuiller en bois

couteau d'office

louche

couteau éplucheur

couteau chef

spatule en caoutchouc

planche à découper

** ou mixeur

Une sauce à la tomate, à l'ail et au basilic relève ce minestrone à la génoise.

SAVOIR S'ORGANISER

Vous pouvez préparer le minestrone et la sauce 24 h à l'avance et les conserver, séparément, au réfrigérateur; réchauffez le potage avant d'ajouter la sauce.

** plus 8 heures de trempage pour les haricots*

LE MARCHÉ

200 g de haricots rouges secs
200 g de haricots blancs secs
150 g de macaronis coupés
200 g de haricots verts
3 carottes, soit 250 g environ
3 pommes de terre, soit 400 g environ
1 courgette moyenne
200 g de petits pois frais ou congelés
sel et poivre
2 litres d'eau
150 g de parmesan râpé pour saupoudrer le plat

Pour la sauce

2 tomates moyennes
1 gros bouquet de basilic frais
4 gousses d'ail
1 cuil. à café de sel
poivre
20 cl d'huile d'olive

INGRÉDIENTS

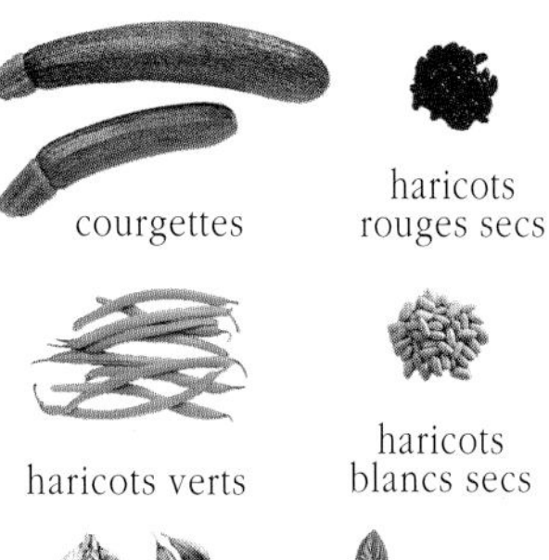

courgettes

haricots rouges secs

haricots verts

haricots blancs secs

gousses d'ail

basilic frais

petits pois

macaronis coupés

pommes de terre

parmesan

tomates

huile d'olive

carottes

DÉROULEMENT

1 PRÉPARER LES LÉGUMES ET LES MACARONIS

2 PRÉPARER LE POTAGE

3 PRÉPARER LA SAUCE

4 POUR TERMINER

1 PRÉPARER LES LÉGUMES SECS ET LES MACARONIS

Rincez bien les pâtes pour en enlever l'amidon et les empêcher de coller

1 Mettez les haricots rouges et les haricots blancs dans deux bols différents. Couvrez largement d'eau et laissez tremper toute une nuit. Versez les légumes dans la passoire, rincez-les sous l'eau froide, égouttez-les de nouveau.

CONSEIL MALIN

Si vous manquez de temps, mettez les haricots secs dans deux casseroles moyennes remplies d'eau, portez à ébullition et laissez cuire 1 h, en rajoutant éventuellement de l'eau.

2 Mettez les haricots secs dans deux casseroles différentes, couvrez largement d'eau et portez à ébullition. Réduisez le feu et laissez mijoter 1 h 30, jusqu'à ce que les légumes soient tendres mais encore fermes au toucher. Ajoutez le sel et le poivre à mi-cuisson. Égouttez soigneusement.

ATTENTION !

Ajouté en début de cuisson, le sel durcit la peau des légumes.

3 Remplissez d'eau une casserole moyenne, portez à ébullition et salez. Cuisez les macaronis de 5 à 7 min en remuant de temps en temps, jusqu'à ce qu'ils soient al dente. Égouttez-les, rincez-les sous un filet d'eau chaude, et réservez.

2 PRÉPARER LE POTAGE AUX LÉGUMES

1 Équeutez les haricots verts et coupez-les en morceaux de 1 cm de long. Épluchez les carottes et les pommes de terre; ôtez les extrémités des courgettes. Détaillez les carottes, les pommes de terre et les courgettes en dés (voir encadré à droite).

Avec un couteau chef, vous taillerez rapidement les légumes en dés

TAILLER DES LÉGUMES EN DÉS

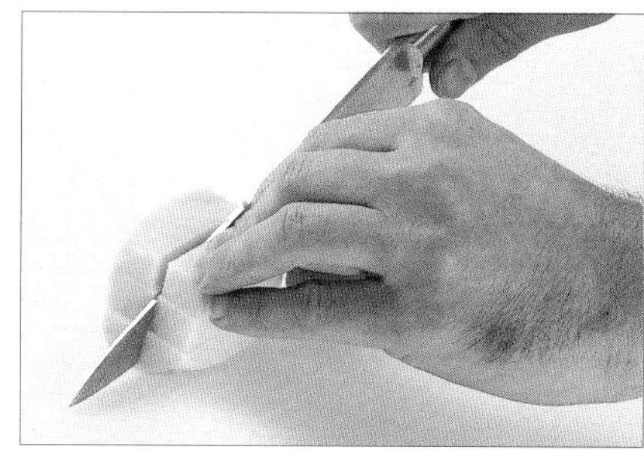

1 Épluchez ou ôtez les extrémités des légumes, puis égalisez leurs côtés au carré. Coupez-les de haut en bas en tranches de 1 cm d'épaisseur.

2 Empilez les tranches et coupez-les en bâtonnets de 1 cm de large.

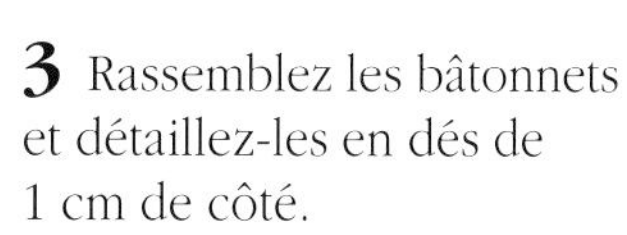

3 Rassemblez les bâtonnets et détaillez-les en dés de 1 cm de côté.

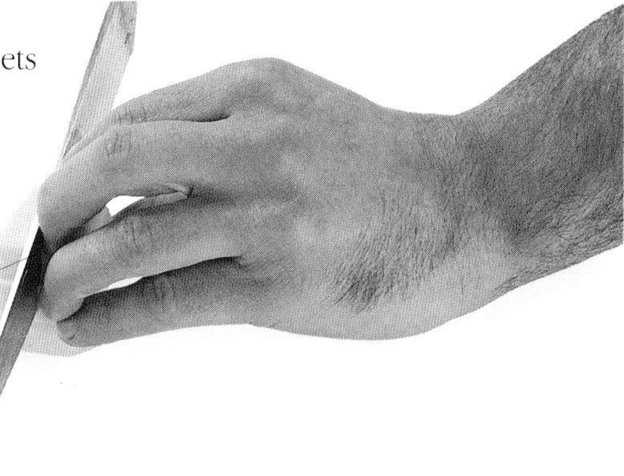

Utilisez la dernière phalange de vos doigts pour guider la lame du couteau

Ajoutez les petits pois au mélange de légumes colorés

2 Mettez les haricots en grains dans une grande casserole, puis les haricots verts, les carottes, les pommes de terre, les courgettes, les petits pois; salez et poivrez.

3 Ajoutez l'eau, portez à ébullition, puis réduisez le feu et laissez mijoter 1 h, jusqu'à ce que les légumes soient très tendres. Pendant ce temps, préparez la sauce au basilic.

3 PRÉPARER LA SAUCE AU BASILIC

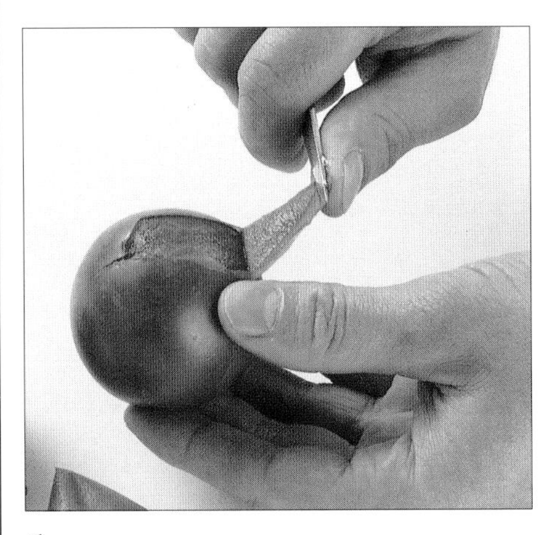

1 Mettez les tomates de 8 à 15 s dans une casserole d'eau bouillante, puis plongez-les aussitôt dans un bol d'eau froide. Pelez-les. Coupez-les en deux, ôtez les graines et concassez-les.

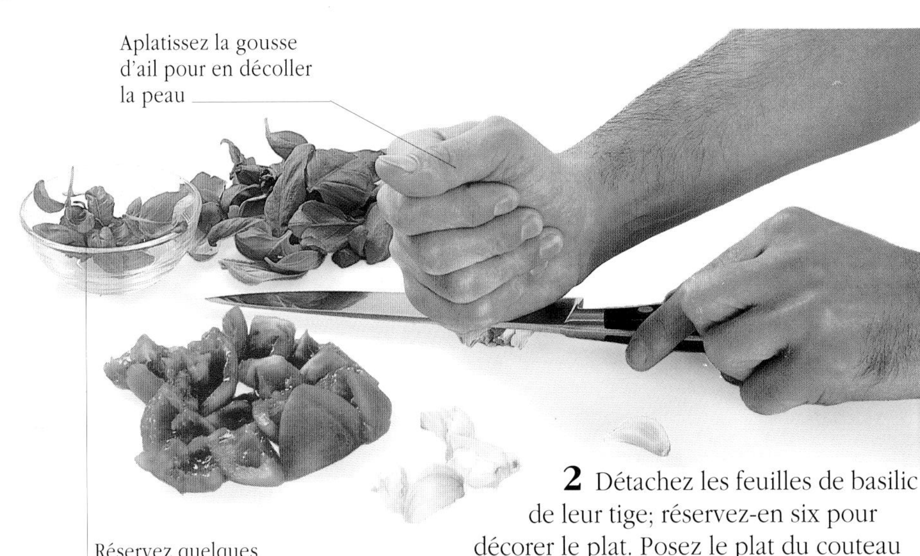

Aplatissez la gousse d'ail pour en décoller la peau

Réservez quelques feuilles de basilic pour décorer le plat

2 Détachez les feuilles de basilic de leur tige; réservez-en six pour décorer le plat. Posez le plat du couteau chef sur chaque gousse d'ail et appuyez avec le poing. Pelez-les avec les doigts.

3 Mettez l'ail, les feuilles de basilic, les tomates concassées, du sel et un peu de poivre dans le robot ménager et réduisez-les en une purée homogène.

Les tomates aromatisent et lient la sauce

4 Ajoutez l'huile sans arrêter l'appareil. Raclez de temps en temps les parois du bol à l'aide de la spatule en caoutchouc. Goûtez et rectifiez l'assaisonnement de la sauce.

4 POUR TERMINER

La sauce au basilic parfume et épaissit légèrement le minestrone

1 Ajoutez les macaronis à la soupe de légumes; goûtez et rectifiez l'assaisonnement. Portez doucement le minestrone à ébullition. Retirez la casserole du feu et incorporez la sauce au basilic.

POUR SERVIR

Versez avec la louche le minestrone dans des assiettes creuses chaudes. Décorez d'un brin de basilic; servez le parmesan râpé à part.

Le parmesan fraîchement râpé rehausse la saveur des légumes

Les légumes du minestrone sont bien tendres

V A R I A N T E

SOUPE AU PISTOU ET CROÛTONS GRATINÉS

Ici, le minestrone à la génoise se transforme en soupe au pistou, typiquement provençale.

1 Cuisez les haricots et les macaronis et préparez le potage de légumes en suivant la recette principale. N'utilisez pas les petits pois.
2 Préparez la sauce au basilic.
3 Préchauffez le four à 180 °C. Préparez les croûtons au fromage : coupez 3/4 de baguette en 24 tranches de 2 cm d'épaisseur. Disposez-les sur une plaque à pâtisserie.

4 À l'aide d'un pinceau à pâtisserie, enduisez les tranches de pain d'huile d'olive et saupoudrez-les de 60 g de parmesan râpé. Enfournez pour 5 min.
5 Incorporez la sauce au basilic. Versez à la louche dans des assiettes creuses chaudes et décorez avec un croûton. Servez les autres croûtons à part. N'ajoutez pas de parmesan.

POIVRONS FARCIS AU FROMAGE

POUR 4 PERSONNES · PRÉPARATION : DE 30 À 35 MIN* · CUISSON : DE 45 À 50 MIN

ÉQUIPEMENT

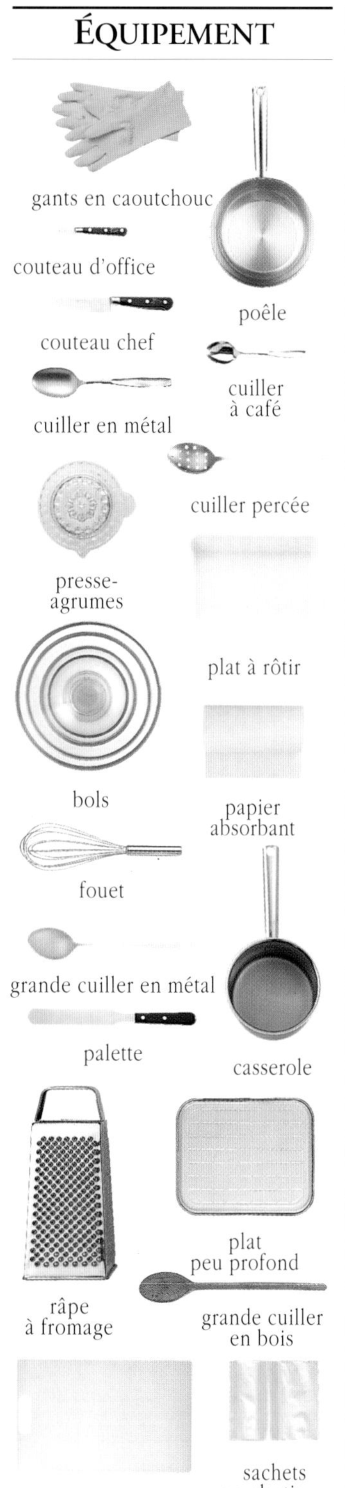

Le traditionnel chiles rellenos *mexicain se prépare avec des piments poblanos, assez gros et doux. Dans cette variante, ils cèdent la place à des poivrons verts, garnis d'une farce au fromage et aux oignons, et qui cuisent au four dans une crème légère aux œufs.*

**plus 30 min de temps de repos*

LE MARCHÉ

8 gros poivrons verts, soit 1 kg environ
2 oignons moyens
2 cuil. à soupe d'huile végétale et un peu pour graisser le plat
500 g de cheddar doux
2 cuil. à café d'origan séché
sel et poivre

Pour la sauce

2 gousses d'ail
2 gros oignons
500 g de tomates
1 petit bouquet de coriandre fraîche
2 piments verts frais
le jus de 1 citron
1 cuil. à café de tabasco

Pour la crème

3 œufs
15 cl de lait
1/2 cuil. à café d'origan séché

INGRÉDIENTS

piments verts frais
gousses d'ail
oignons
cheddar doux
œufs
tomates
coriandre fraîche
lait
origan séché
tabasco
huile végétale
poivrons verts
jus de citron

DÉROULEMENT

1 PRÉPARER LA SAUCE

2 GRILLER ET PELER LES POIVRONS

3 FARCIR LES POIVRONS

4 CUIRE LES POIVRONS

1 PRÉPARER LA SAUCE À LA TOMATE

1 Épluchez et hachez finement l'ail et les oignons. Pelez, épépinez et concassez les tomates (voir encadré ci-dessous). Détachez les feuilles de coriandre de leur tige, rassemblez-les sur la planche à découper et hachez-les finement.

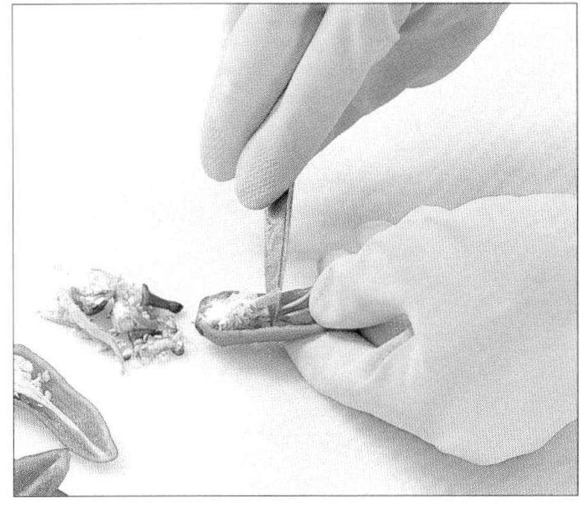

2 Coupez les piments en deux dans le sens de la longueur et ôtez leur pédoncule. Grattez les graines et retirez les membranes blanches. Coupez-les en fines lanières. Rassemblez-les et coupez-les en dés très fins.

3 Mélangez les tomates concassées, l'ail, l'oignon, les piments, le jus de citron, la coriandre et le tabasco, et salez selon votre goût. Laissez reposer 30 min au moins.

PELER, ÉPÉPINER ET CONCASSER DES TOMATES

Pelées, épépinées puis concassées, les tomates mijotées donnent une purée homogène.

1 Remplissez d'eau une petite casserole et portez à ébullition. À l'aide d'un couteau d'office, ôtez le pédoncule des tomates. Retournez-les et entaillez-les en croix.

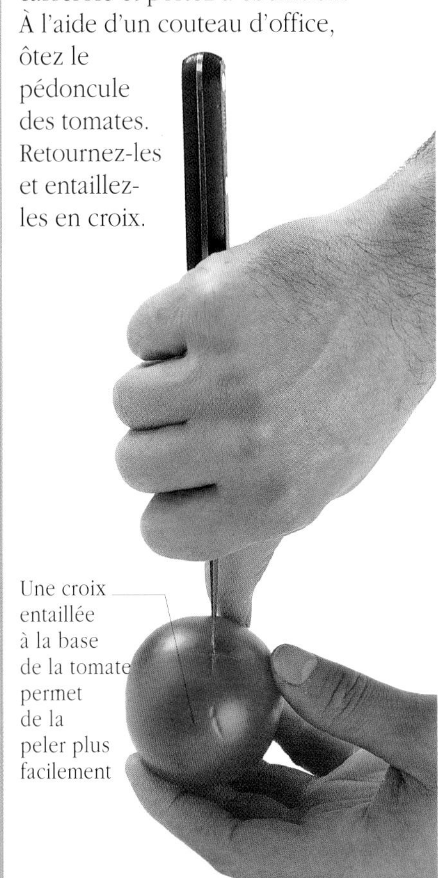

Une croix entaillée à la base de la tomate permet de la peler plus facilement

2 Mettez les tomates dans l'eau bouillante de 8 à 15 s, puis plongez-les aussitôt dans un bol d'eau fraîche pour interrompre la cuisson.

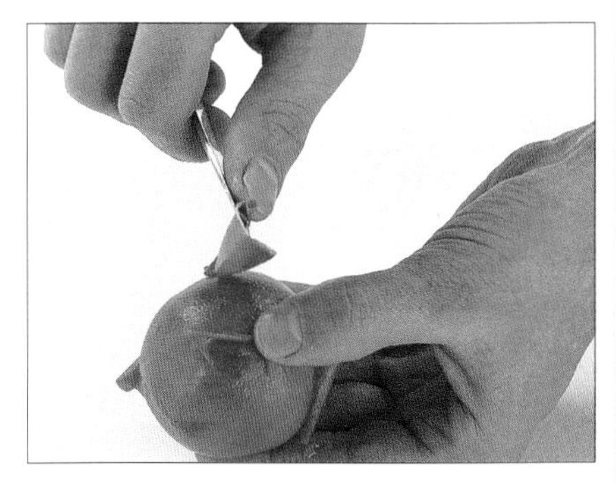

3 Pelez les tomates à l'aide d'un couteau d'office. Coupez-les en deux et pressez chaque moitié dans votre main pour en chasser les graines.

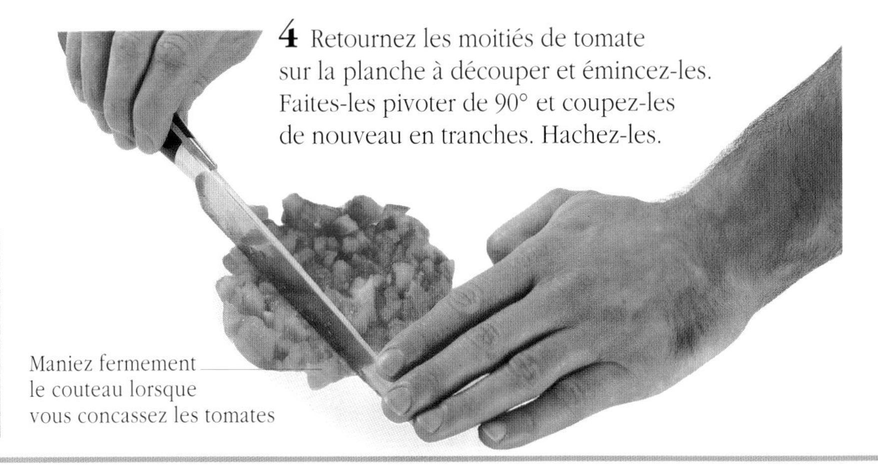

4 Retournez les moitiés de tomate sur la planche à découper et émincez-les. Faites-les pivoter de 90° et coupez-les de nouveau en tranches. Hachez-les.

Maniez fermement le couteau lorsque vous concassez les tomates

2 GRILLER ET PELER LES POIVRONS VERTS

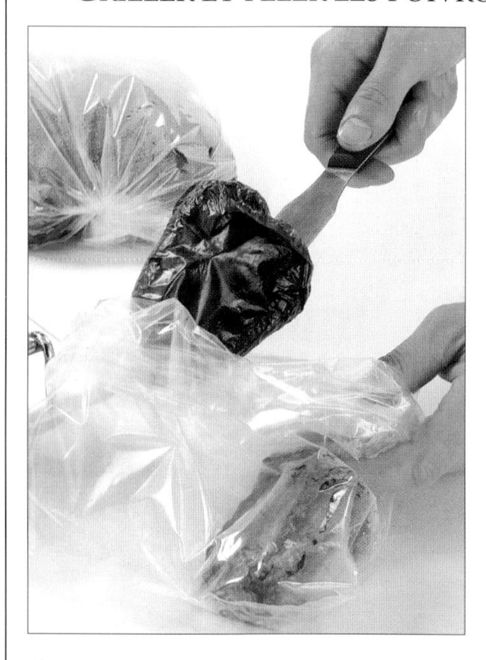

1 Préchauffez le gril du four. Posez les poivrons sur la grille et enfournez-les à 10 cm environ sous la source de chaleur. Retournez-les une ou deux fois, jusqu'à ce que leur peau brunisse et cloque. Enfermez-les dans des sachets en plastique et laissez-les refroidir.

CONSEIL MALIN

La vapeur emprisonnée à l'intérieur du sachet décolle la peau.

2 Pelez les poivrons à l'aide du couteau d'office. Rincez-les sous un filet d'eau froide et séchez-les dans du papier absorbant.

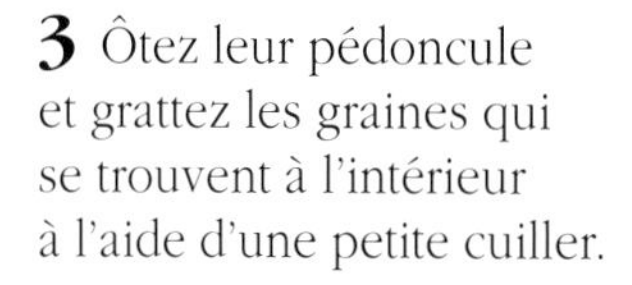

3 Ôtez leur pédoncule et grattez les graines qui se trouvent à l'intérieur à l'aide d'une petite cuiller.

3 FARCIR LES POIVRONS VERTS

1 Hachez les oignons. Chauffez l'huile dans la poêle, et faites-y fondre les oignons : ils ne doivent pas brunir. Laissez refroidir. Râpez le fromage et mettez-le dans un grand bol. Ajoutez l'origan, du sel, du poivre, les oignons, et mélangez bien. Goûtez et rectifiez l'assaisonnement.

2 Huilez un plat à rôtir. Farcissez les poivrons à l'aide de la cuiller à café et disposez-les côte à côte dans le plat.

CONSEIL MALIN

Les poivrons farcis ne doivent pas être trop serrés dans le plat à rôtir.

CUIRE LES POIVRONS VERTS

1 Préchauffez le four à 180 °C. Mélangez à l'aide du fouet les œufs, le lait, l'origan, du sel et du poivre. Versez la préparation au milieu des poivrons.

Versez la crème dans le plat à rôtir

Les poivrons farcis sont bien ronds

2 Enfournez pour 45 à 50 min; assurez-vous que la crème a pris en y piquant la pointe d'un couteau.

POUR SERVIR

Décorez la sauce à la tomate avec des feuilles de coriandre fraîche et servez avec les poivrons farcis chauds.

La crème aux œufs gonfle autour des poivrons

La sauce piquante accompagne parfaitement les poivrons

V A R I A N T E

POIVRONS ROUGES FARCIS AU MAÏS

Des poivrons rouges farcis au maïs et au fromage composent un joli plat.

1 Pochez 2 épis de maïs de 15 à 20 min dans une grande casserole d'eau bouillante. Assurez-vous qu'ils sont cuits en les piquant avec la pointe d'un couteau : les grains doivent éclater facilement. Égouttez les épis et égrenez-les. Vous pouvez également utiliser 150 g de grains de maïs congelés ou en boîte, après les avoir égouttés.

2 Préparez la sauce à la tomate en suivant la recette principale.

3 Pelez 8 gros poivrons rouges, ôtez leur pédoncule et grattez les graines qui se trouvent à l'intérieur.

4 Préparez la farce au fromage et incorporez-y le maïs. Garnissez les poivrons de cette farce et disposez-les bien droits dans 4 plats à gratin individuels.

5 Versez la crème aux œufs et cuisez au four en suivant la recette principale.

SAVOIR S'ORGANISER

Vous pouvez farcir les poivrons et faire la sauce à la tomate 24 h à l'avance et les conserver au réfrigérateur. Préparez la crème aux œufs et cuisez les poivrons juste avant de servir.

PIZZA AUX TROIS POIVRONS

POUR 4 À 6 PERSONNES — PRÉPARATION : DE 45 À 50 MIN* — CUISSON : DE 20 À 25 MIN

ÉQUIPEMENT

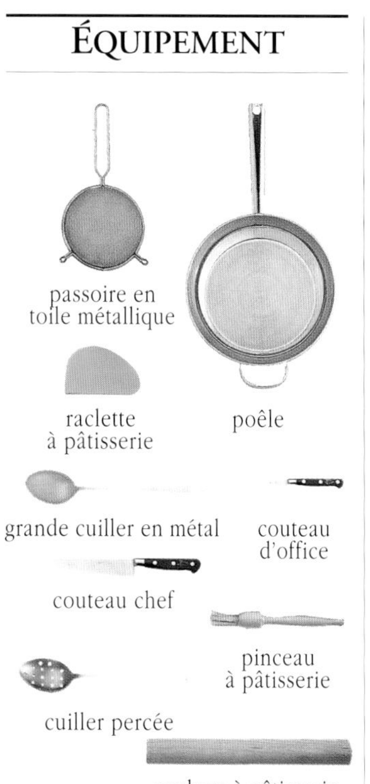

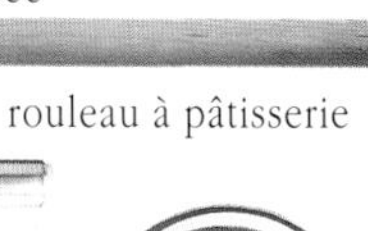
rouleau à pâtisserie

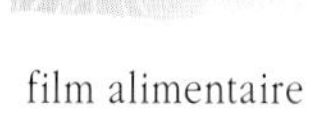
film alimentaire

bols

planche à découper

2 plaques à pâtisserie**

** ou pierre et pelle à pizza

La pizza, qui s'est répandue dans le monde entier, prend des formes très diverses. Ici, elle s'habille de poivrons aux couleurs éclatantes et de blanches tranches de mozzarella. Sa pâte est relevée de poivre noir du moulin. Les légumes doivent être très brillants et fermes.

**plus 1 h de temps de repos*

LE MARCHÉ

Pour la pâte

1 1/2 cuil. à soupe de levure chimique ou 10 g de levure de boulanger
25 cl d'eau tiède
350 ou 400 g de farine de blé supérieure
1/2 cuil. à café de poivre noir du moulin
sel
2 cuil. à soupe d'huile d'olive et un peu pour graisser le bol

Pour la garniture

2 poivrons rouges moyens
1 poivron vert moyen
1 poivron jaune moyen
2 oignons
1 petit bouquet d'herbes fraîches : romarin, thym, basilic, persil, ou un mélange d'herbes
3 gousses d'ail
4 cuil. à soupe d'huile d'olive
piment de Cayenne
200 g de mozzarella

INGRÉDIENTS

poivrons rouges, vert et jaune

mozzarella

piment de Cayenne

farine de blé supérieure

gousses d'ail

levure chimique

oignons

herbes fraîches

huile d'olive

CONSEIL MALIN

Lorsque vous achetez des herbes fraîches, choisissez des bouquets colorés et très odorants. Évitez celles qui ont des feuilles décolorées ou une tige flétrie.

DÉROULEMENT

1 PRÉPARER LA PÂTE

2 PRÉPARER LA GARNITURE

3 GARNIR ET CUIRE LA PIZZA

1 PRÉPARER LA PÂTE À PIZZA

1 Si vous utilisez de la levure de boulanger, émiettez-la dans un petit bol contenant 2 ou 3 cuil. à soupe d'eau tiède et laissez-la reposer 5 min. Huilez généreusement un grand bol.

2 Tamisez sur le plan de travail la farine assaisonnée du poivre et de 1/4 de cuil. à café de sel. Creusez un puits au centre et versez-y la levure, le reste d'eau et l'huile d'olive. Mélangez les ingrédients du bout des doigts pour obtenir une préparation homogène.

3 Incorporez progressivement la farine à l'aide de la raclette à pâtisserie et travaillez la pâte jusqu'à ce qu'elle soit souple; si elle colle, rajoutez un peu de farine.

ÉPÉPINER ET COUPER DES POIVRONS EN LANIÈRES OU EN DÉS

Les poivrons doivent toujours être épépinés avant d'entrer dans une préparation.

1 À l'aide d'un couteau d'office, découpez la chair autour des pédoncules et ôtez-les en les faisant tourner. Ouvrez les poivrons en deux dans le sens de la longueur. Enlevez les membranes blanches et les graines qui se trouvent à l'intérieur.

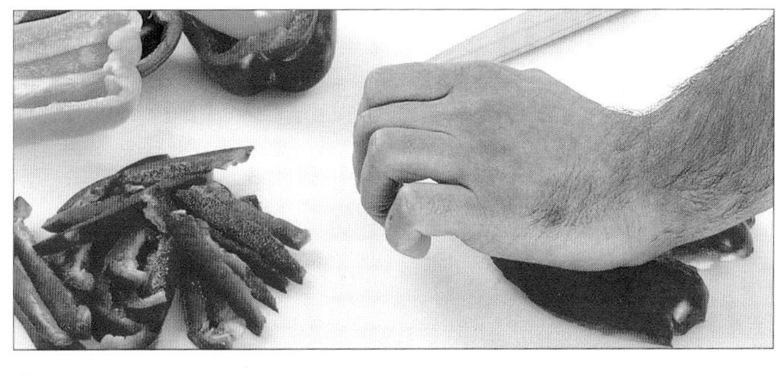

2 Posez chaque demi-poivron à plat sur le plan de travail et aplatissez-le avec le talon de votre main : vous le découperez plus facilement en lanières.

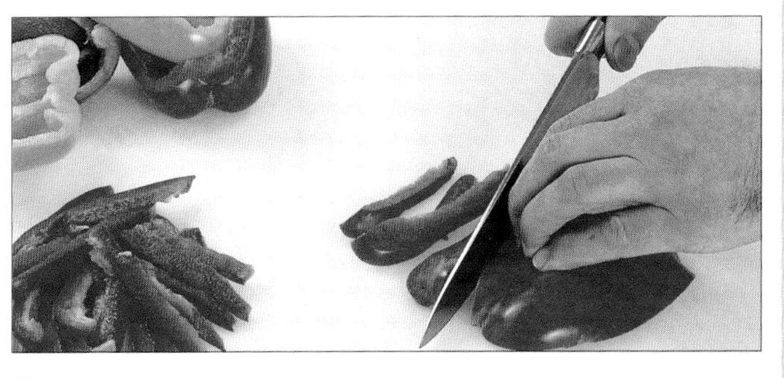

3 À l'aide d'un couteau chef, émincez chaque moitié de poivron dans le sens de la longueur. Rassemblez les lanières et détaillez-les dans l'autre sens pour obtenir de petits dés.

4 D'une main, tenez une extrémité de la pâte et, de l'autre, étendez-la en la pressant sous le talon de votre main. Décollez la pâte du plan de travail, redonnez-lui une forme de boule et tournez-la de 90°. Continuez ainsi à la pétrir de 5 à 8 min, jusqu'à ce qu'elle soit lisse et élastique.

CONSEIL MALIN
Vous pouvez pétrir la pâte dans un robot ménager muni de fouets spéciaux.

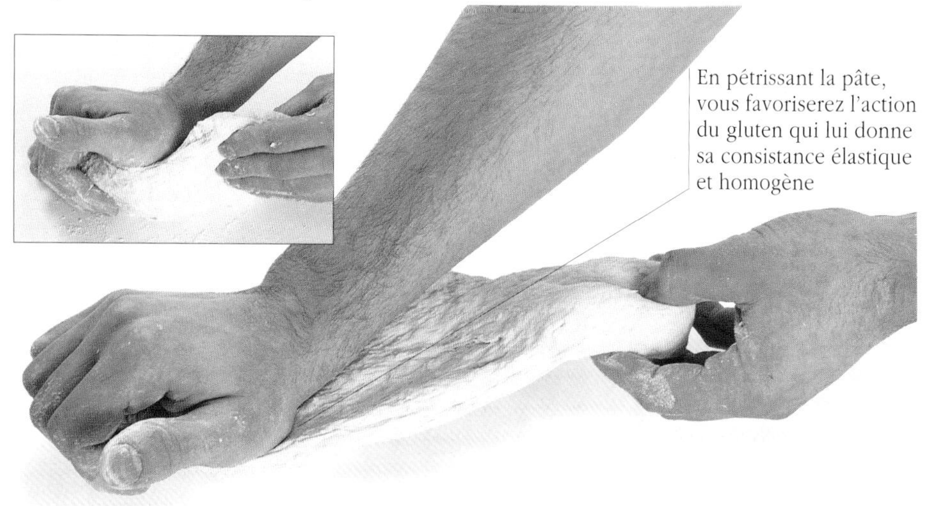

En pétrissant la pâte, vous favoriserez l'action du gluten qui lui donne sa consistance élastique et homogène

5 Mettez la boule de pâte dans le bol huilé, couvrez avec le film alimentaire et laissez-la reposer 1 h dans un endroit chaud, jusqu'à ce qu'elle ait gonflé.

CONSEIL MALIN
Vous pouvez éventuellement laisser la pâte lever toute une nuit au réfrigérateur.

2 PRÉPARER LA GARNITURE

1 Épépinez les poivrons rouges, vert et jaune et coupez-les en lanières (voir encadré p. 131).

Les poivrons doivent être coupés en fines lanières pour cuire rapidement

Utilisez la dernière phalange de vos doigts pour guider la lame du couteau

2 Épluchez les oignons, sans entailler leur base, puis coupez-les en deux dans le sens de la hauteur. Posez les moitiés d'oignon sur la planche à découper et émincez-les en fines tranches.

CONSEIL MALIN
La base de l'oignon l'empêche de se défaire.

3 Détachez les herbes de leur tige, rassemblez-les sur la planche à découper et ciselez-les. Hachez finement l'ail (voir encadré p. 134).

4 Chauffez 1 cuil. à soupe d'huile dans la poêle et faites-y fondre les oignons de 2 à 3 min en remuant. Réservez-les dans un bol.

5 Versez le reste d'huile dans la poêle. Ajoutez les poivrons, l'ail et la moitié des herbes. Assaisonnez de sel et de piment de Cayenne. Faites revenir de 7 à 10 min, en remuant jusqu'à ce que les poivrons soient tendres; ils ne doivent pas brunir. Goûtez et rectifiez l'assaisonnement. Laissez refroidir. Coupez la mozzarella en tranches.

3

GARNIR ET CUIRE LA PIZZA

1 Préchauffez le four à 230 °C. Glissez dans le bas une plaque à pâtisserie.

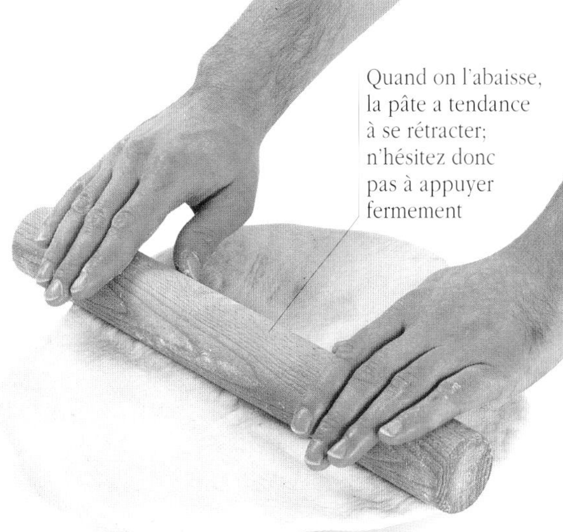

Quand on l'abaisse, la pâte a tendance à se rétracter; n'hésitez donc pas à appuyer fermement

2 Pressez légèrement la pâte pour en chasser l'air et lui redonner la forme d'une boule. Farinez le plan de tavail. Abaissez la pâte en un cercle de 1 cm d'épaisseur.

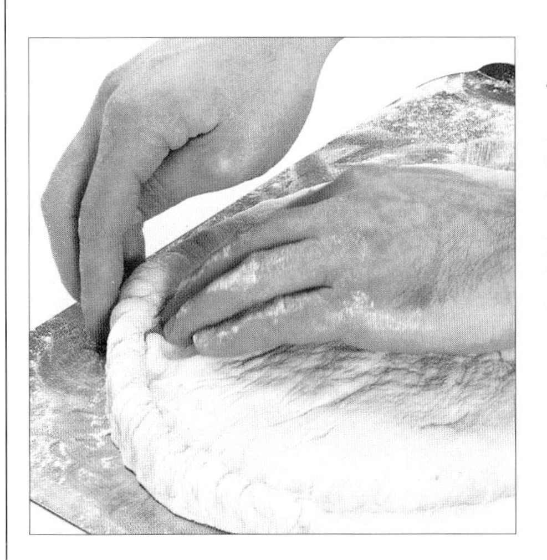

3 Farinez abondamment la deuxième plaque à pâtisserie. Posez-y le disque de pâte et pressez les côtés en les remontant de façon à obtenir un rebord épais.

4 Répartissez les oignons puis les poivrons au centre de la pâte, à 2 cm du rebord. S'il en reste, versez l'huile de cuisson sur les légumes et recouvrez avec les tranches de mozzarella. Laissez lever de 10 à 15 min dans un endroit chaud : la pâte va gonfler.

La bordure de pâte retient le jus de la garniture

PELER ET HACHER UNE GOUSSE D'AIL

La force de l'ail varie avec son âge et sa sécheresse; utilisez-en davantage s'il est très frais.

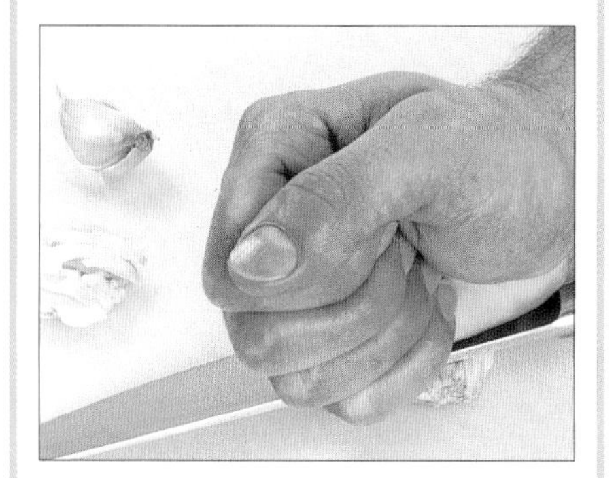

1 Appuyez fortement le talon de vos mains sur la tête d'ail pour dégager les gousses. Vous pouvez aussi les sortir avec les doigts. Pour décoller la peau, posez le plat d'un couteau chef sur la gousse d'ail et appuyez.

2 Pelez la gousse d'ail avec les doigts.

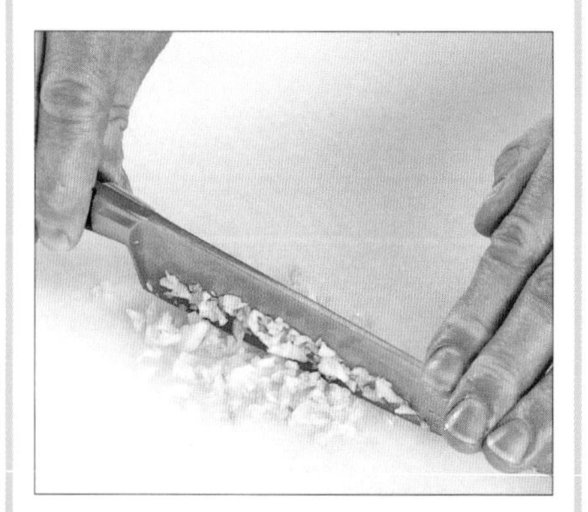

3 Posez le plat du couteau chef au sommet de chaque gousse et appuyez avec le poing puis hachez-la finement en basculant la lame d'avant en arrière.

5 D'un mouvement sec, faites glisser la pizza sur la plaque à pâtisserie chaude. Enfournez pour 20 à 25 min, jusqu'à ce qu'elle soit dorée.

CONSEIL MALIN

Pour que le fond de la pizza cuise suffisamment, posez-la sur une plaque déjà chaude.

Retirez la plaque d'un mouvement rapide

POUR SERVIR

Saupoudrez la pizza avec le reste des herbes et coupez en parts.

La garniture aux poivrons est bien relevée et légèrement sucrée

La mozarella apporte à la pizza son moelleux

SAVOIR S'ORGANISER

Vous pouvez préparer la pâte et les poivrons 12 h à l'avance et les conserver au réfrigérateur. Garnissez et cuisez la pizza au dernier moment.

VARIANTE

MINI-PIZZAS AUX CHAMPIGNONS ET AUX ARTICHAUTS

Des champignons et des artichauts sautés, mélangés à une sauce tomate, garnissent ces 20 mini-pizzas.

1 Préparez la pâte à pizza en suivant la recette principale, mais n'utilisez pas de poivre.
2 Préparez 4 fonds d'artichaut moyens. Plongez-les dans une casserole d'eau salée et maintenez-les immergés avec une assiette résistant à la chaleur. Portez à ébullition et laissez frémir de 15 à 20 min, jusqu'à ce qu'ils soient tendres. Égouttez-les et laissez-les un peu refroidir. Quand ils sont tièdes, ôtez le foin à l'aide d'une petite cuiller et émincez-les. Vous pouvez aussi utiliser des fonds d'artichaut en boîte, bien égouttés.
3 Pelez et épépinez 750 g de tomates. Épluchez et hachez 1 gros oignon et 3 gousses d'ail. Chauffez 3 cuil. à soupe d'huile d'olive dans une poêle et faites-y fondre les oignons de 3 à 4 min. Ajoutez les tomates, l'ail, 3 cuil. à soupe de purée de tomates, un bouquet garni, une pincée de sucre, salez et poivrez. Couvrez et laissez mijoter 10 min. Ôtez le couvercle et poursuivez la cuisson 15 min, en remuant de temps en temps; la sauce va épaissir. Rectifiez l'assaisonnement.
4 Râpez 150 g de gruyère.
5 Coupez les pieds des champignons au niveau des chapeaux et essuyez-les dans du papier absorbant. Émincez les têtes.
6 Faites sauter à la poêle les champignons et les artichauts avec l'ail et les herbes dans 2 cuil. à soupe d'huile d'olive.
7 Abaissez la pâte en un disque de 5 mm d'épaisseur et découpez-y des morceaux à l'aide d'un emporte-pièce de 10 cm de diamètre (les pizzas présentées ici ont une forme de fleur).
8 Étalez une couche de sauce à la tomate sur chaque morceau de pâte, déposez dessus un peu du mélange d'artichauts et de champignons et parsemez de gruyère rapé. Laissez reposer, puis enfournez pour 10 à 15 min.
9 Disposez les mini-pizzas sur un plat; décorez de persil.

VARIANTE

CALZONES AUX TROIS POIVRONS ET AU FROMAGE

Dans cette recette pour 4 personnes, la pâte à pizza prend la forme d'un chausson.

1 Préparez la pâte à pizza en suivant la recette principale.
2 Préparez la garniture et mélangez les oignons et les poivrons.
3 Partagez la pâte en 4 parts égales. Abaissez-les en carrés de 1 cm d'épaisseur.

4 Répartissez la garniture aux poivrons sur la moitié triangulaire de chaque carré de pâte, en laissant une bordure de 2,5 cm. Déposez les tranches de mozzarella sur les poivrons.
5 Humectez légèrement le bord de chaque carré et repliez la pâte sur la garniture pour obtenir un chausson.
6 Scellez les bords en les pressant entre vos doigts. Posez les calzones sur une plaque à pâtisserie farinée et laissez-les reposer. Battez un œuf avec 1/2 cuil. à café de sel et formez des croisillons sur la pâte farinée. Enfournez pour 15 à 20 min.
7 À l'aide d'un pinceau à pâtisserie, enduisez chaque calzone d'un peu d'huile d'olive et servez.

LES PÂTES

FUSILLIS AUX CHAMPIGNONS SAUVAGES

POUR 4 PERSONNES, EN ENTRÉE — PRÉPARATION : DE 20 À 25 MIN — CUISSON : DE 8 À 10 MIN

ÉQUIPEMENT

poêle

grand faitout

couteau d'office

couteau chef

cuiller en bois

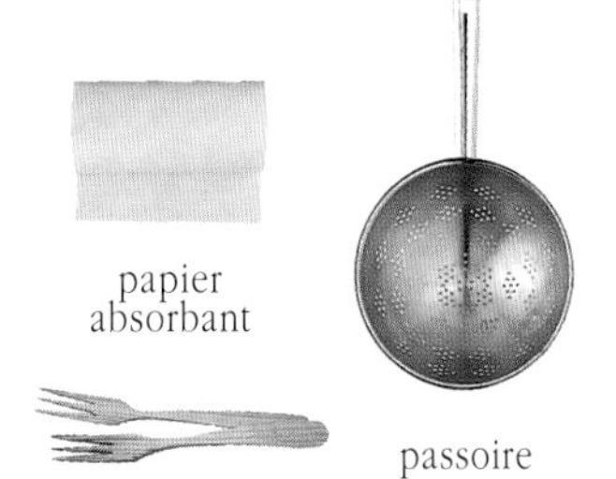

papier absorbant

passoire

grandes fourchettes

planche à découper

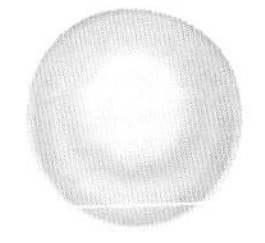

grand bol

Une sauce aux champignons sauvages sautés, à la crème et au vin blanc accompagne ces fusillis. Choisissez-les plus ou moins grands, ou remplacez-les par d'autres pâtes. Servez-les en entrée ou en accompagnement d'un plat de poulet ou de veau.

SAVOIR S'ORGANISER

Vous pouvez préparer la sauce 24 h à l'avance et la conserver au réfrigérateur, dans un récipient couvert. Cuisez les fusillis et réchauffez la sauce juste avant de servir.

LE MARCHÉ

quelques brins de persil
250 g de champignons sauvages frais (chanterelles ou cèpes, par exemple)
3 gousses d'ail
30 g de beurre
75 cl de vin blanc sec
20 cl de crème épaisse
sel et poivre
250 g de fusillis

INGRÉDIENTS

fusillis

champignons sauvages frais

brins de persil

beurre

gousses d'ail

vin blanc sec

crème épaisse

CONSEIL MALIN

Si vous ne trouvez pas de champignons frais, remplacez-les par des champignons séchés. Certains cuisiniers les préfèrent, car ils ont un arôme plus intense. Mettez-en alors 50 g dans un bol d'eau chaude et laissez-les gonfler et s'amollir 30 min environ. Égouttez-les et cuisinez-les comme s'ils étaient frais.

DÉROULEMENT

1 PRÉPARER LA SAUCE

2 CUIRE LES FUSILLIS ET TERMINER LE PLAT

1 PRÉPARER LA SAUCE AUX CHAMPIGNONS

1 Hachez le persil. Nettoyez et émincez les champignons (voir encadré à droite). Pelez et hachez l'ail (voir encadré p. 140).

2 Chauffez le beurre dans la poêle et mettez-y l'ail et les champignons. Faites cuire 5 min, en remuant sans arrêt, jusqu'à ce qu'il n'y ait presque plus de liquide.

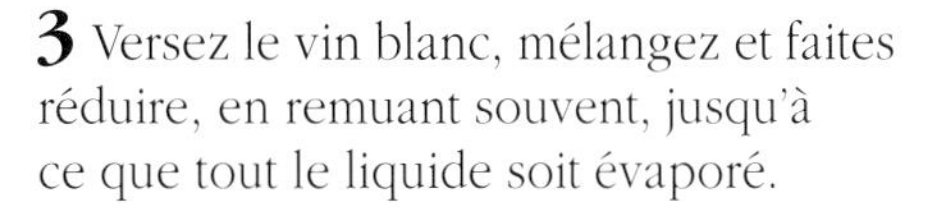

3 Versez le vin blanc, mélangez et faites réduire, en remuant souvent, jusqu'à ce que tout le liquide soit évaporé.

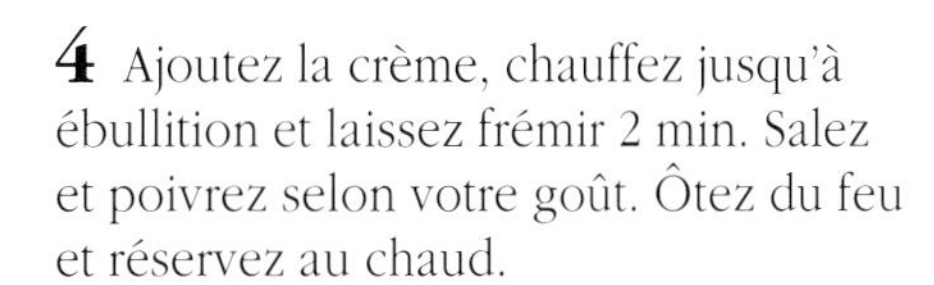

4 Ajoutez la crème, chauffez jusqu'à ébullition et laissez frémir 2 min. Salez et poivrez selon votre goût. Ôtez du feu et réservez au chaud.

La crème se marie bien avec les fusillis, car elle pénètre dans leurs spirales

Quand vous ajoutez la crème, presque tout le liquide de la préparation doit être évaporé

NETTOYER ET ÉMINCER LES CHAMPIGNONS

Les champignons doivent être soigneusement nettoyés. Rincez-les rapidement; ne les laissez pas tremper, car ils se gorgent vite d'eau.

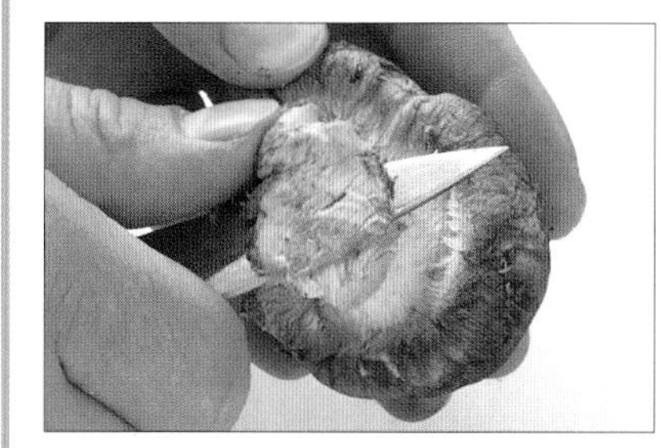

1 Ôtez toutes les traces de terre; si vous utilisez des champignons sauvages, grattez les herbes qui les couvrent souvent. Enlevez leur bout terreux. Pour les champignons de couche, raccourcissez les pieds au niveau du chapeau.

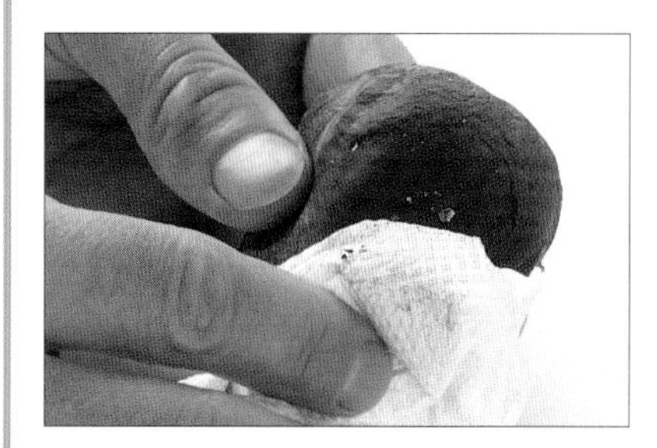

2 Essuyez les champignons dans un linge ou dans du papier absorbant humide. S'ils sont très sales, plongez-les dans un bol d'eau froide, remuez quelques minutes puis égouttez-les dans une passoire.

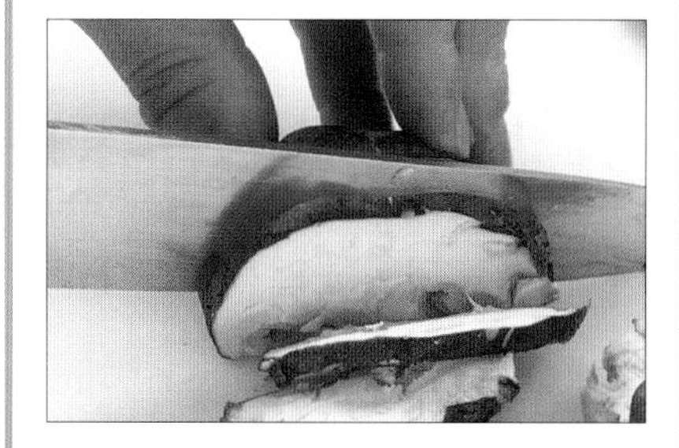

3 Posez les têtes des champignons à plat et émincez-les de haut en bas avec un couteau chef, en tranches plus ou moins grosses. Vous pouvez laisser entiers les petits champignons, comme les chanterelles.

PELER ET HACHER UNE GOUSSE D'AIL

La force de l'ail varie avec son âge et sa sécheresse; utilisez-en davantage s'il est très frais.

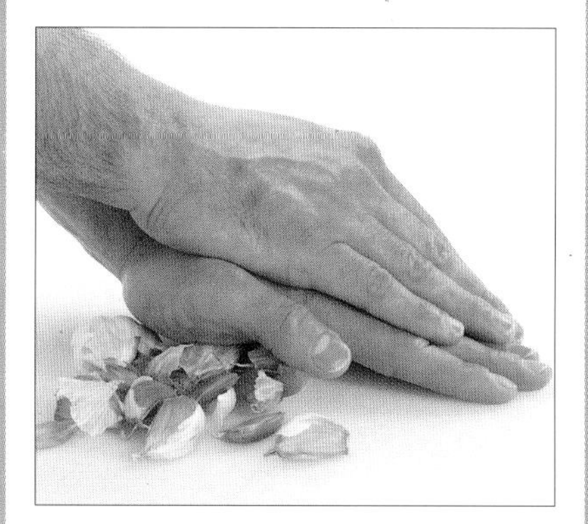

1 Appuyez fortement le talon de vos mains sur la tête d'ail pour dégager les gousses. Vous pouvez aussi les sortir une à une avec vos doigts.

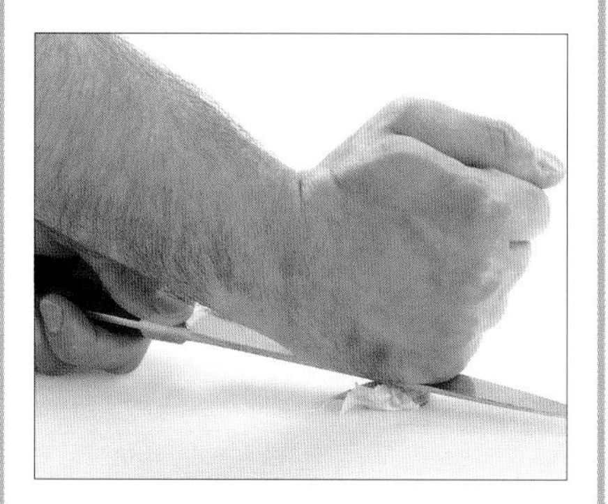

2 Afin de décoller la peau, posez le plat d'un couteau chef sur la gousse d'ail et appuyez. Pelez-la ensuite avec vos doigts.

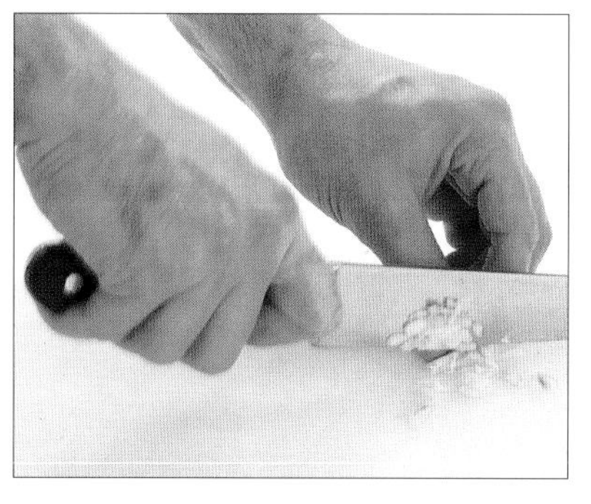

3 Posez le plat du couteau au sommet de la gousse et tapez avec le poing, puis hachez-la finement en basculant la lame d'avant en arrière.

2 CUIRE LES FUSILLIS ET TERMINER LE PLAT

Versez les pâtes dans le faitout quand l'eau bout à gros bouillons

1 Remplissez le faitout d'eau, portez à ébullition et ajoutez 1/2 cuil. à soupe de sel. Faites-y cuire les fusillis de 8 à 10 min (à moins que les indications portées sur l'emballage ne soient différentes) — ils doivent être tendres mais encore fermes (al dente); remuez doucement pour qu'ils ne collent pas.

2 Versez les pâtes dans la passoire, rincez-les rapidement à l'eau très chaude, égouttez-les de nouveau. Mettez-les dans un grand plat creux chaud.

Versez les champignons et la sauce crémeuse directement de la poêle sur les pâtes

Si la queue de la poêle est chaude, protégez votre main avec un linge ou un gant isolant

Chauffez le plat à four doux pour que les pâtes ne refroidissent pas trop vite

3 Versez les champignons et leur sauce sur les pâtes chaudes.

Soulevez délicatement les pâtes pour bien répartir la sauce

4 Parsemez de presque tout le persil haché et mélangez bien à l'aide des grandes fourchettes.

De grandes fourchettes en bois sont idéales pour mélanger les pâtes cuites et remonter celles qui se trouvent au fond du plat

POUR SERVIR
Disposez les pâtes sur des assiettes chaudes, en répartissant également les champignons. Décorez du reste de persil haché.

Les champignons sauvages libèrent un arôme incomparable

Quelques fusillis disposés en rayons transforment l'aspect de ce plat

VARIANTE

FUSILLIS AUX CHAMPIGNONS ET AUX HERBES

Quand des herbes fraîches remplacent la crème, ce plat change de caractère... et il est moins calorique. Choisissez des cèpes, des chanterelles ou des pleurotes.

1 Hachez quelques brins de sauge, de thym et de romarin frais. Ajoutez ces herbes à la sauce en même temps que le vin.

2 N'utilisez pas de crème.

3 Mélangez les pâtes et la sauce puis disposez-les sur des assiettes chaudes, en suivant la recette principale.

PENNES AUX LÉGUMES D'AUTOMNE

POUR 6 À 8 PERSONNES, EN ENTRÉE — PRÉPARATION : DE 40 À 45 MIN* — CUISSON : DE 5 À 8 MIN

ÉQUIPEMENT

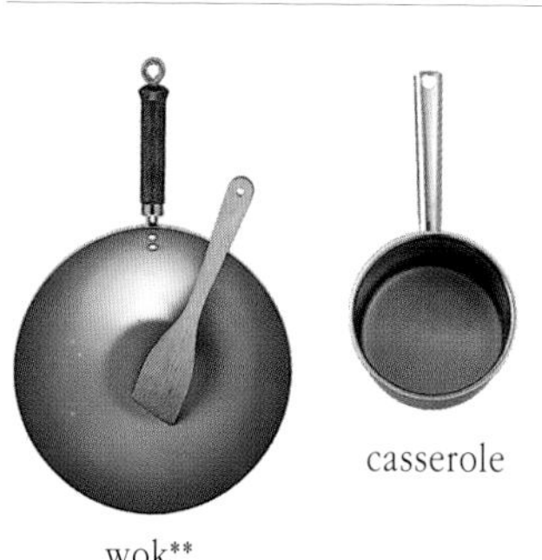

wok**

casserole

couteau d'office

couteau chef

grand faitout

cuiller percée (facultatif)

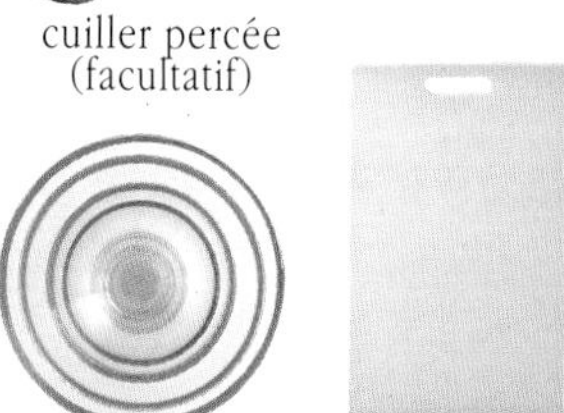

bols

planche à découper

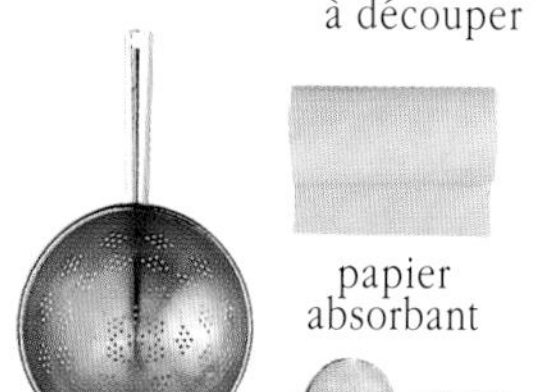

passoire

papier absorbant

passoire en toile métallique

** ou grande poêle à frire

CONSEIL MALIN

Les pâtes sont souvent agrémentées d'une garniture sautée à feu vif. Elle permet donc d'utiliser un reste de légumes.

Ce simple plat de pâtes s'enrichit des chaudes couleurs et des saveurs de l'automne. La garniture se compose de pâtissons, de tomates rouges bien mûres et d'une aubergine violette, relevés par des poivrons, des oignons et de l'ail.

SAVOIR S'ORGANISER

Vous pouvez préparer la sauce aux légumes d'automne 48 h à l'avance et la conserver au réfrigérateur. Réchauffez-la, cuisez les pâtes et terminez le plat juste avant de servir.

**plus 30 min pour faire dégorger les aubergines*

LE MARCHÉ

250 g de pâtissons (lisez le conseil malin)
2 gousses d'ail
2 oignons moyens
1 petite aubergine
sel et poivre
250 g de tomates
1 poivron rouge moyen
10 cl ou plus d'huile d'olive
500 g de pennes

INGRÉDIENTS

pâtissons jaunes

oignons

aubergine

gousses d'ail

tomates

poivron rouge

pennes

huile d'olive

CONSEIL MALIN

Vous pouvez utiliser n'importe quelle courge jaune.

DÉROULEMENT

1 PRÉPARER LES LÉGUMES

2 PRÉPARER LA SAUCE

3 CUIRE LES PENNES ET TERMINER LE PLAT

1 PRÉPARER LES LÉGUMES

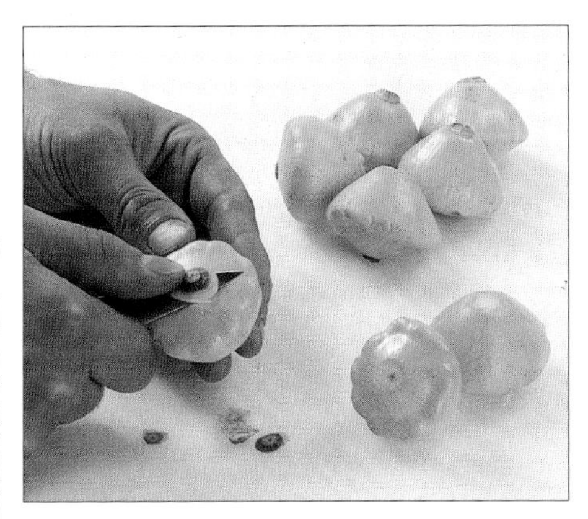

1 Ôtez les extrémités des pâtissons puis coupez-les en rondelles.

2 Hachez finement l'ail. Coupez les oignons en deux dans le sens de la hauteur et émincez chaque moitié.

3 Ôtez la queue de l'aubergine puis coupez-la en morceaux, que vous trancherez en dés d'environ 1 cm de côté. Mettez-les dans la passoire, saupoudrez-les de sel et laissez-les dégorger 30 min. Rincez-les à l'eau courante et séchez-les dans du papier absorbant.

4 Pelez, épépinez et concassez les tomates (voir encadré p. 144). Ôtez le pédoncule du poivron, épépinez-le et coupez-le en lanières (voir encadré ci-dessous).

ÔTER LE PÉDONCULE D'UN POIVRON, L'ÉPÉPINER ET LE COUPER EN LANIÈRES

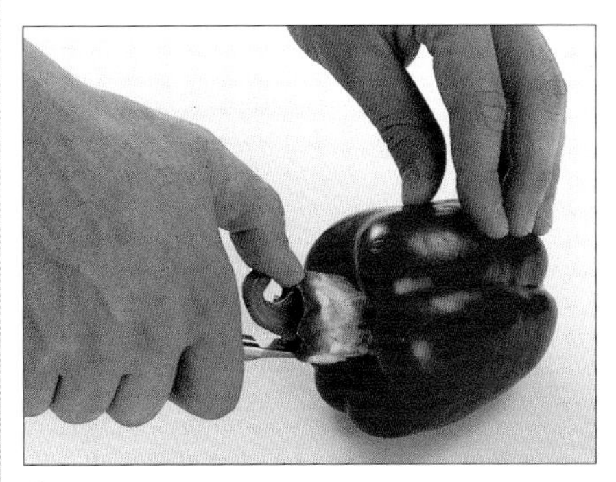

1 À l'aide d'un couteau chef, découpez la chair autour du pédoncule et ôtez-le en le faisant tourner. Ouvrez le poivron en deux dans le sens de la longueur.

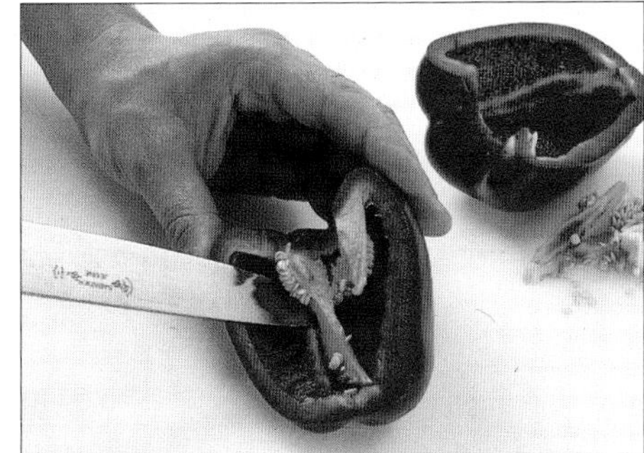

2 Enlevez les membranes blanches et les graines qui se trouvent à l'intérieur du poivron. Rincez-le sous un filet d'eau froide puis séchez-le dans du papier absorbant.

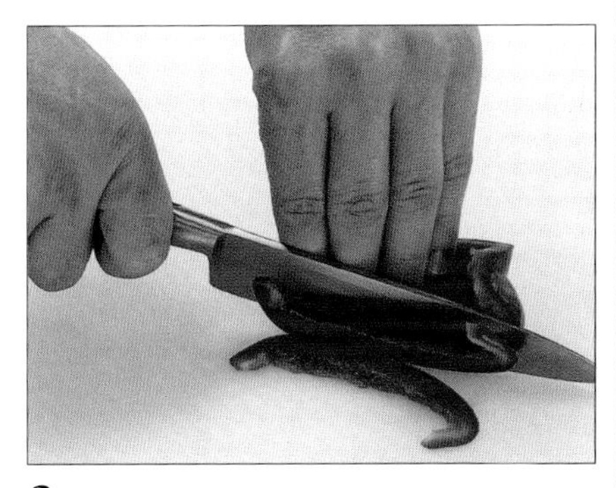

3 Coupez chaque moitié de poivron en deux, puis taillez de minces lanières, toujours dans le sens de la longueur.

PELER, ÉPÉPINER ET CONCASSER UNE TOMATE

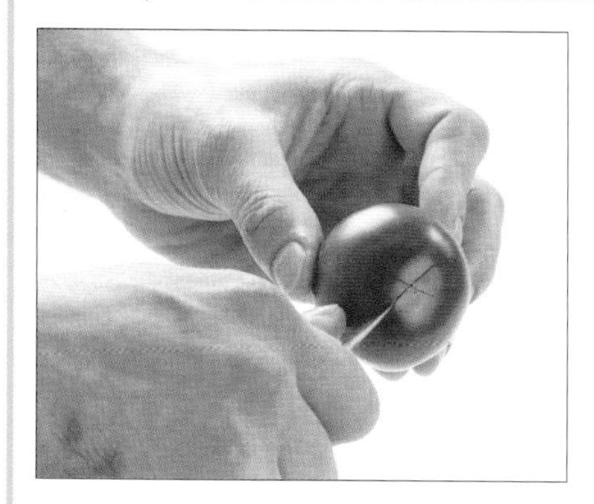

1 À l'aide d'un couteau d'office, ôtez le pédoncule de la tomate. Retournez-la et entaillez-la en croix. Plongez-la dans une casserole d'eau bouillante de 8 à 15 s, selon son degré de maturité : la peau se décolle en frisant au niveau de la croix.

2 Avec une cuiller percée ou une écumoire, sortez la tomate de la casserole et plongez-la dans un bol d'eau fraîche.

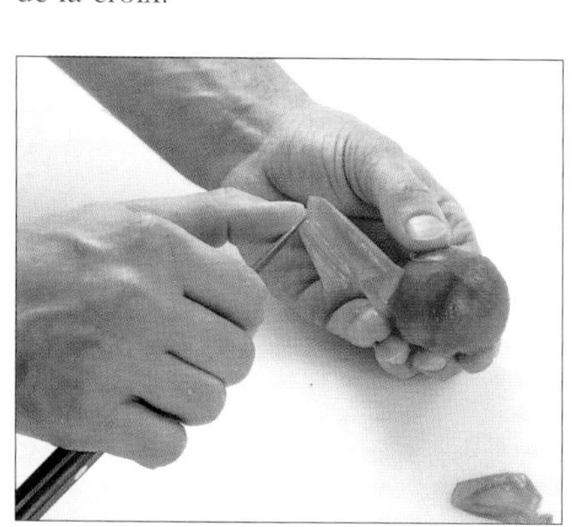

3 Quand elle est refroidie, égouttez-la et pelez-la.

Si vous voulez garder le jus, pressez les tomates au-dessus d'une passoire posée sur un bol

4 Coupez la tomate en deux, comme un pamplemousse. Pressez fermement chaque moitié dans votre main pour chasser les graines; ôtez celles qui resteraient encore avec un couteau.

5 Posez chaque moitié de tomate sur la planche à découper et émincez-la. Puis faites-la tourner de 90° et coupez-la de nouveau en tranches.

6 Hachez les morceaux de tomate en dés.

2 PRÉPARER LA SAUCE

1 Chauffez la moitié de l'huile dans le wok. Faites-y sauter de 3 à 5 min, à feu vif, les morceaux d'aubergine : ils brunissent. Sortez-les avec la cuiller percée ou une écumoire et mettez-les dans un grand bol. Procédez de la même façon pour les pâtissons, en rajoutant éventuellement de l'huile, mais seulement 3 min. Réservez-les dans le bol.

2 Mettez les lanières de poivron rouge dans le wok, en ajoutant un peu d'huile, et faites-les sauter, en remuant, jusqu'à ce qu'elles soient tendres. Réservez-les.

3 Rajoutez 1 cuil. à soupe d'huile dans le wok et faites-y sauter les tranches d'oignon de 2 à 3 min, jusqu'à ce qu'elles soient dorées.

4 Remettez l'aubergine, les pâtissons et le poivron rouge dans le wok; ajoutez les tomates, l'ail, le sel et le poivre. Remuez bien. Couvrez et laissez mijoter de 10 à 15 min. Goûtez et rectifiez l'assaisonnement. Pendant ce temps, préparez les pâtes.

Remuez souvent pendant la cuisson pour que les légumes n'attachent pas au fond du wok

3 CUIRE LES PENNES ET TERMINER LE PLAT

1 Remplissez le faitout d'eau, portez à ébullition et ajoutez 1 cuil. à soupe de sel. Faites-y cuire les pennes de 5 à 8 min — ils doivent être tendres mais encore fermes (al dente); remuez doucement pour qu'ils ne collent pas. Versez-les dans la passoire, rincez-les à l'eau très chaude, égouttez-les de nouveau.

2 Mettez les pennes dans le wok et mélangez-les avec les légumes, en les réchauffant rapidement.

POUR SERVIR

Disposez les pâtes sur des assiettes et servez-les chaudes ou à température ambiante.

Les lanières de poivron rouge sont tendres et très colorées

L'aubergine apporte une belle touche violet foncé

V A R I A N T E

PENNES AUX TROIS POIVRONS

Cette délicieuse recette exploite la diversité des poivrons doux.

1 N'utilisez ni les pâtissons ni l'aubergine de la recette principale.
2 Ôtez le pédoncule et les graines de 6 poivrons moyens : 2 rouges, 2 verts et 2 jaunes. Coupez-les en lanières (voir encadré p. 143).
3 Faites sauter les lanières de poivron dans 3 cuil. à soupe d'huile végétale, puis préparez la sauce en suivant la recette principale.

CONSEIL MALIN

Plus les couleurs des poivrons seront variées, plus votre plat sera attrayant.

SPAGHETTIS BOLOGNAISE

POUR 4 À 6 PERSONNES, EN PLAT PRINCIPAL — PRÉPARATION : DE 40 À 45 MIN — CUISSON : DE 1 H 30 À 2 H

ÉQUIPEMENT

grand faitout

cuiller en bois

couteau chef

sauteuse*

couteau d'office

passoire

râpe à fromage

planche à découper

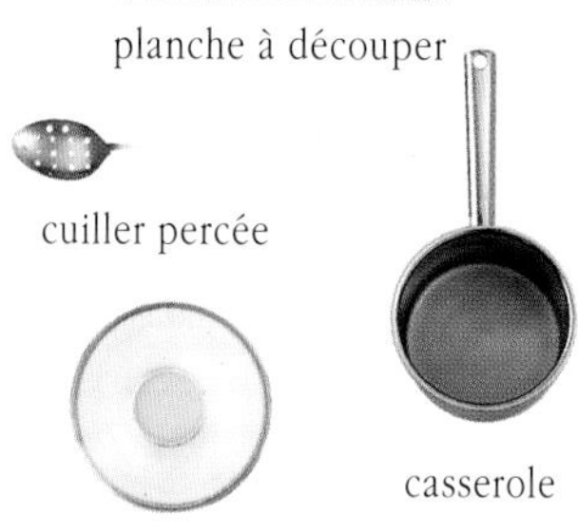

cuiller percée

casserole

bols

* ou poêle

Originaire d'Italie du Nord, la savoureuse bolognaise à la viande se cuisine à partir de bœuf et de porc hachés. Cette sauce, ou ragú, accompagne tout aussi bien d'autres pâtes comme les fusillis ou les conchiglies.

SAVOIR S'ORGANISER

Vous pouvez préparer la sauce bolognaise 24 h à l'avance et la conserver au réfrigérateur, dans un récipient couvert, ou même la congeler. Cuisez les spaghettis juste avant de servir.

LE MARCHÉ

500 g de spaghettis
parmesan râpé
Pour la sauce
2 oignons moyens
2 gousses d'ail
1 carotte moyenne
1 kg de tomates
4 cuil. à soupe d'huile végétale
400 g de bœuf haché
400 g de porc haché
25 cl de lait
40 cl de vin blanc sec
1 cuil. à soupe de purée de tomates
1 bouquet garni
sel et poivre
50 cl d'eau

INGRÉDIENTS

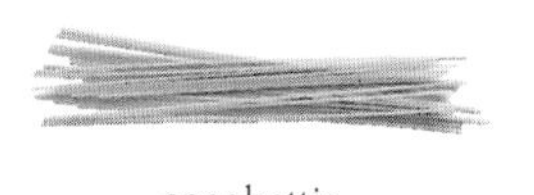

spaghettis

bœuf haché

porc haché

oignons

gousses d'ail

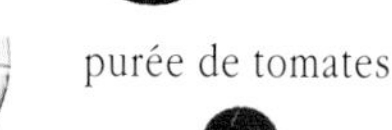

purée de tomates

vin blanc sec

tomates

carotte

lait

huile végétale

parmesan

bouquet garni

DÉROULEMENT

1 PRÉPARER LA SAUCE

2 CUIRE LES SPAGHETTIS

COUPER UNE CAROTTE EN DÉS

Les dés de carottes agrémentent de nombreuses sauces et soupes.

1 Pelez la carotte et ôtez-en les extrémités. Si elle est très longue, coupez-la en deux. Taillez les bords au carré, puis émincez-la dans le sens de la longueur en tranches fines, ou plus épaisses si vous voulez des dés plus larges.

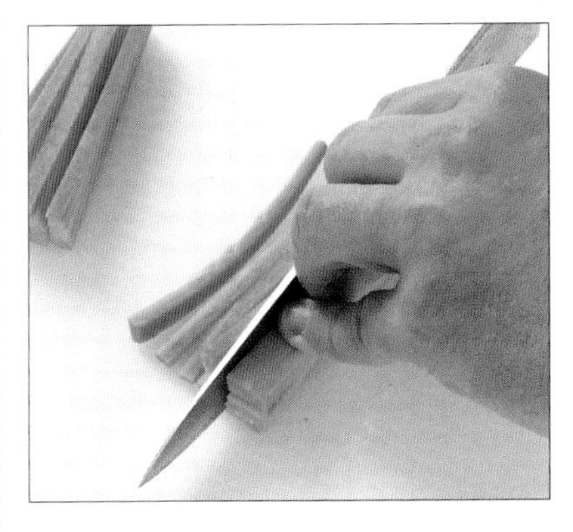

2 Empilez les tranches et coupez-les en bâtonnets.

3 Détaillez les bâtonnets en dés, plus ou moins larges selon la recette que vous avez choisi de préparer.

PRÉPARER LA SAUCE BOLOGNAISE

1 Hachez finement les oignons et l'ail. Coupez la carotte en petits dés (voir encadré à gauche).

2 Pelez et épépinez les tomates, puis hachez-les assez grossièrement. Réservez.

3 Chauffez l'huile dans la sauteuse, puis faites revenir de 5 à 7 min les oignons, l'ail et la carotte, en remuant souvent jusqu'à ce qu'ils soient tendres; mais ils ne doivent pas brunir.

Remuez souvent pour que les légumes n'attachent pas au fond de la sauteuse

4 Ajoutez les viandes hachées et faites-les revenir 5 min environ, en remuant, jusqu'à ce qu'elles aient perdu leur couleur rose.

Pendant qu'il cuit, émiettez bien le hachis de viande avec le bord de la cuiller en bois

5 Versez le lait et laissez mijoter 5 min environ, jusqu'à ce qu'il n'y ait plus de liquide.

CONSEIL MALIN

Le secret d'une bonne sauce bolognaise tient à une cuisson lente, surtout au début. Si le liquide bout, les viandes durciront.

L'arôme du vin restera une fois que l'alcool se sera évaporé

6 Versez le vin et poursuivez la cuisson de 8 à 10 min, jusqu'à évaporation.

7 Ajoutez en remuant les tomates, la purée de tomates, le bouquet garni, le sel et le poivre puis l'eau. Laissez mijoter de 1 h 30 à 2 h, jusqu'à ce que la sauce ait épaissi, en remuant de temps en temps.

8 Ôtez le bouquet garni, goûtez la sauce et rectifiez l'assaisonnement.

2 CUIRE LES SPAGHETTIS

1 Remplissez le faitout d'eau, portez à ébullition et ajoutez 1 cuil. à soupe de sel. Faites-y cuire les spaghettis de 10 à 12 min (à moins que les indications portées sur l'emballage ne soient différentes) — ils doivent être tendres mais encore fermes (al dente); remuez pour qu'ils ne collent pas. Réchauffez en même temps votre sauce si elle a refroidi.

CONSEIL MALIN

Pour cuire des spaghettis ou d'autres pâtes longues, tenez-en fermement une poignée par un bout et plongez son autre extrémité dans l'eau bouillante. Quand les pâtes ont un peu ramolli, courbez-les pour les immerger complètement.

2 Versez les spaghettis dans la passoire, rincez-les rapidement à l'eau très chaude, égouttez-les de nouveau.

POUR SERVIR

Disposez les spaghettis sur des assiettes creuses ou plates chaudes, versez au centre la sauce bolognaise et saupoudrez de parmesan râpé.

VARIANTE

SPAGHETTIS À LA SAUCE BOLOGNAISE PIMENTÉE

Bien relevée par des piments, voici une variante piquante de la sauce bolognaise.

1 Épépinez et coupez en dés 2 piments frais. Ajoutez-les à la sauce en même temps que les tomates.

2 Pour servir, disposez les spaghettis en couronne sur des assiettes plates chaudes et versez la sauce au centre. Ajoutez sur les pâtes quelques fines lanières de piment vert et rouge et dessinez sur la sauce un motif avec le parmesan râpé.

La riche sauce à la viande, aux tomates et au vin blanc est très nourrissante

Le parmesan fraîchement râpé accompagne très souvent les plats de pâtes

SPAGHETTIS AUX LÉGUMES NOUVEAUX

POUR 4 OU 6 PERSONNES — PRÉPARATION : DE 45 À 50 MIN — CUISSON : DE 5 À 8 MIN

ÉQUIPEMENT

cuiller en bois

couteau chef

passoire

grand faitout

grandes fourchettes

râpe à fromage

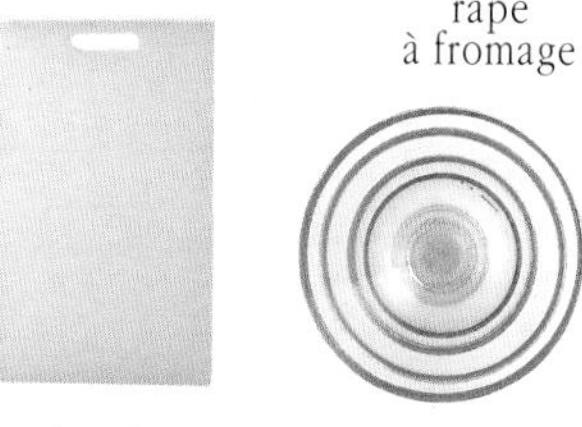

planche à découper

bols

casseroles

plaque à pâtisserie

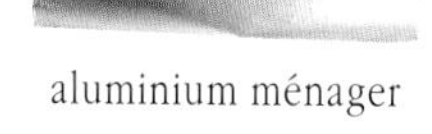

aluminium ménager

Le vert et l'orangé des légumes nouveaux — les meilleurs — qui colorent ces spaghetti primavera *apportent avec eux tout le printemps. Vous pouvez enrichir cette recette de fenouil, de poivre vert, de mange-tout, de brocolis, de haricots verts, de petits épis de maïs ou de pointes d'asperges. Les éventails de courgettes précoces constituent une très appétissante décoration.*

SAVOIR S'ORGANISER

Vous pouvez préparer les légumes 2 à 3 h à l'avance. Réchauffez les éventails de courgettes à four doux; cuisez les pâtes et terminez la sauce juste avant de servir.

LE MARCHÉ

- 2 courgettes moyennes
- 4 courgettes précoces, pour les éventails
- sel et poivre
- 2 carottes moyennes
- 200 g de petits pois frais écossés
- 50 g de beurre, plus un peu pour graisser la plaque à pâtisserie
- 500 g de spaghettis
- 20 cl de crème
- 30 g de parmesan râpé

INGRÉDIENTS

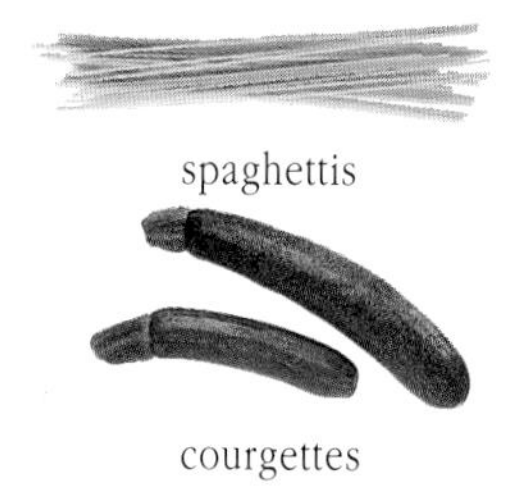

spaghettis

courgettes

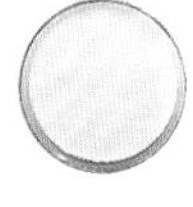

crème épaisse

beurre

parmesan

petits pois

courgettes précoces

carottes

DÉROULEMENT

1 PRÉPARER LES LÉGUMES

2 PRÉPARER LES ÉVENTAILS

3 CUIRE LES SPAGHETTIS ET TERMINER LA SAUCE

1 PRÉPARER LES LÉGUMES

1 Ôtez les extrémités des 2 courgettes moyennes et coupez-les en deux dans le sens de la longueur.

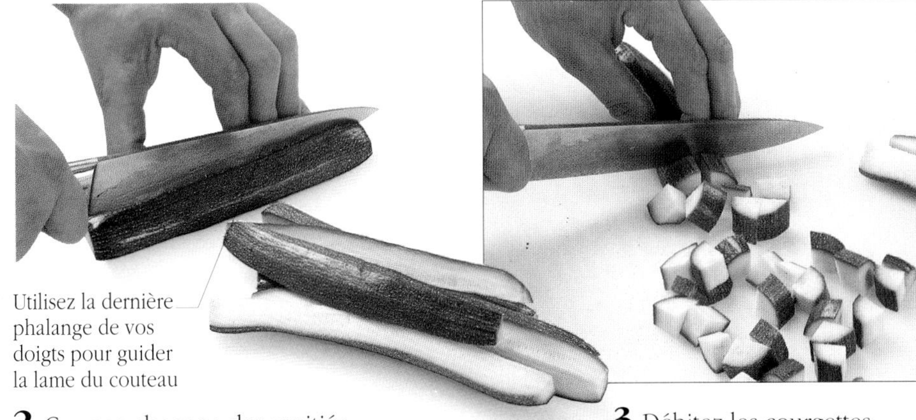

2 Coupez chacune des moitiés en deux dans le sens de la longueur.

3 Débitez les courgettes en dés d'environ 1 cm de côté.

4 Dans une casserole moyenne, portez à ébullition de l'eau salée. Faites-y cuire les courgettes de 2 à 3 min, jusqu'à ce qu'elles soient assez tendres.

5 Versez les courgettes dans la passoire, rincez-les à l'eau froide et égouttez-les.

6 Procédez de la même façon pour les carottes. Mettez les morceaux dans une casserole moyenne, couvrez-les d'eau froide, salez et portez à ébullition.

7 Laissez frémir de 8 à 10 min : les carottes doivent être juste tendres. Versez-les dans la passoire, rincez-les à l'eau froide et égouttez-les. Réservez.

8 Cuisez les petits pois dans de l'eau frémissante de 3 à 5 min selon leur taille, jusqu'à ce qu'ils soient tendres. Versez-les dans la passoire, rincez-les à l'eau froide et égouttez-les. Réservez.

2 Préparer les éventails de courgettes

1 Préchauffez le four à 180 °C. Ôtez les fleurs sommitales des courgettes précoces. Coupez chaque légume dans le sens de la longueur en 4 ou 5 lanières, qui doivent rester attachées à la base.

2 Beurrez la plaque à pâtisserie. Placez-y les courgettes précoces, salez et poivrez, couvrez-les d'aluminium ménager beurré. Enfournez pour 15 à 20 min, jusqu'à ce qu'elles soient tendres.

3 Avec les doigts, écartez les lanières des courgettes pour les disposer en éventail; réservez au chaud.

3 Cuire les spaghettis et terminer la sauce

Une passoire à longs pieds est idéale pour bien égoutter les spaghettis

1 Remplissez le faitout d'eau, portez à ébullition et ajoutez 1 cuil. à soupe de sel. Faites-y cuire les spaghettis de 5 à 8 min; remuez doucement pour qu'ils ne collent pas. Versez-les dans la passoire, rincez-les rapidement à l'eau très chaude, égouttez-les de nouveau.

2 Pendant que les spaghettis cuisent, terminez la sauce : chauffez le beurre dans une grande casserole, ajoutez les courgettes, les carottes et les petits pois, et faites-les revenir 1 min.

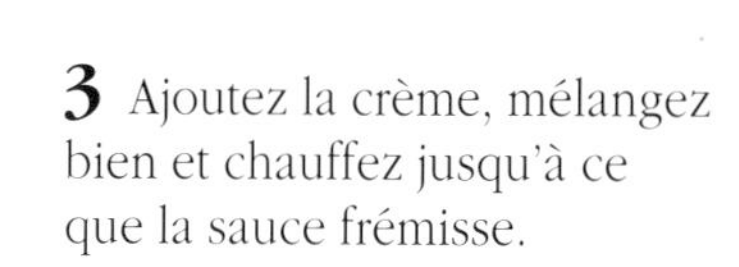

Grâce à la crème, les légumes se mélangent bien aux pâtes

La casserole doit être assez grande pour que vous puissiez y ajouter plus tard les spaghettis

3 Ajoutez la crème, mélangez bien et chauffez jusqu'à ce que la sauce frémisse.

De grandes fourchettes en bois aident à bien soulever et décoller les spaghettis

4 Ôtez la casserole du feu, versez-y les spaghettis et mélangez-les longuement avec les légumes et la crème.

5 Ajoutez le parmesan et remuez doucement pour en enrober les spaghettis.

POUR SERVIR

Disposez les pâtes sur 4 assiettes chaudes et garnissez chacune d'elles d'un petit éventail de courgette.

Les couleurs des légumes nouveaux ressortent bien dans les assiettes

La crème et le parmesan font briller les spaghettis

Les courgettes précoces, disposées en éventail sur le bord de l'assiette, attirent le regard

V A R I A N T E

SPAGHETTI VERDE

Des bouquets de brocolis remplacent ici les carottes de la recette principale, créant un joli camaïeu de vert.

1 Enlevez les boutons floraux d'une tête de brocoli moyenne et coupez les plus gros en morceaux.

2 Dans une casserole moyenne, portez à ébullition de l'eau salée. Faites-y cuire les bouquets de brocolis de 3 à 5 min, jusqu'à ce qu'ils soient tendres. Versez-les dans la passoire, rincez-les à l'eau froide et égouttez-les de nouveau.

3 Faites sauter les bouquets de brocolis avec les petits pois et les courgettes (n'utilisez pas de carottes) et terminez la sauce en suivant la recette principale.

CONSEIL MALIN

Si vous ne trouvez pas de courgettes précoces, remplacez-les par 125 g de mange-tout. Équeutez-les et laissez-les fondre dans 15 g de beurre, jusqu'à ce qu'ils soient assez tendres. Faites-les se chevaucher en éventail au bord de chaque assiette.

MACARONIS CORSES AU BŒUF

POUR 4 À 6 PERSONNES, EN PLAT PRINCIPAL — PRÉPARATION : DE 25 À 30 MIN — CUISSON : 2 H 45

ÉQUIPEMENT

couteau chef

sauteuse pouvant aller au four

passoire

râpe à fromage

grand plat creux résistant à la chaleur

cuiller percée

papier absorbant

plat peu profond

grand faitout

grand bol

grande cuiller en métal

planche à découper

Un savoureux ragoût de bœuf servi avec des macaronis et saupoudré de parmesan : ce plat corse est délicieux.

SAVOIR S'ORGANISER

Vous pouvez préparer le ragoût de bœuf 48 h à l'avance et le conserver au réfrigérateur, dans un récipient couvert. Cuisez les macaronis et réchauffez le ragoût juste avant de servir.

LE MARCHÉ

2 oignons
125 g de champignons de Paris
4 gousses d'ail
1 brin de romarin frais (ou 1 cuil. à café de romarin séché)
1 kg de bœuf à braiser
30 g de farine
sel et poivre
2 cuil. à soupe d'huile végétale
1 bouquet garni
2 cuil. à café de cannelle en poudre
30 cl de vin blanc sec
500 g de macaronis
30 g de parmesan râpé, pour saupoudrer le plat

INGRÉDIENTS

macaronis

bœuf à braiser

huile végétale

champignons

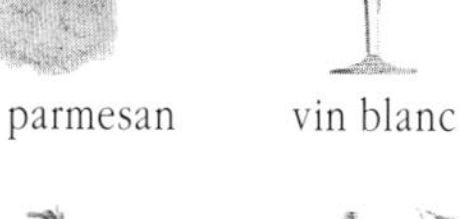

parmesan

vin blanc

gousses d'ail

oignons

romarin frais

bouquet garni

farine

cannelle en poudre

DÉROULEMENT

1 PRÉPARER LES INGRÉDIENTS

2 CUIRE LE RAGOÛT DE BŒUF

3 CUIRE LES MACARONIS ET TERMINER LE PLAT

1 PRÉPARER LES INGRÉDIENTS

1 Coupez les oignons en deux et tranchez-les. Lavez et émincez les champignons. Hachez l'ail.

2 Détachez les feuilles de romarin de leur tige et réunissez-les sur la planche à découper.

3 Coupez les feuilles de romarin en petits morceaux puis hachez-les finement.

4 Découpez le bœuf à braiser en cubes de 2 cm de côté.

Le bœuf doit être bien maigre et débarrassé de toute trace de gras

2 CUIRE LE RAGOÛT DE BŒUF

1 Assaisonnez la farine avec 1 cuil. à café de sel et une bonne pincée de poivre. Roulez-y les cubes de bœuf les uns après les autres. Secouez-les pour éliminer l'excès de farine.

2 Chauffez l'huile dans la sauteuse, mettez-y les cubes de bœuf par poignées, et laissez-les dorer de tous les côtés. Sortez-les avec la cuiller percée.

ATTENTION !
Ne mettez pas trop de cubes de bœuf en même temps dans la sauteuse, sinon ils cuiront au lieu de dorer.

3 Mettez les tranches d'oignon dans l'huile chaude et faites-les revenir de 3 à 5 min, en remuant souvent avec la cuiller percée, jusqu'à ce qu'ils commencent à dorer.

4 Remettez les cubes de bœuf dans la sauteuse, avec l'ail, et mélangez avec les oignons.

5 Ajoutez les champignons, le bouquet garni, le romarin, la cannelle, le sel, le poivre et le vin blanc.

Les poignées doivent résister à la chaleur, car le bœuf va cuire au four dans la sauteuse

6 Couvrez et laissez mijoter 30 min, en remuant de temps en temps.

CONSEIL MALIN

Pour un ragoût de bœuf plus traditionnel — mais moins corse ! —, ajoutez à mi-cuisson des rondelles de carotte et des petits oignons blancs.

7 Préchauffez le four à 180 °C. Versez dans la sauteuse suffisamment d'eau pour couvrir la viande, posez le couvercle et enfournez pour environ 2 h en remuant de temps en temps : le bœuf doit être très tendre et s'émietter. Rajoutez de l'eau en cours de cuisson si la viande vous paraît sèche.

Une cuiller percée vous aidera à enlever le bouquet garni

8 Enlevez le bouquet garni, goûtez et rectifiez l'assaisonnement. Si vous aimez les sauces très épaisses, sortez la viande et faites réduire le jus de cuisson.

3 CUIRE LES MACARONIS ET TERMINER LE PLAT

1 Remplissez le faitout d'eau, portez à ébullition et ajoutez 1 cuil. à soupe de sel. Faites-y cuire les macaronis de 10 à 12 min — ils doivent être tendres mais encore fermes (al dente); remuez pour qu'ils ne collent pas. Versez-les dans la passoire, rincez-les à l'eau très chaude, égouttez-les de nouveau.

La chaleur du grand plat creux empêchera les pâtes de refroidir trop vite

2 Mettez les pâtes dans un grand plat creux chauffé à four doux, nappez-les de la moitié du ragoût et mélangez. Disposez les macaronis sur des assiettes creuses chaudes, répartissez le reste du ragoût et servez immédiatement. Proposez le parmesan râpé à part.

Les macaronis, mélangés avec la moitié du ragoût, s'imprègnent de son arôme

Les cubes de bœuf, qui ont mijoté avec les légumes, le vin, les herbes et la cannelle, se marient délicieusement avec les macaronis

VARIANTE

MACARONIS AU RAGOÛT D'AGNEAU

L'agneau est typiquement méditerranéen. En ragoût, il offre une autre version des macaronis corses. La viande et les pâtes sont ici présentées côte à côte, et non pas mélangées comme dans la recette principale.

1 Remplacez le bœuf à braiser par la même quantité d'épaule d'agneau désossée et dégraissée.
2 Remplacez les champignons par 150 ou 200 g d'olives vertes entières dénoyautées. Ajoutez-les au ragoût 10 min avant la fin de la cuisson.
3 Ne servez pas de parmesan avec ce plat.

LES PETITS PLATS

MAQUEREAUX PANÉS

 POUR 6 PERSONNES — PRÉPARATION : DE 15 À 20 MIN  CUISSON : DE 8 À 12 MIN

ÉQUIPEMENT

casseroles

pince à épiler

grande poêle

passoire en toile métallique

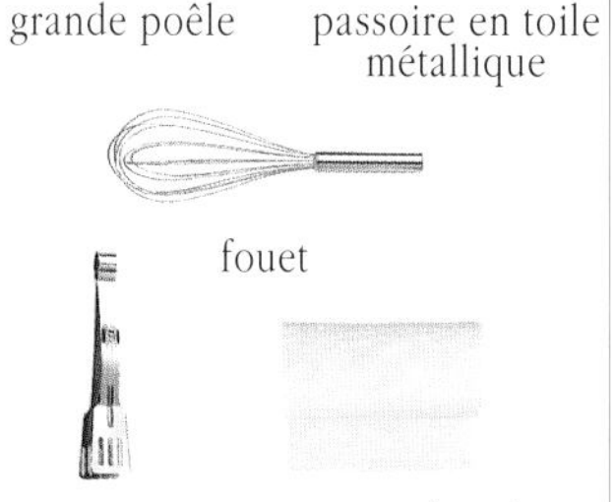

fouet

pinces métalliques

papier absorbant

papier sulfurisé

couteau à filets

plaque à pâtisserie

planche à découper

Cette version d'une recette traditionnelle écossaise, le hareng pané aux flocons d'avoine, est ici préparée avec du maquereau. Si vous voulez respecter la tradition, remplacez l'huile par de la graisse de lard ou de poitrine fumée. La sauce à la moutarde accompagne parfaitement le poisson frit.

SAVOIR S'ORGANISER

Vous pouvez paner le poisson 2 h à l'avance et le conserver au réfrigérateur. Faites-le frire au dernier moment. La sauce à la moutarde se garde 1 h au bain-marie.

LE MARCHÉ

3 maquereaux vidés, de 400 à 500 g chacun
10 cl d'huile végétale, ou plus
sel et poivre
rondelles de citron et brins de persil, pour la décoration

Pour la panure
2 œufs
30 g de farine de blé supérieure
175 g de flocons d'avoine

Pour la sauce
60 g de beurre
2 cuil. à soupe de farine de blé supérieure
30 cl d'eau bouillante
le jus de 1/2 citron
1 cuil. à soupe de moutarde de Dijon, ou plus selon votre goût

INGRÉDIENTS

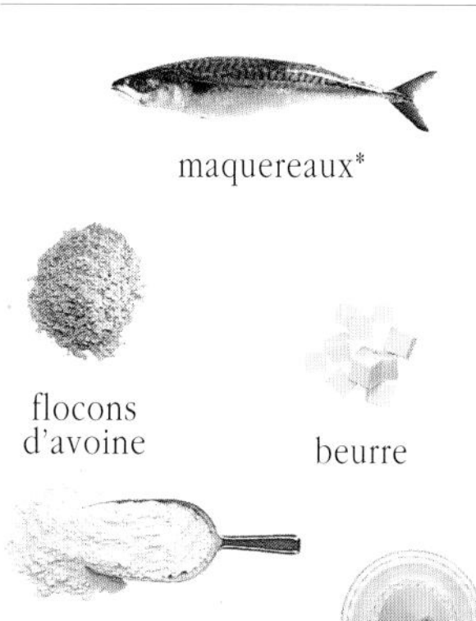

maquereaux*

flocons d'avoine

beurre

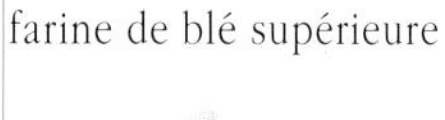

farine de blé supérieure

jus de citron

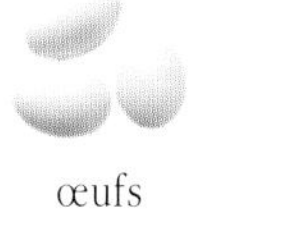

œufs

moutarde de Dijon

huile végétale

* ou harengs entiers vidés et écaillés

CONSEIL MALIN

Vous pouvez également acheter 6 filets de maquereau pelés et prêts à cuire.

DÉROULEMENT

1 PRÉPARER ET PANER LES MAQUEREAUX

2 PRÉPARER LA SAUCE

3 FRIRE LES MAQUEREAUX

LEVER DES FILETS SUR UN POISSON ROND

Les poissons ronds, comme le saumon, le cabillaud et le maquereau, ont 2 filets que l'on peut lever facilement de chaque côté de l'arête centrale. Utilisez un couteau très aiguisé.

1 Juste derrière la tête, incisez, à l'aide d'un couteau à filets, le poisson en biais jusqu'à l'arête centrale.

Tenez le poisson fermement avec l'autre main

2 Posez le poisson sur le plan de travail, queue vers vous. Fendez la peau le long du dos, de la tête vers la queue, en tenant le couteau horizontalement.

3 Glissez le couteau au-dessus de l'arête, tout du long, en détachant la chair jusqu'au milieu du filet.

ATTENTION !
Effectuez un mouvement continu pour garder le filet intact.

4 Continuez à travailler à partir de la tête pour détacher l'autre partie, et retirez complètement le filet.

5 Procédez de la même façon pour le second filet, mais en glissant cette fois le couteau sous l'arête. Enlevez-la et coupez la tête.

Glissez le couteau le plus près possible de l'arête pour obtenir un filet bien net

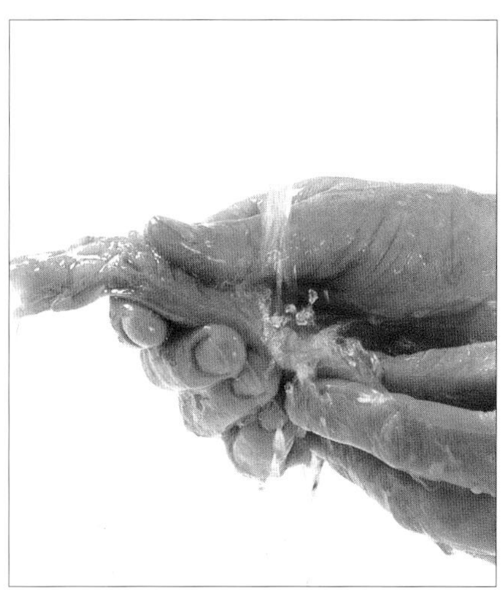

6 Rincez les filets sous l'eau froide et séchez-les dans du papier absorbant. Si vous voulez préparer un court-bouillon, lavez les arêtes et réservez-les.

RETIRER LA PEAU D'UN FILET DE POISSON

Dans la plupart des recettes, il faut peler les filets de poisson avant de les cuisiner.

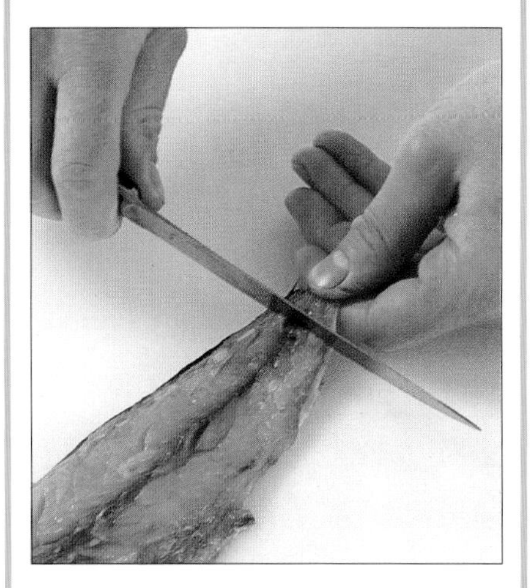

1 Posez le filet de poisson côté peau sur le plan de travail, la queue tournée vers vous. En la tenant fermement entre le pouce et l'index, entaillez la chair horizontalement, jusqu'à la peau.

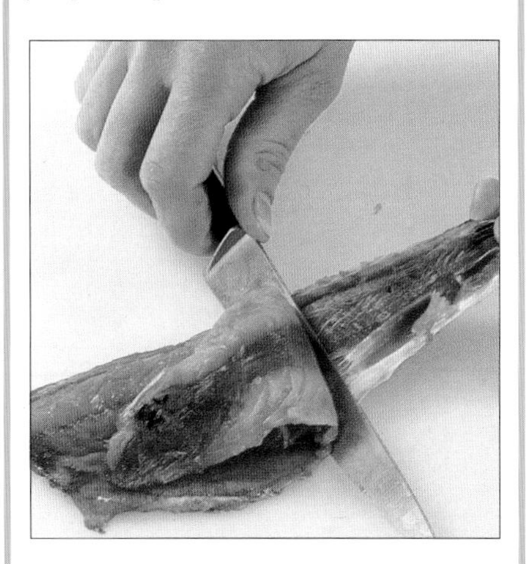

2 Inclinez légèrement le couteau pour que la lame soit presque parallèle à la peau. Faites-la glisser sous la chair, en travaillant vers la tête et en «sciant» légèrement, en tenant toujours le poisson fermement.

1 PRÉPARER ET PANER LES MAQUEREAUX

1 Levez les filets des maquereaux (voir encadré p. 161) et ôtez-en la peau (voir encadré à gauche). Retirez toutes les petites arêtes avec la pince à épiler.

Lorsque les filets sont pelés, il ne reste que la chair tendre

La pince à épiler permet de tirer les arêtes sans les casser

2 Rincez de nouveau les filets sous l'eau froide et séchez-les dans du papier absorbant.

CONSEIL MALIN

Sans leur peau, les maquereaux sont plus fragiles; manipulez-les avec précaution.

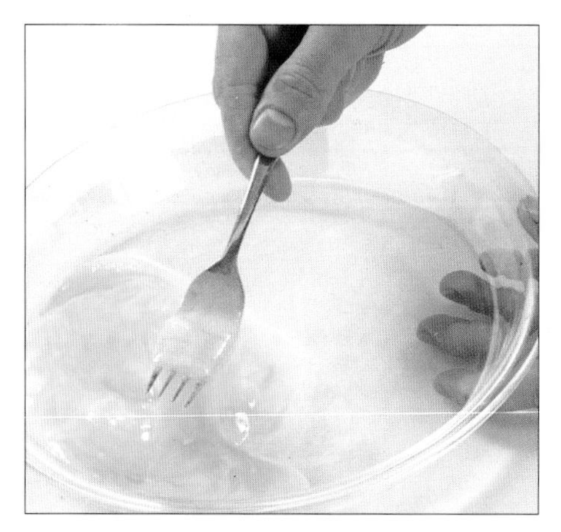

3 Cassez les œufs dans un plat creux et battez-les avec 1/2 cuil. à café de sel. Tamisez la farine sur une feuille de papier sulfurisé.

4 Mélangez du bout des doigts les flocons d'avoine, du sel et du poivre sur une autre feuille de papier sulfurisé.

5 Roulez les filets dans la farine pour qu'ils soient bien enrobés, puis mettez-les sur un plat.

6 À l'aide de 2 fourchettes, plongez 1 filet dans l'œuf battu. Roulez-le ensuite dans les flocons d'avoine en remuant le papier d'un bord à l'autre pour qu'il soit bien enrobé. Panez les autres filets.

2 PRÉPARER LA SAUCE À LA MOUTARDE

1 Dans une casserole moyenne, chauffez à feu doux un tiers du beurre.

2 Ajoutez la farine et fouettez pour obtenir une pâte lisse. Cuisez 1 min, jusqu'à léger frémissement.

3 Retirez du feu et ajoutez, en fouettant, l'eau bouillante. La sauce épaissit aussitôt.

Fouettez sans arrêt pour éviter les grumeaux

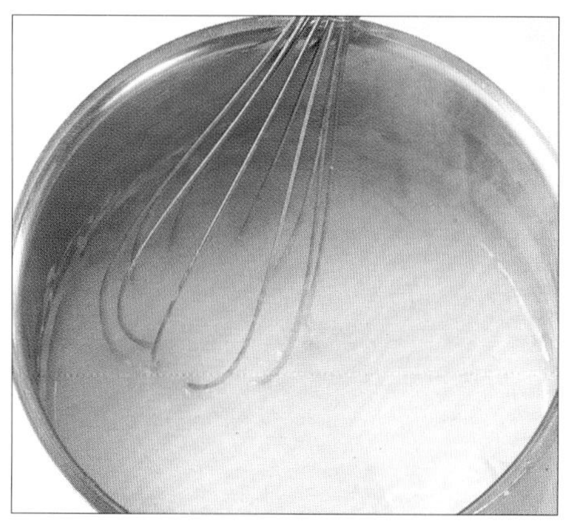

4 Chauffez de nouveau et cuisez la sauce 1 min en fouettant sans arrêt. Retirez la casserole du feu; incorporez le reste du beurre en fouettant vivement.

5 Ajoutez le jus de citron et la moutarde; fouettez. Rectifiez l'assaisonnement, en mettant éventuellement un peu plus de moutarde, et continuez à fouetter jusqu'à ce que la sauce soit bien lisse. Réservez-la au bain-marie.

ATTENTION !

Ne faites pas chauffer la sauce trop longtemps, car la moutarde la rendrait amère.

3 FRIRE LES MAQUEREAUX

1 Préchauffez le four à 100 °C. Recouvrez la plaque à pâtisserie de papier absorbant. Chauffez l'huile dans la poêle. Mettez-y 3 filets et faites-les revenir de 2 à 3 min, jusqu'à ce qu'ils soient croustillants et dorés.

Faites frire les filets en plusieurs fois pour que la panure ne ramollisse pas

2 Retournez les filets à l'aide de la pince, en veillant à ne pas enlever la panure.

3 Cuisez de 2 à 3 min encore, jusqu'à ce qu'une fourchette piquée dans la chair s'y enfonce facilement. Gardez au chaud dans le four pendant que vous faites frire les autres maquereaux, en rajoutant un peu d'huile.

POUR SERVIR

Disposez les filets de maquereau sur un plat chaud et décorez de tortillons de citron et de brins de persil. Servez la sauce à la moutarde à part.

VARIANTE

TRUITES ARC-EN-CIEL PANÉES AUX AMANDES

La saveur des truites arc-en-ciel se marie parfaitement avec celle des amandes.

1 Ne préparez pas la sauce à la moutarde.
2 Hachez 175 g d'amandes mondées, salez et poivrez.
3 Rincez 6 filets de truite arc-en-ciel et séchez-les dans du papier absorbant. Panez-les en suivant la recette principale, en remplaçant les flocons d'avoine par les amandes hachées.
4 Faites frire les filets de 3 à 4 min de chaque côté, à feu doux pour que les amandes ne brûlent pas.
5 Coupez les filets de truite en morceaux et disposez-les sur des assiettes chaudes.
6 Servez avec des pommes de terre sautées au beurre, parsemées de ciboulette hachée.

FISH AND CHIPS

POUR 4 PERSONNES — PRÉPARATION : DE 45 À 50 MIN*  CUISSON : DE 20 À 25 MIN

ÉQUIPEMENT

friteuse avec thermostat

cuiller en bois

couteau éplucheur couteau d'office

bols

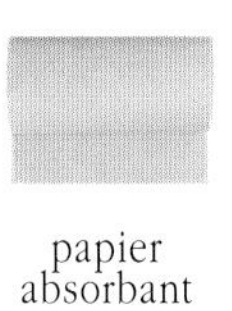

papier absorbant

couteau chef

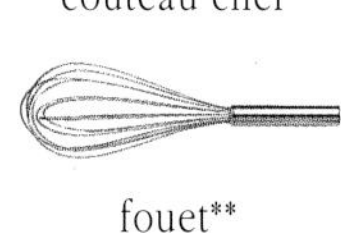

fouet**

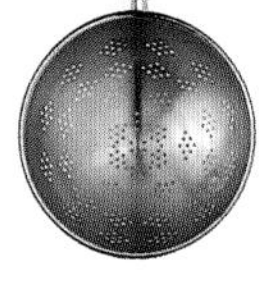

passoire

fourchette à rôti

plaque à pâtisserie — planche à découper

** ou batteur électrique

CONSEIL MALIN
Si votre friteuse n'a pas de thermostat, plongez dans l'huile un morceau de pain frais : s'il dore en 60 s, la température est de 180 °C; s'il dore en 40 s, elle est de 190 °C.

Ce grand classique anglais réunit des filets de cabillaud frits et des frites bien croustillantes, préparées selon les règles de l'art, en deux fois : la première pour les cuire, la seconde pour les dorer. Servez avec une sauce tartare.

SAVOIR S'ORGANISER

Vous pouvez préparer le poisson et la pâte à frire, et précuire les pommes de terre, 2 h à l'avance. Faites frire le cabillaud et dorer les frites au dernier moment pour qu'ils soient bien croustillants.

**plus 30 à 35 min de repos*

LE MARCHÉ

6 pommes de terre, soit 750 g environ
huile pour friture
750 g de filets de cabillaud, sans la peau
1 citron
30 g de farine de blé supérieure
sel et poivre
sauce tartare (voir encadré p. 169), pour servir (facultatif)
Pour la pâte à frire
1 1/2 cuil. à café de levure chimique ou 10 g de levure de boulanger
4 cuil. à soupe d'eau tiède
150 g de farine
1 cuil. à soupe d'huile végétale
20 cl de ale
1 blanc d'œuf

INGRÉDIENTS

*** ou églefin ou colin ou flétan ou plie

**** ou bière blonde ou bière allemande

DÉROULEMENT

1 PRÉPARER LES POMMES DE TERRE ET LA PÂTE

2 PRÉCUIRE LES FRITES ET PRÉPARER LE POISSON

3 FRIRE LE POISSON; DORER LES FRITES

1 PRÉPARER LES POMMES DE TERRE ET LA PÂTE À FRIRE

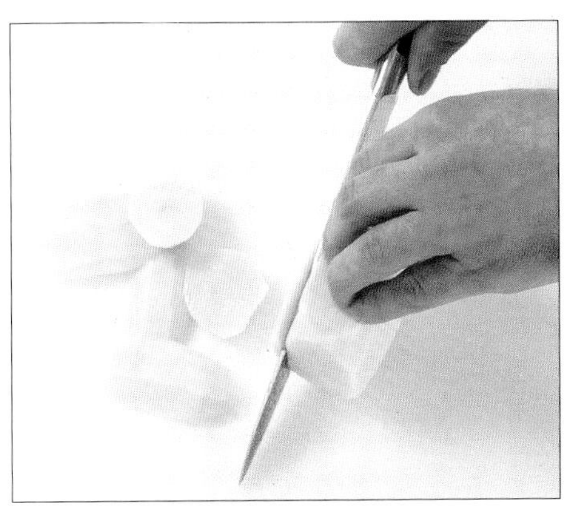

1 À l'aide du couteau-éplucheur, pelez les pommes de terre. Avec le couteau chef, coupez les bords au carré.

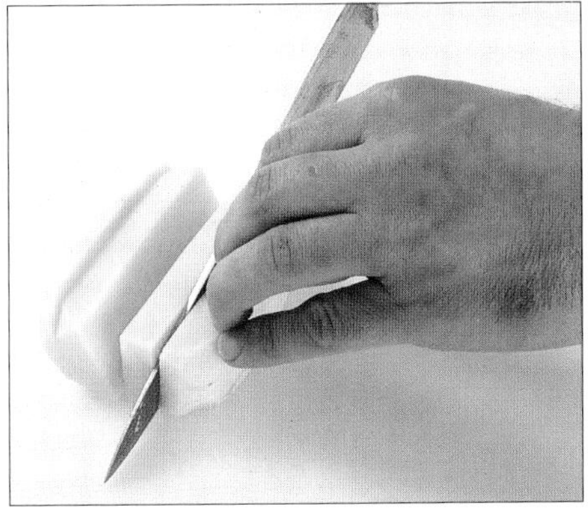

2 Détaillez les pommes de terre en tranches de 1 cm, en guidant la lame du couteau sur la dernière phalange de vos doigts.

3 Rassemblez les tranches et coupez-les en bâtonnets de 1 cm de large. Laissez-les tremper 30 min dans un bol d'eau froide.

CONSEIL MALIN

Les pommes de terre perdent leur amidon dans l'eau; elles seront ainsi plus croustillantes.

4 Mettez la levure, après l'avoir émiettée si elle est fraîche, dans l'eau tiède, et laissez-la gonfler 5 min.

5 Tamisez la farine au-dessus d'un bol, ajoutez une pincée de sel et creusez un puits au centre. Versez-y la levure délayée, l'huile et 2/3 de la ale; remuez avec la cuiller en bois pour obtenir une pâte homogène. Ajoutez le reste de ale et incorporez bien.

ATTENTION !

Ne battez pas trop, car la pâte deviendrait élastique.

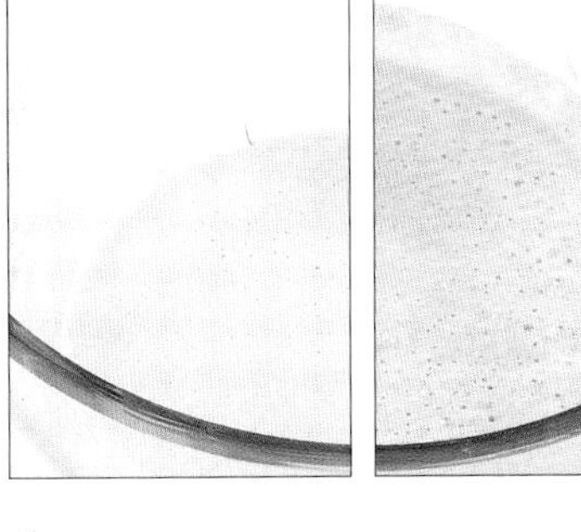

6 Laissez reposer la pâte dans un endroit chaud de 30 à 35 min jusqu'à ce qu'elle épaississe et mousse (voir illustrations ci-dessus).

2 PRÉCUIRE LES FRITES ET PRÉPARER LE POISSON

1 Chauffez l'huile dans la friteuse jusqu'à 180 °C. Égouttez les pommes de terre et séchez-les parfaitement dans du papier absorbant.

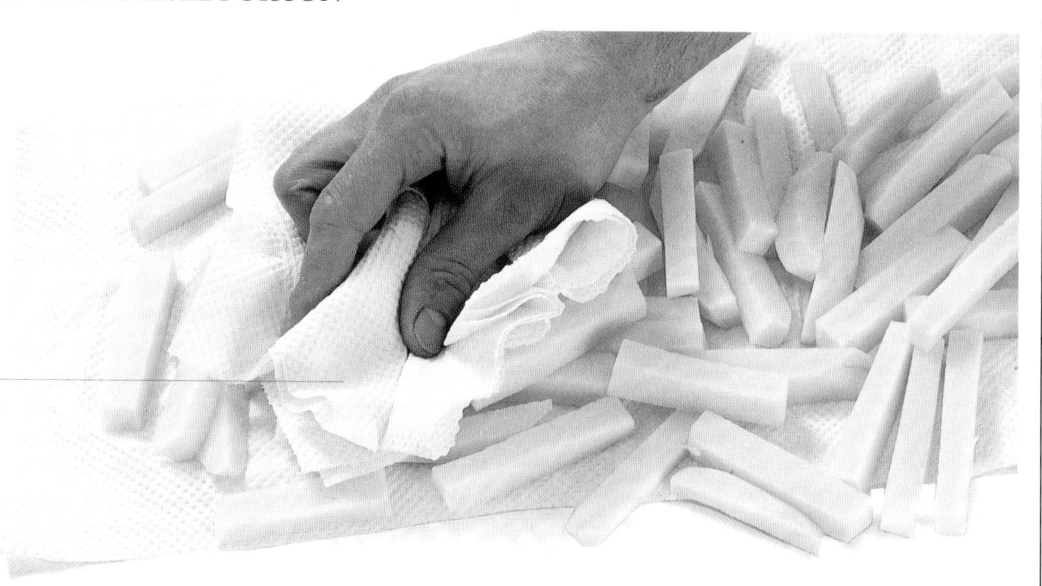

La moindre goutte d'eau entraînerait des projections d'huile

Après le premier bain, les frites doivent être à peine tendres

2 Plongez dans l'huile chaude le panier à friture vide pour éviter que les légumes collent. Sortez-le et mettez-y les pommes de terre. Redescendez-le doucement dans l'huile et cuisez les frites de 5 à 7 min, jusqu'à ce qu'elles soient juste tendres sous la pointe du couteau d'office et qu'elles commencent à dorer. Remontez le panier et laissez-les s'égoutter au-dessus de la friteuse, puis étalez-les sur un plat tapissé de papier absorbant.

ATTENTION !
Ne remplissez pas trop le panier pour que l'huile ne déborde pas. Procédez éventuellement en plusieurs fois.

3 Rincez les filets de poisson sous l'eau froide et séchez-les dans du papier absorbant.

4 Faites 4 portions, en tranchant nettement en biais avec le couteau chef. Coupez le citron en deux, puis en quartiers réguliers. Réservez pour la décoration.

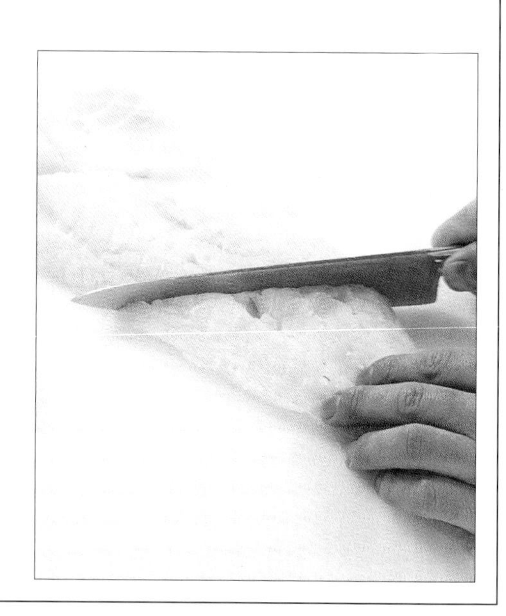

SAUCE TARTARE

Elle accompagne traditionnellement le poisson frit. Les ingrédients sont grossièrement hachés, puis incorporés à une mayonnaise crémeuse. Vous pouvez la préparer 48 h à l'avance et la conserver, couverte, au réfrigérateur.

POUR 4 PERSONNES

PRÉPARATION : DE 20 À 25 MIN

LE MARCHÉ

1 œuf dur
2 cornichons
1 cuil. à café de câpres
1 petite échalote
2 ou 3 brins de persil
2 ou 3 brins de cerfeuil frais ou d'estragon
15 cl de mayonnaise
sel et poivre

1 Tapotez l'œuf pour casser la coquille. Écalez-le et rincez-le sous l'eau froide. Hachez-le grossièrement.

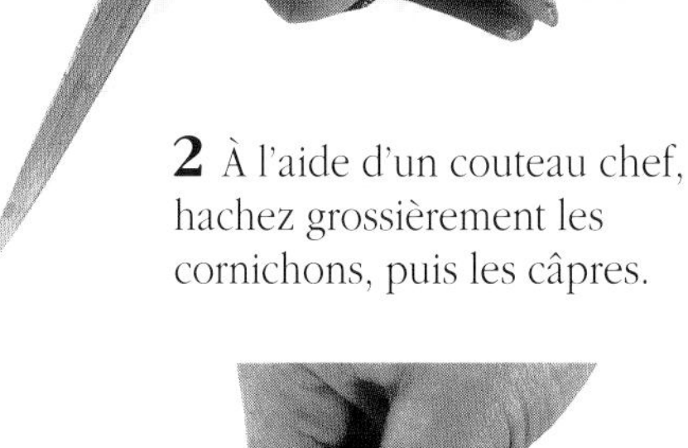

2 À l'aide d'un couteau chef, hachez grossièrement les cornichons, puis les câpres.

3 Épluchez l'échalote et ouvrez-la en deux. Posez les moitiés à plat sur la planche à découper et tranchez-les horizontalement, sans entailler leur base. Émincez ensuite verticalement, toujours sans entailler la base. Hachez-les.

4 Détachez de leur tige les feuilles de persil et de cerfeuil ou d'estragon. Rassemblez-les sur la planche à découper, posez-y le couteau chef et hachez-les grossièrement en basculant la lame d'avant en arrière.

5 Mélangez la mayonnaise, l'œuf, les câpres, les cornichons, l'échalote et les herbes hachés; goûtez et rectifiez l'assaisonnement. Couvrez et réservez au réfrigérateur.

3 ENROBER ET FRIRE LE POISSON; DORER LES FRITES

1 Préchauffez le four à 100 °C. Portez l'huile à 190 °C. Mettez la farine dans un plat, salez et poivrez. Roulez-y les morceaux de poisson en les tapotant avec les mains pour qu'ils en soient bien enrobés.

Lorsqu'il est monté, le blanc reste accroché entre les branches du fouet

Pour que le blanc monte bien, fouettez-le dans un mouvement circulaire

2 Dans un bol métallique, battez le blanc d'œuf en neige ferme.

3 À l'aide de la cuiller en bois, incorporez délicatement le blanc à la pâte à frire.

4 Piquez un morceau de poisson sur la fourchette à rôti et plongez-le dans la pâte à frire, en tournant pour l'enrober de tous les côtés. Retirez-le et laissez-le s'égoutter 5 s.

5 Plongez-le doucement dans l'huile bouillante et laissez-le frire de 6 à 8 min, en le retournant une fois, jusqu'à ce qu'il soit doré et croustillant. Procédez de la même façon pour les autres morceaux.

CONSEIL MALIN
Débarrassez au fur et à mesure l'huile de tous les débris de pâte.

Plongez doucement le poisson dans l'huile chaude pour éviter les éclaboussures

6 Quand le poisson est frit, posez-le sur une plaque à pâtisserie tapissée de papier absorbant. Maintenez-le au chaud dans le four.

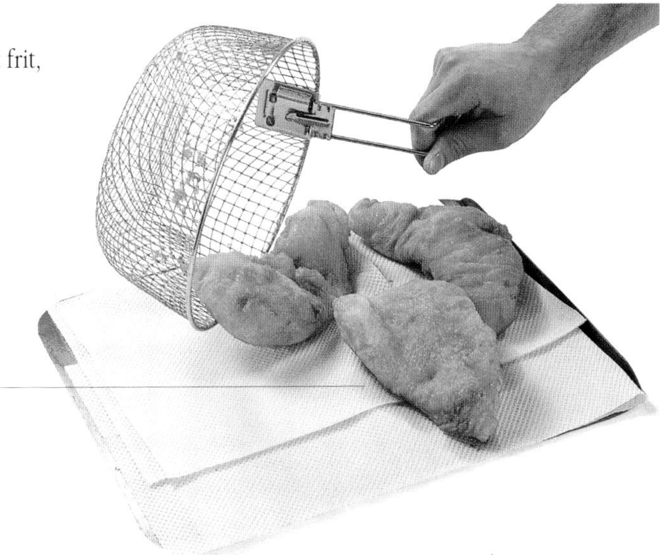

Le papier absorbant boit l'excès d'huile et le poisson reste croustillant

7 Mettez les frites précuites dans le panier et laissez-les dorer de 1 à 2 min. Égouttez-les sur du papier absorbant.

POUR SERVIR

Diposez le poisson et les frites, après les avoir salés, sur des assiettes chaudes. Décorez le poisson avec les quartiers de citron et servez aussitôt, éventuellement avec une sauce tartare.

Les frites resteront croustillantes si vous les salez au dernier moment

VARIANTE

TEMPURA DE POISSON AUX PATATES DOUCES

Le poisson est ici frit dans une pâte à beignet légère et servi avec une sauce à la japonaise.

1 Râpez finement 50 g de daikon ou de radis blanc. Avec un couteau d'office, épluchez un morceau de gingembre frais de 2,5 cm. Émincez-le en coupant à travers les fibres, puis écrasez chaque tranche avec le plat d'un couteau chef et hachez finement. Mélangez 15 cl de saké et autant de sauce soja. Incorporez-y le daikon ou le radis blanc, le gingembre haché et 1 cuil. à café de sucre, ou plus selon votre goût. Réservez.
2 Tamisez 250 g de farine. Battez légèrement 2 œufs dans un bol et ajoutez 50 cl d'eau froide, en remuant sans arrêt. Versez toute la farine d'un seul coup et mélangez bien : la pâte doit être fluide.
3 Chauffez l'huile à 190 °C. Épluchez 2 patates douces, coupez-les en deux dans le sens de la longueur, puis détaillez-les en tranches épaisses de 5 mm. Il n'est pas nécessaire de les faire tremper.
4 Roulez les patates douces dans de la farine assaisonnée, puis dans la pâte. Faites-les frire de 4 à 6 min, jusqu'à ce qu'elles soient dorées et croustillantes; égouttez-les et gardez-les au chaud à four doux.
5 Rincez et séchez le poisson; divisez-le en 4 portions. Enrobez-le de farine, trempez-le dans la pâte et faites-le frire.
6 Servez avec les patates frites et la sauce. Décorez avec de la ciboulette.

SAUMON À L'UNILATÉRALE ET PURÉE DE CORIANDRE

POUR 4 PERSONNES · PRÉPARATION : DE 5 À 10 MIN · CUISSON : DE 10 À 15 MIN

ÉQUIPEMENT

robot ménager

spatule en caoutchouc

pinceau à pâtisserie

pince à épiler

couteau chef

couteau à filets

palette

bols

papier absorbant

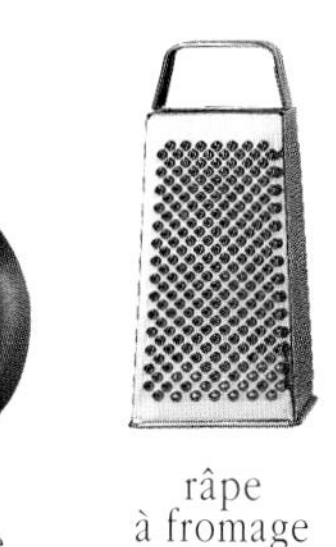

grande poêle, de préférence en fonte

râpe à fromage

planche à découper

Cette recette est devenue très à la mode : les filets grillent à feu vif côté peau et la chair reste rose. Ce mode de cuisson convient particulièrement aux poissons mi-gras comme le saumon ou le bar. La purée de coriandre fraîche accompagne à merveille ce plat.

SAVOIR S'ORGANISER

Vous pouvez préparer la purée 48 h à l'avance et la conserver au frais, ou même la congeler. Grillez le poisson au dernier moment.

LE MARCHÉ

4 filets de saumon frais, avec la peau, de 175 g environ chacun
3 cuil. à soupe d'huile végétale
1 citron
2 cuil. à café de gros sel marin
feuilles de coriandre

Pour la purée

1 gros bouquet de coriandre fraîche
2 ou 3 gousses d'ail
2 cuil. à soupe de pignons
10 cl d'huile d'olive
30 g de parmesan râpé
sel et poivre

INGRÉDIENTS

filets de saumon*

parmesan

coriandre fraîche

pignons

huile d'olive

huile végétale

gousses d'ail

citron

gros sel marin

* ou bar ou maquereau ou truite saumonée

DÉROULEMENT

1 PRÉPARER LA PURÉE DE CORIANDRE

2 APPRÊTER ET CUIRE LE SAUMON

1

PRÉPARER LA PURÉE DE CORIANDRE FRAÎCHE

1 Gardez 4 brins de coriandre pour la décoration et détachez les feuilles des autres. Mettez-les dans le robot avec l'ail épluché, les pignons et 2 cuil. à soupe d'huile d'olive.

N'utilisez que les feuilles de coriandre, pas les tiges

2 Ajoutez le parmesan râpé. Faites tourner l'appareil et versez le reste d'huile en un mince filet dans le cylindre.

3 Continuez jusqu'à ce que la purée s'émulsionne et épaississe. Salez et poivrez.

2

APPRÊTER ET CUIRE LE SAUMON

1 Avec la pince à épiler, retirez toutes les arêtes visibles.

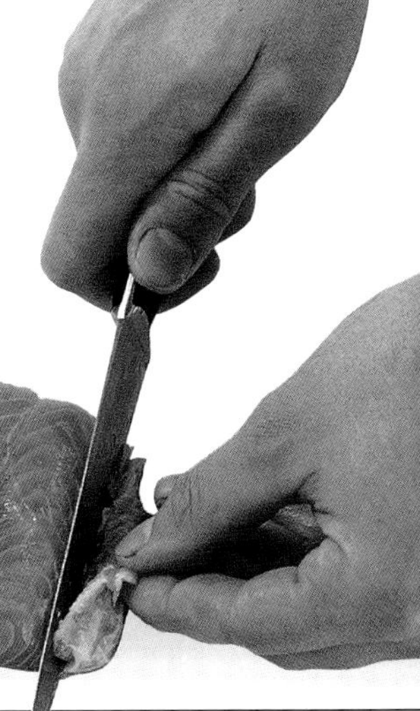

2 Enlevez toutes les parties grasses ou dures des filets de saumon.

Essuyez bien le saumon avant la cuisson

Posez le poisson côté peau sur le papier absorbant

3 Passez le poisson sous un filet d'eau froide. Séchez-le dans du papier absorbant en tapotant bien.

4 Mettez les filets sur un plat et enduisez leur peau d'un peu d'huile végétale.

5 Chauffez le reste d'huile dans la poêle. Mettez-y les filets de saumon, côté peau en dessous.

6 Cuisez d'un seul côté à feu modéré, de 10 à 15 min selon l'épaisseur des filets, jusqu'à ce que la peau soit bien croustillante et les côtés opaques; la chair doit rester tendre et rosée. Pendant la cuisson, coupez le citron en fines rondelles.

CONSEIL MALIN

Si vous préférez le saumon bien cuit, couvrez la poêle et attendez 1 ou 2 min.

POUR SERVIR

Disposez les filets de saumon sur des assiettes chaudes, saupoudrez-les de gros sel, et accompagnez d'un peu de purée. Décorez des rondelles de citron et des feuilles de coriandre.

Le saumon rose contraste par sa saveur et sa couleur avec la purée de coriandre verte

VARIANTE

SAUMON À L'UNILATÉRALE ET SABAYON D'AIL

Le sabayon se prépare comme une sauce hollandaise et se parfume avec de l'ail et du vin blanc.

1 Épluchez et hachez 2 échalotes (voir encadré ci-dessous). Pelez et hachez 4 gousses d'ail. Chauffez 15 g de beurre dans une casserole, mettez-y les échalotes et l'ail, et faites-les fondre de 3 à 5 min.
2 Incorporez 1 cuil. à soupe de crème épaisse et portez à ébullition. Ajoutez 5 cl de vin blanc et autant de vermouth doux. Faites réduire rapidement et retirez du feu.
3 Chauffez 125 g de beurre.
4 Mettez 2 jaunes d'œufs et 3 cuil. à soupe d'eau dans un bol résistant à la chaleur; fouettez. Posez sur une casserole d'eau chaude. Fouettez encore 5 min; le mélange doit faire le ruban.

5 Sortez le bol de la casserole; versez le beurre sur le mélange en un mince filet continu, sans cesser de remuer, en laissant les dépôts blanchâtres au fond. Ajoutez en fouettant à la réduction de vin blanc. Salez, poivrez et relevez d'un peu de jus de citron. Réservez au-dessus d'une casserole d'eau chaude.
6 Cuisez les filets de saumon; posez-les sur des assiettes résistant à la chaleur et préchauffez le gril.
7 Nappez les filets de sabayon à l'ail. Enfournez pour 1 à 2 min à 10 cm environ sous la source de chaleur, jusqu'à ce que le sabayon soit doré. Servez aussitôt.

HACHER UNE ÉCHALOTE

Pour obtenir des dés moyens, coupez des tranches d'environ 3 mm. Si vous les voulez plus petits, faites-les aussi fines que possible.

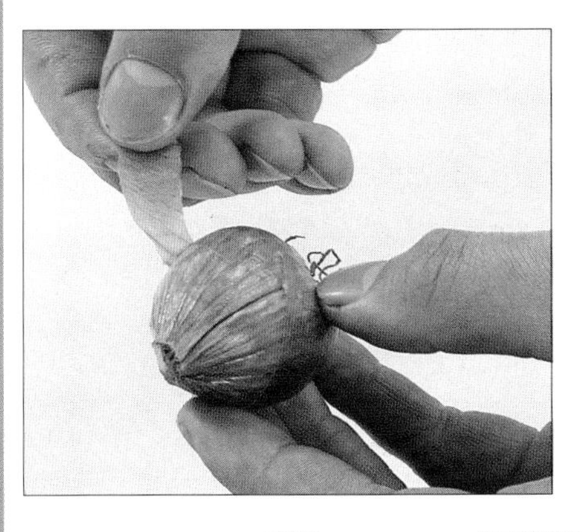

1 Enlevez la peau sèche de l'échalote avec les doigts, la peau plus tendre avec un couteau d'office.

2 Posez les moitiés sur une planche à découper. En les tenant avec les doigts, tranchez-les horizontalement, sans entailler leur base.

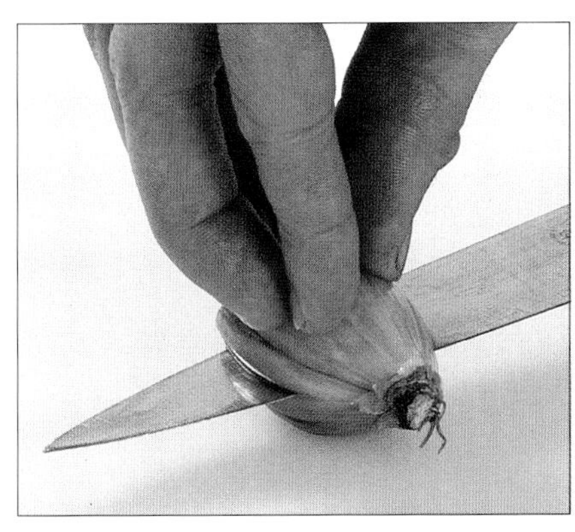

3 Émincez-les ensuite verticalement, toujours sans entailler la base.

Un couteau chef bien aiguisé est indispensable

La base évite à l'échalote de se défaire

4 Basculez la lame du couteau d'avant en arrière pour hacher plus ou moins finement selon la recette que vous préparez.

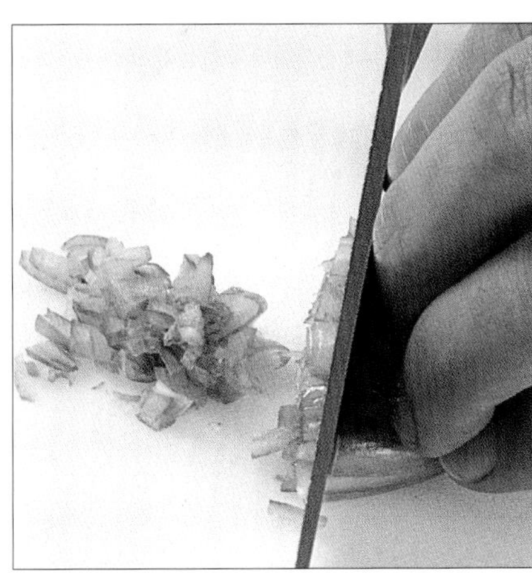

TRUITES SAUTÉES AUX NOISETTES

POUR 4 PERSONNES · PRÉPARATION : DE 20 À 25 MIN · CUISSON : DE 10 À 15 MIN

ÉQUIPEMENT

palette

couteau d'office

ciseaux de cuisine

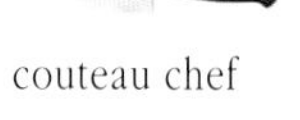

couteau chef

poêle à poisson ovale*

cuiller en bois

papier absorbant

aluminium ménager

plaque à pâtisserie

planche à découper

* ou grande poêle

Dans cette recette rapide, les truites sont légèrement enrobées de farine avant d'être sautées au beurre et garnies d'un mélange de noisettes grillées et de persil haché. De fines tranches de citron leur apportent un petit goût frais. Un riz pilaf parfumé (recette p. 74) accompagnera parfaitement cette nouvelle version de la classique truite aux amandes.

SAVOIR S'ORGANISER

Les truites aux noisettes sont toujours meilleures quand elles sont préparées au dernier moment.

LE MARCHÉ

4 truites de 300 g environ chacune, vidées et écaillées
60 g de noisettes
5 à 7 brins de persil
2 citrons
20 à 30 g de farine de blé supérieure
sel et poivre
125 g de beurre

INGRÉDIENTS

truite**

noisettes

beurre

persil

farine de blé supérieure

citrons

** ou maquereau ou rouget barbet

CONSEIL MALIN

Demandez à votre poissonnier de vider le poisson par les ouïes et non par le ventre pour qu'il ne se défasse pas. Vous pouvez aussi le faire vous-même.

DÉROULEMENT

1 PRÉPARER LES TRUITES

2 PRÉPARER LA GARNITURE

3 POUR TERMINER

1 PRÉPARER LES TRUITES

1 Coupez les nageoires des truites et incisez les queues en V. Rincez les poissons à l'intérieur et à l'extérieur, et séchez-les dans du papier absorbant.

2 PRÉPARER LA GARNITURE

1 Préchauffez le four à 180 °C. Étalez les noisettes sur la plaque à pâtisserie et faites-les griller de 8 à 10 min. Pendant qu'elles sont encore chaudes, frottez-les dans un torchon pour en enlever la peau.

2 À l'aide du couteau chef, hachez grossièrement les noisettes grillées.

3 Détachez de leur tige les feuilles de persil et rassemblez-les sur la planche à découper. Hachez-les grossièrement avec le couteau chef.

4 Ôtez les extrémités de l'un des citrons, coupez-le en deux dans le sens de la longueur et détaillez-le finement en demi-lunes, en gardant la peau.

5 Pelez le second citron (voir encadré p. 178, étape 1). Coupez-le en fines rondelles. Enlevez tous les pépins.

PELER ET DÉCOUPER UN CITRON

Cette méthode permet de prélever des quartiers de pulpe.

1 Ôtez les extrémités du citron. Posez le fruit debout et enlevez l'écorce et la peau blanche en suivant la courbure du fruit.

2 En tenant le citron entre les doigts, glissez un couteau le long d'un quartier, entre la chair et la peau. Procédez de la même façon de l'autre côté. Retirez le quartier de pulpe. Enlevez les pépins.

CONSEIL MALIN

Découpez le citron au-dessus d'un bol pour recueillir le jus.

3 CUIRE LES TRUITES; TERMINER LE PLAT

1 Versez la farine dans un grand plat, salez et poivrez. Roulez-y les truites en les tapotant pour bien les enrober.

2 Chauffez la moitié du beurre dans la poêle à poisson. Quand il grésille, mettez-y 2 truites et faites-les revenir de 2 à 3 min sur feu moyen.

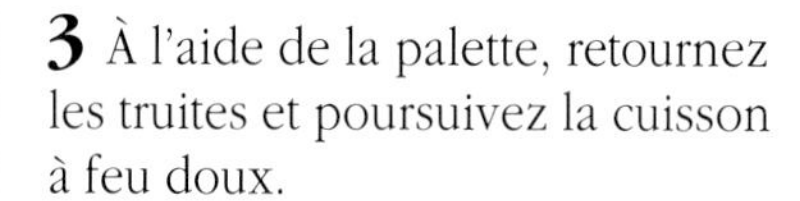

3 À l'aide de la palette, retournez les truites et poursuivez la cuisson à feu doux.

Retournez les poissons doucement pour ne pas faire éclater la peau

4 Au bout de 3 à 5 min, les truites sont cuites : leur peau est bien grillée et leur chair se détache facilement sous les dents d'une fourchette. Réservez-les sur un plat chaud, et couvrez-les d'aluminium ménager.

CONSEIL MALIN

Pour vérifier la cuisson des truites, piquez-les près de la tête, là où la chair est la plus épaisse.

5 Cuisez les 2 autres truites dans le reste du beurre. Réservez-les au chaud sous l'aluminium ménager.

6 Mettez les noisettes dans la poêle et faites-les revenir à feu moyen de 3 à 4 min, en remuant sans arrêt.

7 Ajoutez les 3/4 du persil et mélangez avec les noisettes et le beurre.

Le beurre noisette renforce la saveur des fruits secs

POUR SERVIR
Disposez les truites sur des assiettes chaudes et parsemez-les du mélange noisettes et persil. Décorez avec les demi-lunes et les rondelles de citron. Saupoudrez du reste de persil haché.

Les noisettes et le persil rehaussent le goût des truites sautées

Le riz pilaf absorbera la sauce au beurre

VARIANTE

TRUITES SAUTÉES AUX CÂPRES, AU CITRON ET AUX CROÛTONS

Les truites sont ici accompagnées de petits croûtons et d'une garniture relevée.

1 Épluchez et découpez 3 citrons (voir encadré p. 178). Détaillez les quartiers en 3 ou 4 morceaux et mélangez-les délicatement avec 2 cuil. à soupe de câpres.
2 Ôtez la croûte de 2 tranches de pain de campagne. Coupez le pain en petits cubes à peu près de même taille que les câpres.
3 Préparez les truites et faites-les revenir dans 60 g de beurre en suivant la recette principale. Réservez-les sur un plat chaud, couvertes d'aluminium ménager.
4 Nettoyez la poêle. Chauffez 75 g de beurre et faites frire les petits cubes de pain de 1 à 2 min.
5 Ajoutez les câpres et les morceaux de citron, salez, poivrez, et mélangez bien.
6 Versez le mélange sur les truites. Décorez avec les demi-lunes de citron et quelques brins de persil. Servez aussitôt.

BROCHETTES DE THON AU BACON

POUR 8 PERSONNES — PRÉPARATION : DE 20 À 25 MIN*  CUISSON : DE 10 À 12 MIN

ÉQUIPEMENT

fouet

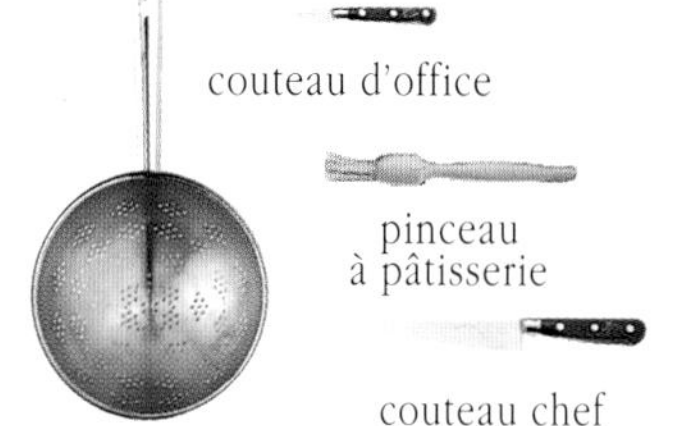

couteau d'office

pinceau à pâtisserie

couteau chef

passoire

papier absorbant

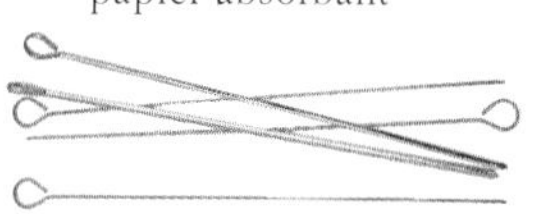

8 brochettes en inox

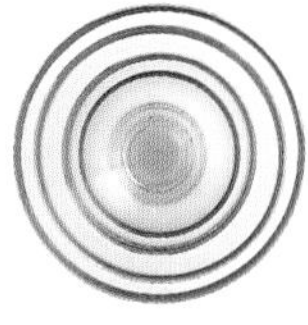

bols

planche à découper

Des cubes de thon marinés, entourés de tranches de bacon, alternent sur des brochettes avec des tomates cerises, puis grillent rapidement. Vous les servirez sur un lit d'épinards et de mangue, pour l'exotisme.

SAVOIR S'ORGANISER

Vous pouvez faire mariner le thon et préparer la salade et la sauce 4 h à l'avance, puis conserver le tout au réfrigérateur. Préparez et grillez les brochettes et assaisonnez la salade au dernier moment.

**plus 30 min à 1 h de marinage*

LE MARCHÉ

1 kg environ de thon en filets ou en tranches
500 g de tomates cerises
500 g de bacon ou de poitrine fumée en tranches fines
huile végétale pour graisser les brochettes et la grille
sel et poivre

Pour la marinade

le jus de 2 citrons verts, soit 10 cl environ
3 cuil. à soupe d'huile d'olive
tabasco

Pour la salade

250 g d'épinards
1 mangue bien mûre
le jus de 1 citron vert
1/4 de cuil. à café de moutarde de Dijon
10 cl d'huile végétale

CONSEIL MALIN

Les brochettes en bambou sont plus jolies, mais il faut les laisser tremper dans l'eau 30 min au moins pour qu'elles ne brûlent pas à la cuisson.

INGRÉDIENTS

filets de thon**

bacon ou poitrine fumée

tomates cerises

huile végétale

épinards

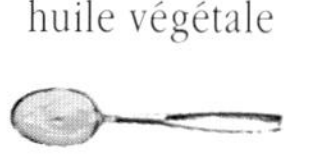

moutarde de Dijon

jus de citron vert

huile d'olive

mangue

tabasco

** ou espadon

DÉROULEMENT

1 PRÉPARER ET FAIRE MARINER LE THON

2 PRÉPARER LA SALADE ET LA SAUCE

3 PRÉPARER ET GRILLER LES BROCHETTES

1 PRÉPARER ET FAIRE MARINER LE THON

1 Rincez le thon sous un filet d'eau froide et séchez-le dans du papier absorbant. Coupez-le dans le sens de la longueur en lanières de 4 cm, puis détaillez-le en cubes.

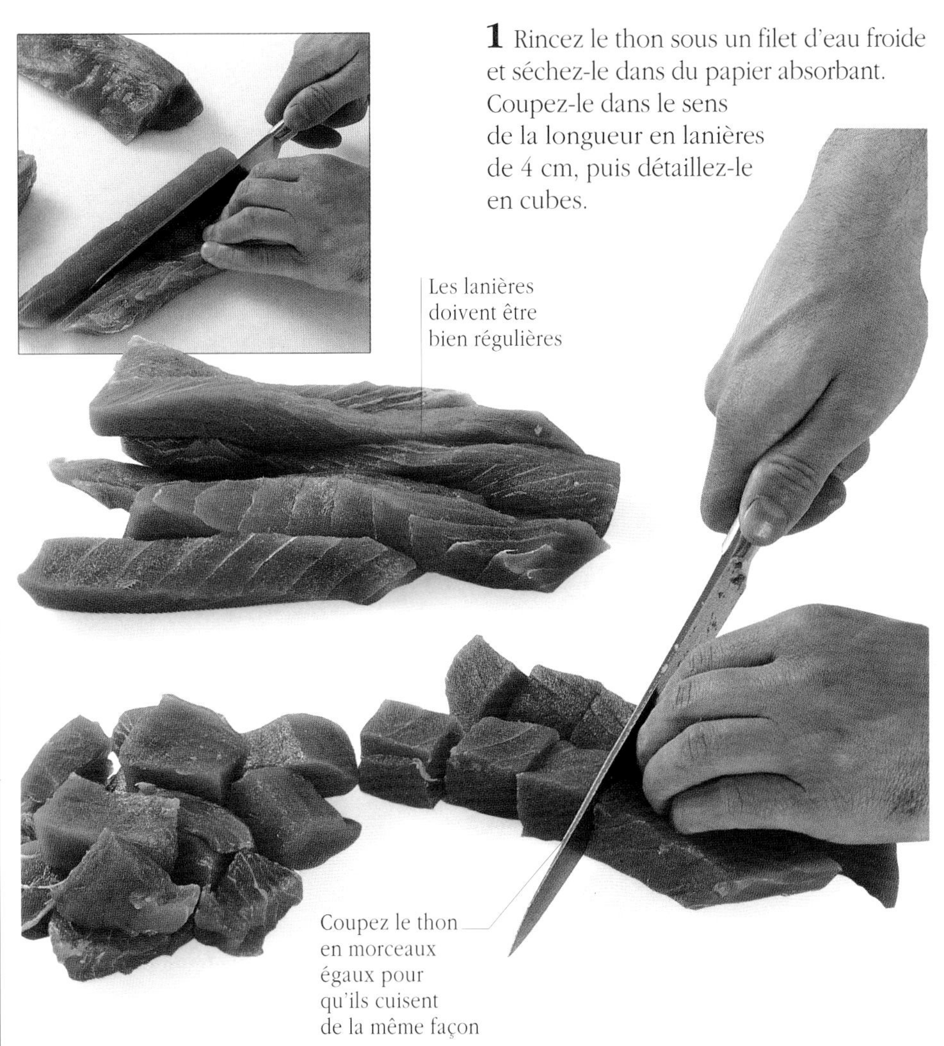

Les lanières doivent être bien régulières

Coupez le thon en morceaux égaux pour qu'ils cuisent de la même façon

2 Préparez la marinade : dans un bol métallique, battez au fouet le jus de citron vert, l'huile d'olive, quelques gouttes de tabasco, une pincée de sel et du poivre.

3 Ajoutez les cubes de thon et remuez avec les mains pour bien les enrober de marinade. Couvrez et mettez pour 30 min à 1 h au réfrigérateur.

2 PRÉPARER LA SALADE ET LA SAUCE

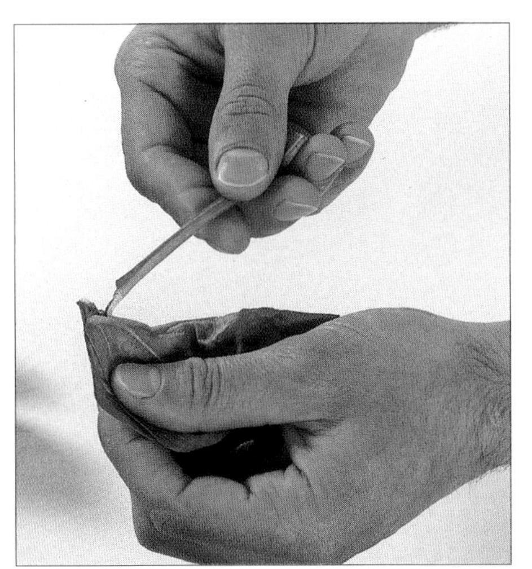

1 Avec les doigts, ôtez les tiges et les côtes dures des épinards.

2 Lavez soigneusement les épinards et séchez-les bien dans un torchon.

Enlevez un maximum d'eau des épinards

3 Épluchez la mangue avec le couteau d'office. Glissez la lame du couteau chef le long du noyau pour détacher la première partie de la chair.

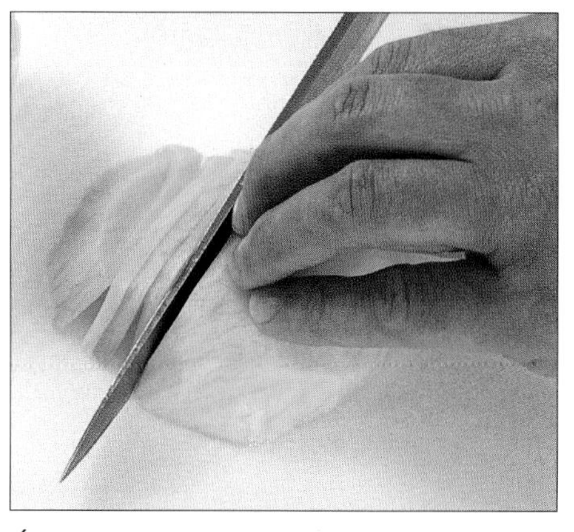

4 Détaillez la demi-mangue en tranches bien nettes. Procédez de la même façon pour l'autre moitié et jetez le noyau.

5 Préparez la sauce : dans un bol, mélangez le jus de citron vert avec la moutarde, du sel et du poivre. Ajoutez l'huile en un mince filet sans cesser de fouetter. Rectifiez l'assaisonnement.

3 PRÉPARER ET GRILLER LES BROCHETTES; ASSAISONNER LA SALADE

Séchez bien les tomates avant de les griller

1 Mettez les tomates cerises dans la passoire et lavez-les sous l'eau froide. Égouttez-les et séchez-les sur du papier absorbant.

2 Coupez les tranches de bacon ou de poitrine fumée en deux, pour obtenir des morceaux d'environ 4 cm de long. Préchauffez le gril. Huilez les brochettes et la grille à l'aide du pinceau.

La poitrine fumée garde au thon son moelleux

3 Entourez chaque cube de thon d'un morceau de poitrine fumée. Enfilez-les sur les brochettes en faisant alterner poisson et tomates cerises.

ATTENTION !
Ne serrez pas trop les ingrédients sur les brochettes, car ils ne cuiraient pas uniformément.

4 Placez 4 brochettes sur la grille posée sur la plaque à pâtisserie, et enfournez pour 5 à 6 min, à environ 8 cm sous la source de chaleur, jusqu'à ce que le bacon soit croustillant et doré. Retournez-les et poursuivez la cuisson 5 à 6 min encore.

Les tranches de mangue font une jolie décoration

5 Pendant ce temps, mélangez les épinards avec les 3/4 de l'assaisonnement. Disposez les épinards, puis la mangue, sur 8 assiettes ovales. Arrosez avec le reste de sauce.

POUR SERVIR

Déposez une brochette de thon en travers de chaque assiette.

Le bacon croustillant se marie très bien avec le poisson

Les épinards accompagnent parfaitement ce plat

V A R I A N T E

BROCHETTES DE LOTTE AU BACON

Les cubes de lotte alternent ici avec des oignons rouges.

1 Remplacez le thon par le même poids de lotte. Ôtez la membrane translucide du poisson, puis coupez-le en cubes et faites-le mariner en suivant la recette principale.
2 Préparez l'assaisonnement et les épinards, mais pas la mangue.
3 Nettoyez, épluchez et émincez finement 125 g de champignons.
4 Coupez 2 avocats en deux, ôtez leur noyau et pelez-les. Détaillez-les en lanières dans le sens de la longueur et arrosez-les de jus de citron vert.
5 Épluchez 4 petits oignons rouges, coupez-les en quartiers en gardant un petit morceau de leur base pour qu'ils ne se défassent pas.
6 Entourez les cubes de lotte de bacon et enfilez-les sur les brochettes en les alternant avec les oignons rouges. Enfournez sous le gril.
7 Pendant ce temps, mélangez les épinards avec les 3/4 de l'assaisonnement, disposez la salade sur des assiettes et parsemez de tranches de champignons et de lanières d'avocat. Arrosez avec le reste de sauce.
8 En les poussant avec les dents d'une fourchette, faites glisser les cubes de poisson et les oignons sur la salade. Servez aussitôt.

STEAKS MINUTE MARCHAND DE VIN

POUR 4 PERSONNES · PRÉPARATION : DE 15 À 20 MIN  CUISSON : DE 40 À 50 MIN

ÉQUIPEMENT

poêle à fond épais

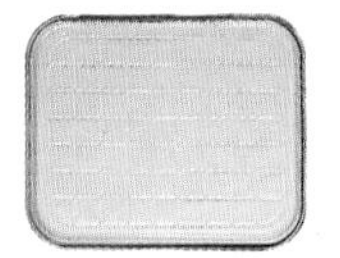

plat

pinces métalliques

2 petits plats à rôtir

grande cuiller en métal

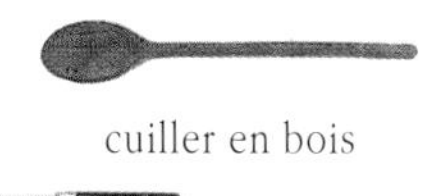

cuiller en bois

couteau chef

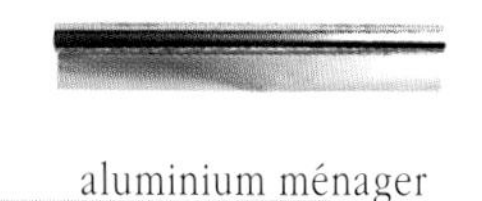

aluminium ménager

planche à découper

CONSEIL MALIN

Utilisez de préférence une poêle en fonte; ce matériau répartit mieux la chaleur.

Dans cette recette très facile à réaliser, des steaks minute peu épais sont taillés dans un filet de bœuf. Poêlés, ils sont ensuite nappés d'échalotes sautées et d'une sauce à base de vin rouge. Rôties, les gousses d'ail et les échalotes deviennent délicieusement douces et accompagnent parfaitement la viande, mais vous pouvez les supprimer si vous manquez de temps. Choisissez un bon vin rouge pour la sauce : vous servirez le même avec le plat.

SAVOIR S'ORGANISER

Poêlez les steaks et rôtissez les échalotes et les gousses d'ail juste avant de servir.

LE MARCHÉ

1 grosse tête d'ail
huile végétale pour graisser les plats et la poêle
sel et poivre
10 petites échalotes
1 petit bouquet de persil
2 à 3 brins de thym frais
750 g de filet de bœuf
25 cl de vin rouge
30 g de beurre

INGRÉDIENTS

filet de bœuf

échalotes

huile végétale

beurre

persil

tête d'ail

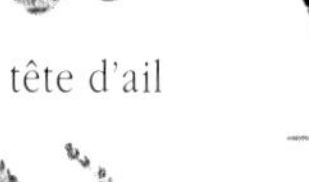

vin rouge

thym frais

DÉROULEMENT

1 RÔTIR L'AIL ET LES ÉCHALOTES

2 PRÉPARER LES INGRÉDIENTS DE LA SAUCE ET POÊLER LES STEAKS

3 POUR TERMINER

1 RÔTIR L'AIL ET LES ÉCHALOTES

1 Préchauffez le four à 170 °C. Pressez fortement la tête d'ail avec le talon de vos mains pour dégager les gousses. Ôtez-en la base et réservez-les.

Appuyez fortement sur la tête d'ail pour dégager facilement les gousses

2 Mettez les gousses d'ail non pelées dans l'un des plats à rôtir. Arrosez-les avec 1 cuil. à soupe d'huile, salez, poivrez, et remuez pour bien enrober les gousses.

3 Ôtez la base des échalotes et enlevez toutes leurs peaux sèches, mais pas la plus tendre. Réservez-en deux; mettez les autres dans le second plat à rôtir avec 2 cuil. à soupe d'huile, du sel et du poivre.

4 Rôtissez les gousses d'ail et les échalotes à four chaud jusqu'à ce qu'elles soient tendres, de 30 à 35 min pour les premières, de 25 à 30 min pour les secondes.

Les échalotes et les gousses d'ail, enrobées d'huile et rôties dans leur peau, sont brillantes et tendres

HACHER UNE ÉCHALOTE

Pour hacher une échalote, coupez des tranches d'environ 3 mm d'épaisseur; plus elles seront minces, plus les dés seront petits.

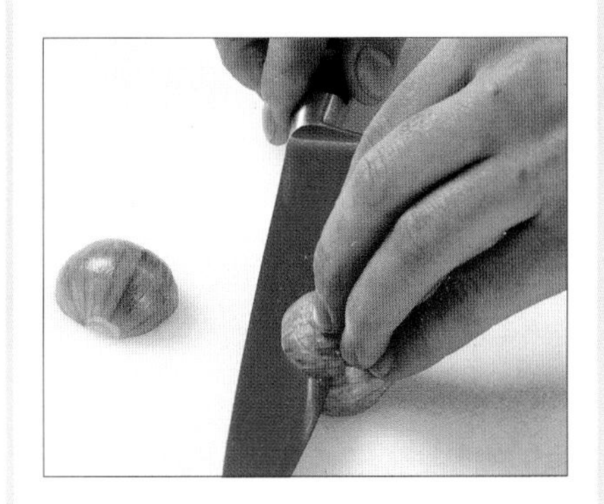

1 Enlevez la peau parcheminée de l'échalote et séparez-la éventuellement en deux. Pelez chaque moitié, posez sa tranche sur une planche à découper et tenez-la fermement avec les doigts. Émincez-la horizontalement en partant du sommet, sans entailler la base.

2 Émincez ensuite l'échalote verticalement en partant du sommet, toujours sans entailler la base.

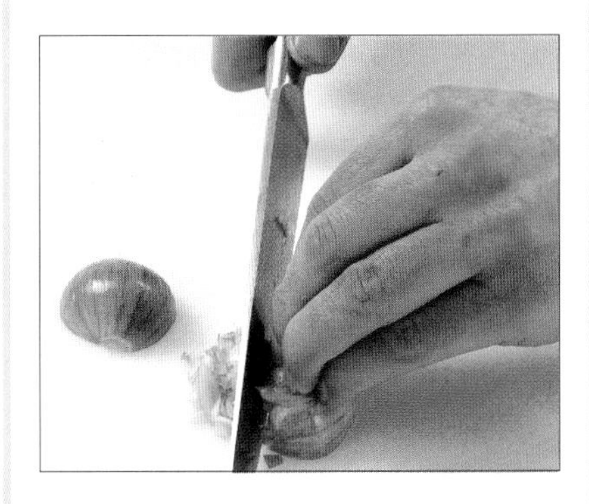

3 Maintenez l'échalote par sa base et hachez-la en dés plus ou moins petits selon le recette que vous préparez.

2 PRÉPARER LES INGRÉDIENTS DE LA SAUCE ET POÊLER LES STEAKS

1 Détachez les feuilles de persil de leur tige, rassemblez-les sur la planche à découper et hachez-les finement à l'aide du couteau chef. Pelez et hachez finement les 2 dernières échalotes (voir encadré p. 185). Détachez les brins de thym de leur tige.

Posez la tranche de l'échalote sur le plan de travail pour la hacher

2 Dégraissez le filet de bœuf. Tranchez-le en steaks de 1 cm d'épaisseur en coupant des tranches un peu plus épaisses vers l'extrémité effilée du morceau. Vous obtenez 8 steaks.

3 Écrasez les steaks les plus épais sous le plat du couteau chef pour qu'ils aient la même taille que les autres. Mettez-les dans le plat; salez et poivrez des deux côtés.

4 Chauffez 1 cuil. à soupe d'huile dans la poêle. Faites-y revenir 4 steaks sur feu vif de 1 à 2 min. Retournez-les à l'aide des pinces et poursuivez la cuisson de 1 à 2 min : ils doivent être grillés à l'extérieur mais encore roses.

Vérifiez le degré de cuisson en pressant la viande sous votre doigt

5 Pressez les steaks avec le doigt : si la viande est tendre, elle est saignante; si elle est plus ferme, elle est à point. Mettez-les de nouveau dans le plat, couvrez d'aluminium ménager pour les tenir au chaud et faites revenir les 4 autres steaks en ajoutant 1 cuil. à soupe d'huile dans la poêle. Lorsqu'ils sont cuits, ajoutez-les aux autres et réservez au chaud.

3 POUR TERMINER

1 Faites blondir dans la poêle les échalotes hachées de 1 à 2 min; elles ne doivent pas brunir. Ajoutez le vin rouge et le thym et chauffez à feu vif en remuant. Laissez réduire de 3 à 5 min : la sauce épaissit et devient plus parfumée.

Ajoutez le persil haché en fin de cuisson; il gardera sa saveur et son arôme

2 Ajoutez presque tout le persil. Hors du feu, incorporez le beurre morceau par morceau, en remettant régulièrement la poêle sur le feu : il épaissit la sauce, mais ne doit pas se transformer en huile.

3 Disposez 1 ou 2 steaks sur chaque assiette et nappez de sauce.

POUR SERVIR

Saupoudrez les steaks avec le reste de persil. Servez avec les gousses d'ail et les échalotes rôties, des feuilles de salade et des frites.

Le steak est tendre et savoureux

V A R I A N T E

STEAKS MINUTE À LA DIJONNAISE

Dans cette variante, le vin blanc remplace le vin rouge et la sauce s'enrichit de moutarde de Dijon et de crème. Les échalotes et les gousses d'ail rôties cèdent la place à de petits oignons glacés.

1 Ne préparez ni les échalotes ni les gousses d'ail. Dans un bol, couvrez de 20 à 24 oignons nouveaux d'eau chaude et laissez-les tremper 2 min. Séchez-les et pelez-les à l'aide d'un couteau d'office, sans ôter leur base pour qu'ils ne se défassent pas. Rôtissez-les ensuite comme les échalotes en les saupoudrant à mi-cuisson avec 1 cuil. à soupe de sucre.
2 Hachez 2 échalotes. Préparez et poêlez les steaks en suivant la recette principale.
3 Versez 25 cl de vin blanc sec dans la poêle et chauffez à feu vif de 2 à 3 min pour qu'il réduise de moitié. Hors du feu, ajoutez 1 cuil. à soupe de moutarde de Dijon et de 2 à 3 cuil. à soupe de crème, mais n'utilisez pas le beurre. Goûtez et rectifiez l'assaisonnement.
4 Disposez 1 ou 2 steaks sur chaque assiette et nappez de sauce. Garnissez avec les oignons glacés et décorez de brins de persil. Servez accompagné de chips maison.

POULET AU YAOURT

POUR 4 PERSONNES PRÉPARATION : DE 20 À 25 MIN* CUISSON : DE 15 À 20 MIN

ÉQUIPEMENT

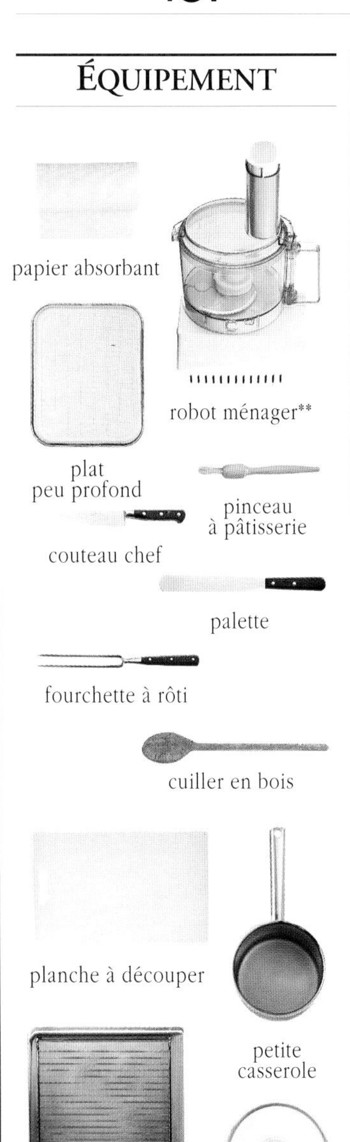

papier absorbant

robot ménager**

plat peu profond

pinceau à pâtisserie

couteau chef

palette

fourchette à rôti

cuiller en bois

planche à découper

petite casserole

grille et lèchefrite

grand bol

** ou mixeur

Dans cette recette traditionnelle d'Europe de l'Est, le yaourt entier attendrit la chair de la volaille, lie et enrichit la sauce. Pendant les mois d'été, vous apprécierez de griller le poulet au barbecue, en plein air. Les hauts de cuisse se servent nappés de sauce à la coriandre.

plus 3 à 4 h de marinage

SAVOIR S'ORGANISER

Vous pouvez préparer la sauce 24 h à l'avance et la conserver au réfrigérateur, dans un récipient couvert. Réchauffez-la à feu doux car l'ébullition la délierait. Le poulet sera meilleur s'il marine 24 h, mais vous ne le grillerez qu'au dernier moment.

LE MARCHÉ

8 hauts de cuisse de poulet
25 cl de yaourt entier
sel et poivre
huile végétale pour graisser la grille
Pour la sauce
1 oignon de taille moyenne
2 gousses d'ail
2 cuil. à soupe d'huile végétale
2 cuil. à soupe de coriandre en poudre
25 cl de yaourt entier
quelques brins de coriandre fraîche
15 cl de crème fleurette

INGRÉDIENTS

hauts de cuisse de poulet

gousses d'ail

oignon

coriandre fraîche

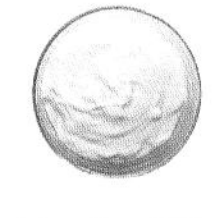

yaourt entier

coriandre en poudre

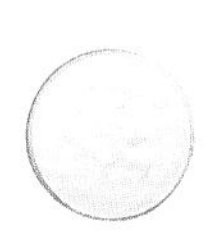

crème fleurette

huile végétale

DÉROULEMENT

1 APPRÊTER LE POULET

2 GRILLER LE POULET

3 PRÉPARER LA SAUCE

APPRÊTER LE POULET

1 Mettez les cuisses de poulet dans un grand bol et recouvrez-les de yaourt entier. Salez et poivrez selon votre goût.

Battez le yaourt pour le lisser avant de le verser sur le poulet

2 Enrobez bien de yaourt les cuisses en remuant avec vos mains. Couvrez le bol hermétiquement et laissez mariner au réfrigérateur 3 h au moins.

3 Allumez le gril du four et huilez la grille à l'aide du pinceau. Retirez les morceaux de poulet du bol; grattez le yaourt avec la palette et jetez-le.

Utilisez une palette pour bien enlever tout le yaourt

4 Séchez les cuisses dans du papier absorbant, puis posez-les sur la grille huilée.

PELER ET HACHER UNE GOUSSE D'AIL

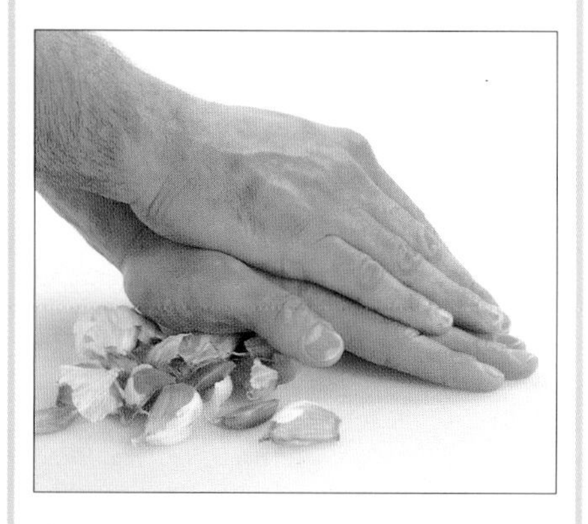

1 Appuyez fortement le talon de vos mains sur la tête d'ail pour dégager les gousses. Vous pouvez aussi les sortir une à une avec les doigts.

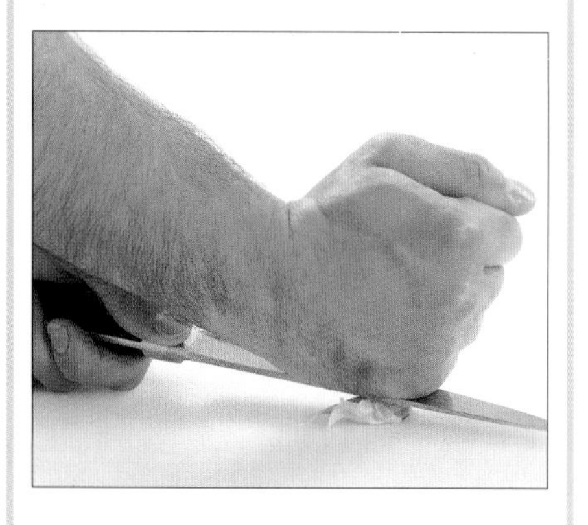

2 Pour décoller la peau, posez le plat du couteau sur la gousse d'ail et appuyez avec le poing. Pelez-la ensuite avec les doigts.

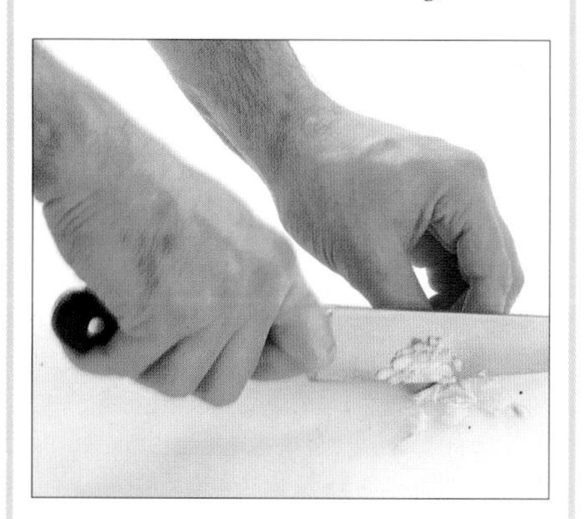

3 Posez le plat du couteau au sommet de la gousse et tapez avec le poing, puis hachez-la finement en basculant la lame d'avant en arrière.

2 GRILLER LES CUISSES DE POULET

1 Placez la grille dans le four, à 10 cm environ sous la source de chaleur. Faites cuire les cuisses 8 à 10 min, puis retournez-les.

2 Poursuivez la cuisson de 7 à 10 min et préparez la sauce pendant ce temps : les cuisses doivent être très grillées. Assurez-vous qu'elles sont cuites en piquant dans leur chair la fourchette à rôti : le jus qui s'écoule doit être incolore.

3 PRÉPARER LA SAUCE À LA CORIANDRE

1 Hachez finement l'oignon et l'ail (voir encadré ci-contre). Dans la casserole, chauffez l'huile, puis faites-y revenir l'oignon jusqu'à ce qu'il blondisse.

La coriandre en poudre relève le plat et lui donne une délicieuse saveur sucrée

2 Ajoutez la coriandre en poudre et l'ail. Poursuivez la cuisson à feu vif de 2 à 3 min en remuant sans arrêt.

3 Mélangez la préparation à l'oignon et le yaourt à l'aide du robot ménager. Ajoutez la coriandre fraîche et faites tourner l'appareil jusqu'à ce qu'elle soit parfaitement hachée.

4 Versez le mélange dans la casserole. Ajoutez la crème fleurette, salez et poivrez. Chauffez en remuant sans arrêt. Goûtez, rectifiez l'assaisonnement et tenez au chaud.

ATTENTION !
Ne laissez pas bouillir une sauce qui contient du yaourt ou de la crème fleurette : ceux-ci cailleraient.

POUR SERVIR

Disposez les morceaux de poulet — deux par personne — sur des assiettes chaudes et nappez-les de quelques cuillerées de sauce.

Des feuilles de menthe fraîche apporteront une touche de couleur à ce plat

Un taboulé frais se marie très bien avec le poulet épicé

VARIANTE

POULET GRILLÉ AU YAOURT ET AU MIEL

1 Faites mariner le poulet en suivant la recette principale, mais en ajoutant au yaourt 2 cuil. à soupe de miel et 1 cuil. à café de gingembre en poudre.

2 Étalez 60 g de pignons sur une plaque à pâtisserie. Mettez-les au four à 190 °C de 5 à 8 min, jusqu'à ce qu'ils soient bien dorés.

3 Grillez le poulet en suivant la recette principale, mais sans sécher les morceaux. Pendant la cuisson, badigeonnez plusieurs fois les hauts de cuisse avec le reste de la marinade.

4 Préparez la sauce en suivant la recette principale, mais n'utilisez pas la coriandre fraîche, ni la coriandre en poudre. Une fois le robot arrêté, ajoutez la crème fleurette et 75 g de raisins secs. Réchauffez.

5 Disposez les hauts de cuisse sur des assiettes individuelles. Décorez avec les pignons grillés.

6 Servez la sauce séparément ou dans des feuilles de laitue.

7 Une salade verte constitue un accompagnement agréable.

POULET CHÂTEAU DU FEŸ

POUR 4 À 6 PERSONNES — PRÉPARATION : DE 20 À 30 MIN — CUISSON : DE 1 H À 1 H 15

ÉQUIPEMENT

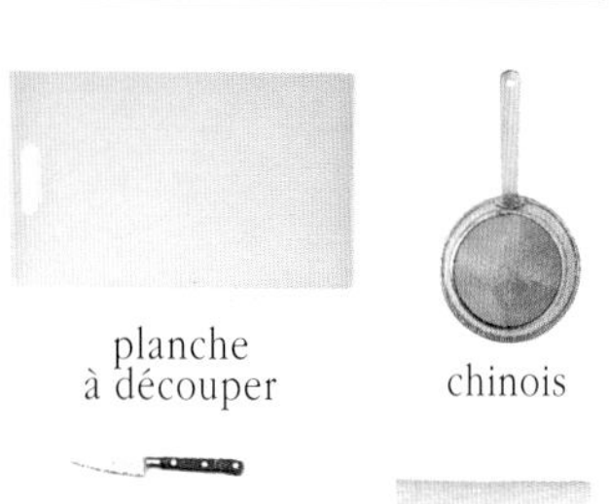

planche à découper

chinois

couteau d'office

couteau chef *

papier absorbant

fourchette à rôti

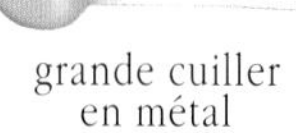

grande cuiller en métal

cuiller en bois

aluminium ménager

2 brochettes en inox

plat à rôtir pouvant aller sur le feu

Ce plat est souvent au centre des dîners bourguignons : un poulet rôti, sans farce, mais aromatisé aux herbes fraîches. Sa simplicité en fera l'une de vos recettes préférées. Plus vous y mettrez de beurre, plus la sauce sera riche. Présentez la volaille entière — comme ici — et découpez-la à table. Vous pouvez aussi, pour plus de facilité, lever les morceaux dans la cuisine avant de servir. Des pommes de terre rissolées, croquantes à l'extérieur et fondantes à l'intérieur, accompagneront parfaitement la chair juteuse et savoureuse du poulet.

SAVOIR S'ORGANISER

Si vous voulez lui garder toute sa saveur, évitez de réchauffer un poulet rôti. Toutefois, il restera chaud pendant au moins 30 min si vous l'enveloppez dans de l'aluminium ménager dès sa sortie du four.

LE MARCHÉ

1 poulet fermier de 2 kg
sel et poivre
2 ou 3 brins de thym frais
2 ou 3 brins de romarin frais
quelques feuilles de laurier
60-75 g de beurre
50 cl de bouillon de volaille

INGRÉDIENTS

poulet

bouillon de volaille

beurre

romarin frais

laurier

thym frais

DÉROULEMENT

1 APPRÊTER LE POULET

2 RÔTIR LE POULET

3 PRÉPARER LA SAUCE

* ou couteau à

1 APPRÊTER LE POULET

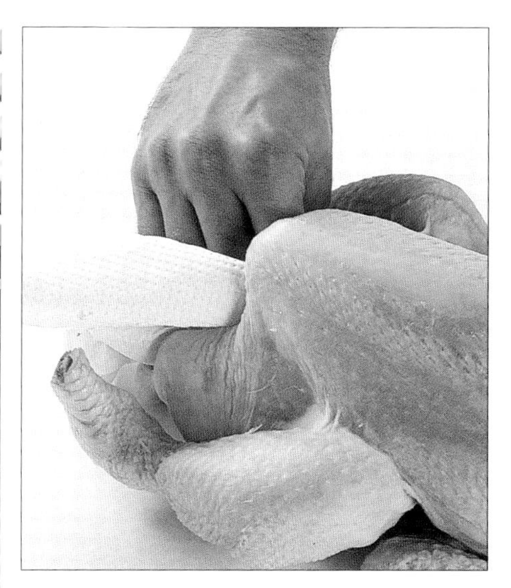

1 Préchauffez le four à 220 °C. Séchez l'intérieur du poulet avec du papier absorbant.

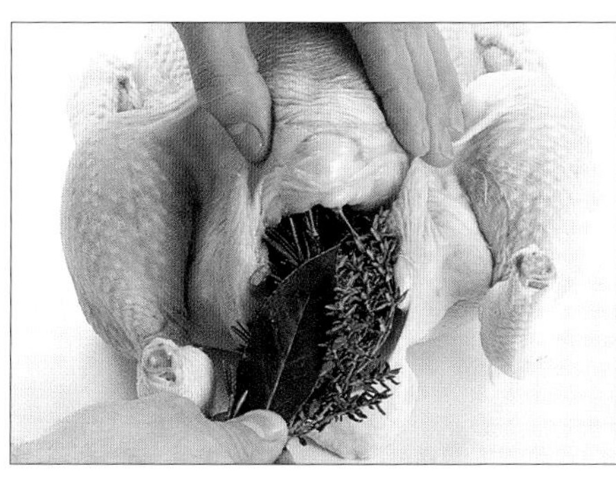

2 Ôtez le bréchet (voir encadré ci-dessous). Salez et poivrez le poulet, à l'intérieur comme à l'extérieur. Farcissez-le avec les herbes.

CONSEIL MALIN

Vous pouvez remplacer le thym et le romarin par de l'estragon, de l'origan ou toute autre herbe fraîche. Les herbes séchées, elles, ont beaucoup moins de saveur.

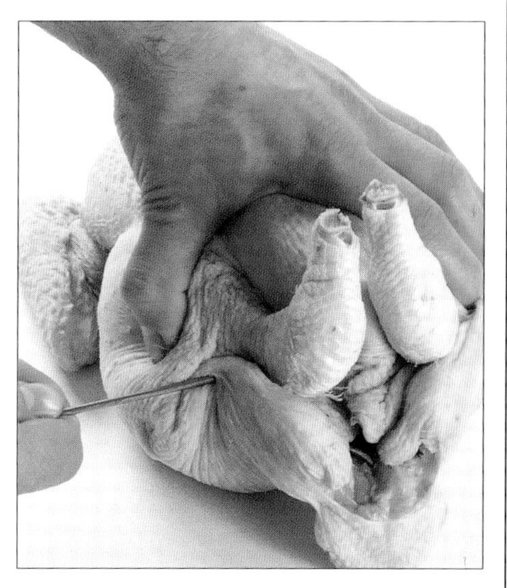

3 Couchez le poulet sur le dos. Tirez les cuisses vers l'arrière et vers le bas. Piquez l'une des brochettes au niveau de l'articulation, passez-la à travers le corps et faites-la ressortir de l'autre côté.

ENLEVER LE BRÉCHET

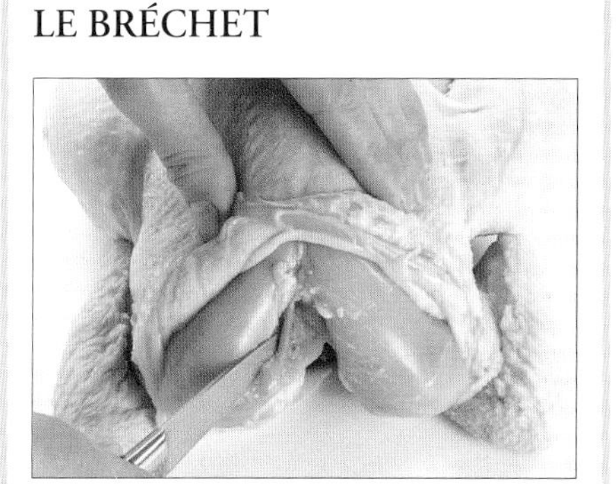

1 Tirez vers l'arrière la peau du cou du poulet. Avec la pointe d'un couteau d'office, dégagez le bréchet.

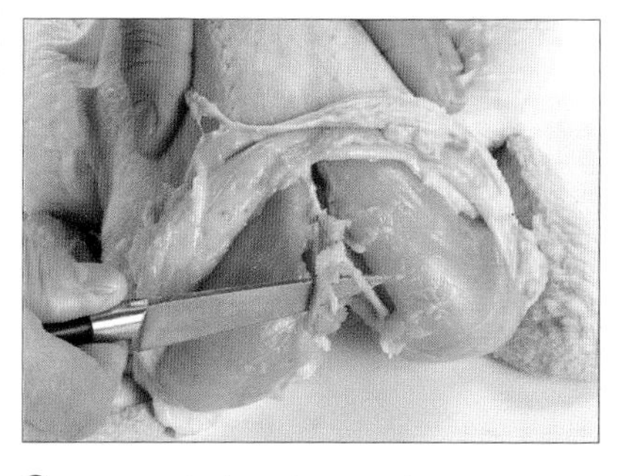

2 Retirez le bréchet. Enlevez aussi toute la graisse.

CONSEIL MALIN

Sans le bréchet, vous trancherez plus facilement le blanc.

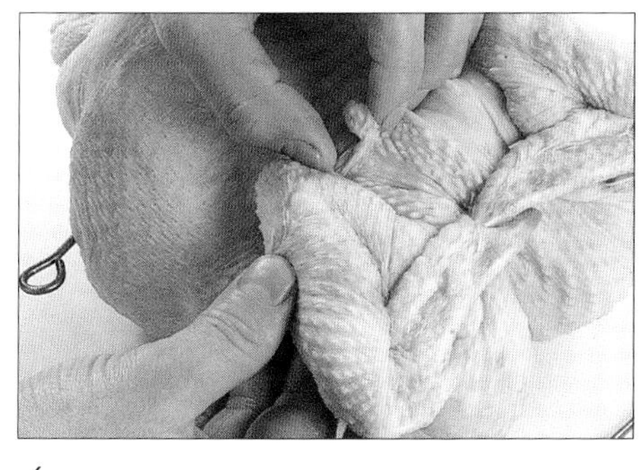

4 Retournez le poulet sur le ventre. Tirez la peau pour recouvrir la cavité du cou et rabattez les ailerons par-dessus.

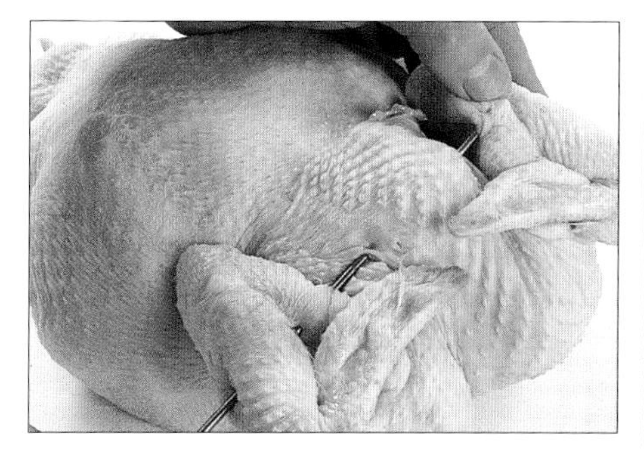

5 Piquez la seconde brochette à travers l'un des ailerons repliés et dans la peau du cou. Poussez-la en la glissant sous la colonne vertébrale et faites-la ressortir à travers le second aileron.

6 Mettez de nouveau le poulet sur le dos. Il est prêt pour la cuisson.

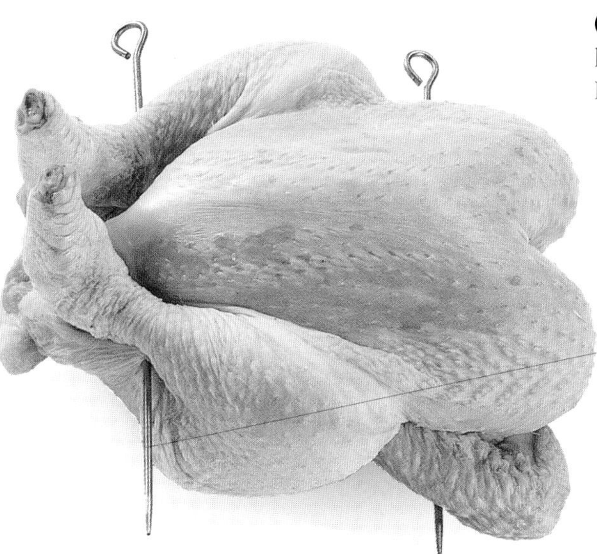

Les brochettes maintiennent les membres du poulet sans qu'il soit nécessaire de le brider

2 RÔTIR LE POULET

1 Mettez la volaille sur le dos dans le plat à rôtir. Disposez le beurre, après l'avoir découpé en lamelles, sur le ventre du poulet.

CONSEIL MALIN

Le beurre apporte du moelleux à la chair du poulet et donne à la peau une belle couleur dorée. Sa quantité est une question de goût; pour ma part, j'en mets 60 g au moins.

Les bords du plat à rôtir ne doivent pas être trop hauts afin que la chaleur du four se répartisse bien autour de la volaille

VÉRIFIER LA CUISSON D'UN POULET

Pour vérifier que la cuisson d'un poulet est terminée, soulevez-le en le piquant à l'aide de la fourchette à rôti et inclinez-le au-dessus du plat : il est cuit à point lorsque le jus qui s'en écoule est incolore.

2 Enfournez le poulet pour 1 h à 1 h 15, en l'arrosant avec le jus de cuisson toutes les 10 à 15 min.

CONSEIL MALIN

Un arrosage fréquent est le secret d'un poulet à la chair fondante et à la peau dorée et craquante.

3 Pour que la viande ne se dessèche pas, retournez le poulet sur le ventre dès que sa peau commence à dorer. Remettez-le de nouveau sur le dos 15 min avant la fin de la cuisson. Posez-le sur la planche à découper et couvrez-le d'aluminium ménager pendant que vous préparez la sauce.

3 PRÉPARER LA SAUCE

Le chinois, qui permet de filtrer la sauce, évite aussi de la renverser

1 Versez le bouillon de volaille dans le plat à rôtir, portez sur feu vif et amenez le jus à ébullition en remuant pour bien mélanger les sucs. Faites bouillir ainsi jusqu'à ce que la sauce soit suffisamment réduite.

CONSEIL MALIN

L'ébullition favorise l'émulsion du beurre et des graisses de cuisson et lie la sauce.

2 Vérifiez l'assaisonnement, puis passez avec précaution la sauce à travers le chinois au-dessus d'une saucière ou d'un bol.

POUR SERVIR

Présentez la volaille entière ou levez les morceaux dans la cuisine (voir encadré p. 196) et servez sur des assiettes. Proposez la sauce à part.

Des herbes fraîches — thym, romarin et feuilles de laurier — décorent le plat

Des pommes de terre rissolées dans de l'huile et du beurre accompagnent parfaitement ce poulet

DÉCOUPER UN POULET CUIT

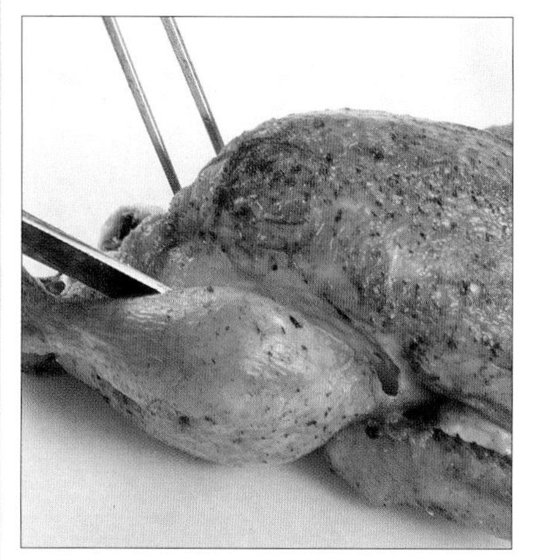

1 Retirez les brochettes. Enfoncez la lame d'un couteau chef entre la cuisse et la cage thoracique.

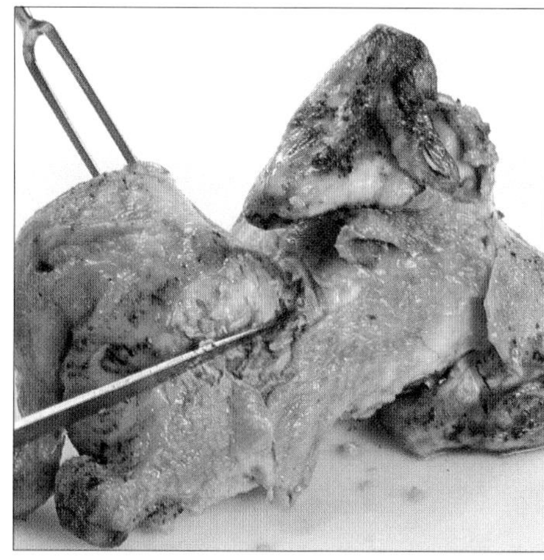

2 Couchez le poulet sur le côté et, au niveau de la colonne vertébrale, glissez le couteau sous la cuisse; le sot-l'y-laisse doit y rester attaché.

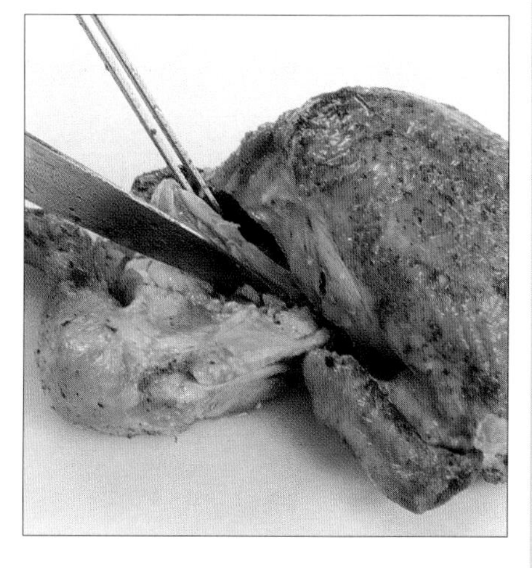

3 Retournez le poulet sur le dos. Inclinez fermement la cuisse vers l'extérieur pour déboîter l'articulation, puis tranchez-la et détachez le membre. Procédez de la même façon pour la seconde cuisse.

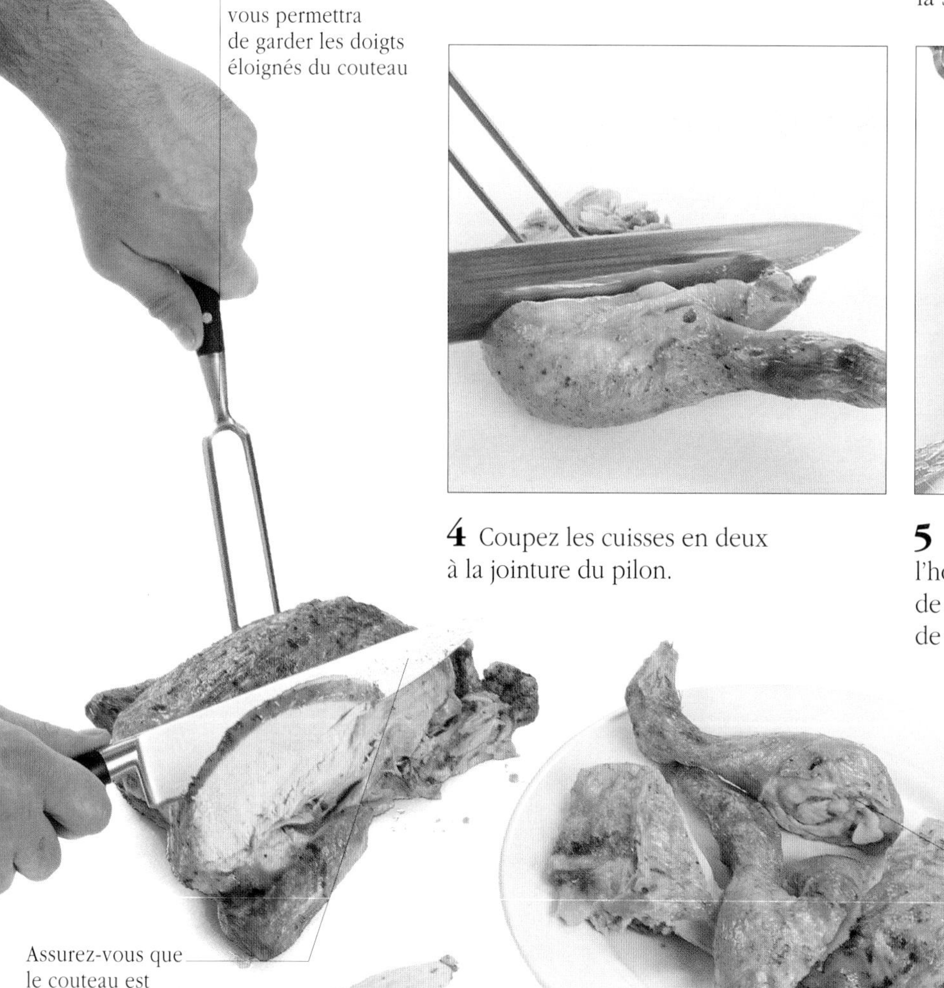

Une fourchette à rôti vous permettra de garder les doigts éloignés du couteau

4 Coupez les cuisses en deux à la jointure du pilon.

5 Glissez la lame du couteau à l'horizontale au-dessus de l'articulation de l'aile et jusqu'à la cage thoracique de façon à détacher la base du blanc.

6 Taillez des tranches de blanc le long de la cage thoracique. Détachez l'aileron. Procédez de la même façon pour l'autre côté de la volaille.

Assurez-vous que le couteau est suffisamment aiguisé pour découper des tranches de blanc bien nettes

Coupez des morceaux dans les cuisses afin que chaque convive en ait un peu à côté d'une tranche de blanc

V A R I A N T E

POULET RÔTI AU CITRON

Remplacez les herbes du poulet château du Feÿ par un citron. Choisissez de préférence un fruit non traité.

1 Lavez le citron, puis roulez-le sur le plan de travail pour répartir le jus à l'intérieur. Piquez-le avec une fourchette, placez-le à l'intérieur du poulet et faites rôtir la volaille en suivant la recette principale.
2 Quand la sauce est prête, ajoutez-y quelques gouttes de jus de citron avant de la passer à travers le chinois.
3 Pour servir, décorez le plat avec des rondelles de citron frais.

V A R I A N T E

POULET RÔTI AU BEURRE DE CITRON ET D'HERBES

1 Préparez la volaille en suivant les étapes 1 et 2 de la recette principale.
2 Râpez finement le zeste d'un citron. Effeuillez 2 ou 3 brins de thym frais et 2 ou 3 brins de romarin frais. Coupez les feuilles en petits morceaux, puis hachez-les finement. Incorporez-les à 60-75 g de beurre ramolli.
3 Avant de commencer l'étape 3 de la recette principale, glissez les doigts sous la peau du ventre du poulet pour la détacher de la chair. Enduisez la viande de beurre aromatisé. Continuez en suivant la recette principale.

V A R I A N T E

POULET RÔTI À L'AIL

Un délice pour les amateurs : des gousses d'ail en chemise cuites avec le poulet, puis épluchées et écrasées pour lier la sauce. L'ail ainsi préparé devient onctueux, avec un goût légèrement sucré.

1 Apprêtez et cuisez la volaille en suivant la recette principale.
2 Séparez les gousses d'une tête d'ail sans les peler. Lorsque vous arrosez le poulet pour la première fois, 10 à 15 min après l'avoir mis au four, répartissez les gousses dans le plat à rôtir.
3 Préparez la sauce en suivant la recette principale. Après avoir filtré le jus, écrasez l'ail contre les parois du chinois pour le réduire en purée.
4 Vous pouvez également préparer une garniture d'ail cuit. Coupez le sommet de 4 à 6 têtes d'ail (une par personne). Arrosez-les d'un filet d'huile d'olive et disposez-les dans un plat à rôtir légèrement graissé. Faites-les cuire en même temps que le poulet, mais 45 min seulement. Il suffit ensuite de sortir les gousses d'ail moelleuses de leur bulbe pour les déguster.

POULET FRIT DU SUD AMÉRICAIN

ÉQUIPEMENT

Le poulet frit est une recette typique du sud des États-Unis. Ici, il marine dans du lait qui le rend très moelleux. Ce plat s'accompagne traditionnellement d'une purée de pommes de terre parfumée d'herbes fraîches ciselées. Servi froid, sans sa sauce, avec une salade de pommes de terre et une julienne de légumes crus, il est idéal pour un pique-nique.

SAVOIR S'ORGANISER

Vous pouvez faire mariner le poulet 24 h à l'avance. Si vous le servez chaud, faites-le frire au dernier moment pour que sa croûte croustillante ne ramollisse pas.

**plus 8 à 12 h de marinage*

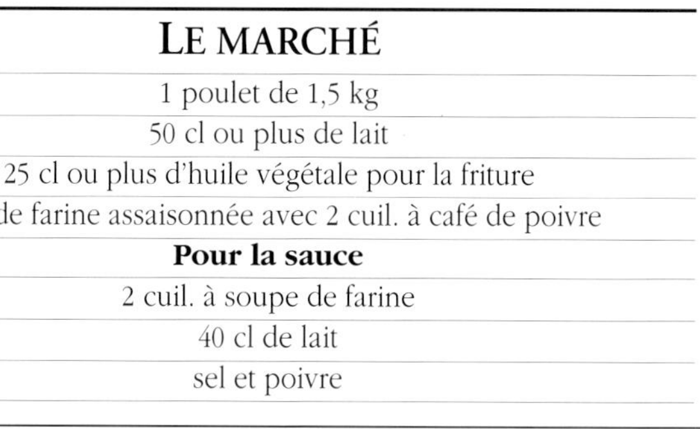

LE MARCHÉ
1 poulet de 1,5 kg
50 cl ou plus de lait
25 cl ou plus d'huile végétale pour la friture
60 g de farine assaisonnée avec 2 cuil. à café de poivre
Pour la sauce
2 cuil. à soupe de farine
40 cl de lait
sel et poivre

INGRÉDIENTS

poulet

lait

huile végétale

farine

DÉROULEMENT

1 PRÉPARER LE POULET

2 PRÉPARER LA SAUCE

1 PRÉPARER LE POULET

1 Découpez le poulet en huit. Mettez les morceaux dans le grand bol et recouvrez-les de lait. Fermez hermétiquement avec du film alimentaire et laissez mariner de 8 à 12 h.

2 À l'aide de la cuiller percée, déposez les morceaux de poulet sur le plat. Jetez le lait.

Un cube de pain frit immédiatement quand l'huile est suffisamment chaude

3 Versez l'huile dans la poêle, sur une hauteur de 2 cm. Chauffez-la à feu modéré jusqu'à 180 °C. Vérifiez éventuellement la température avec un thermomètre à friture.

CONSEIL MALIN

Pour vérifier, sans thermomètre à friture, que l'huile est à bonne température, mettez dans la poêle un morceau de pain; il doit dorer en 1 min.

Farinez légèrement les morceaux de poulet

4 Versez la farine assaisonnée dans un plat peu profond et roulez-y les morceaux de poulet. Tapotez-les pour bien les enrober.

CONSEIL MALIN

Pour fariner rapidement les morceaux de poulet, enfermez-les dans un sachet en plastique avec la farine assaisonnée et agitez le tout pendant 30 s.

5 Mettez les morceaux de poulet dans la sauteuse, peau vers le fond, en faisant attention aux éclaboussures d'huile bouillante. Faites-les dorer de 3 à 5 min.

6 Retournez les morceaux et baissez le feu.

7 Laissez rissoler les morceaux de 20 à 25 min. Assurez-vous alors qu'ils sont cuits en piquant dans leur chair une fourchette à rôti : elle doit s'y enfoncer facilement. Si certains morceaux sont prêts avant les autres, sortez-les de la sauteuse et réservez-les au chaud.

8 Posez le poulet dans le plat sur du papier absorbant et tenez-le au chaud.

ATTENTION !

Vous pouvez garder le poulet au chaud à four doux, mais ne le couvrez pas, car sa croûte dorée ramollirait.

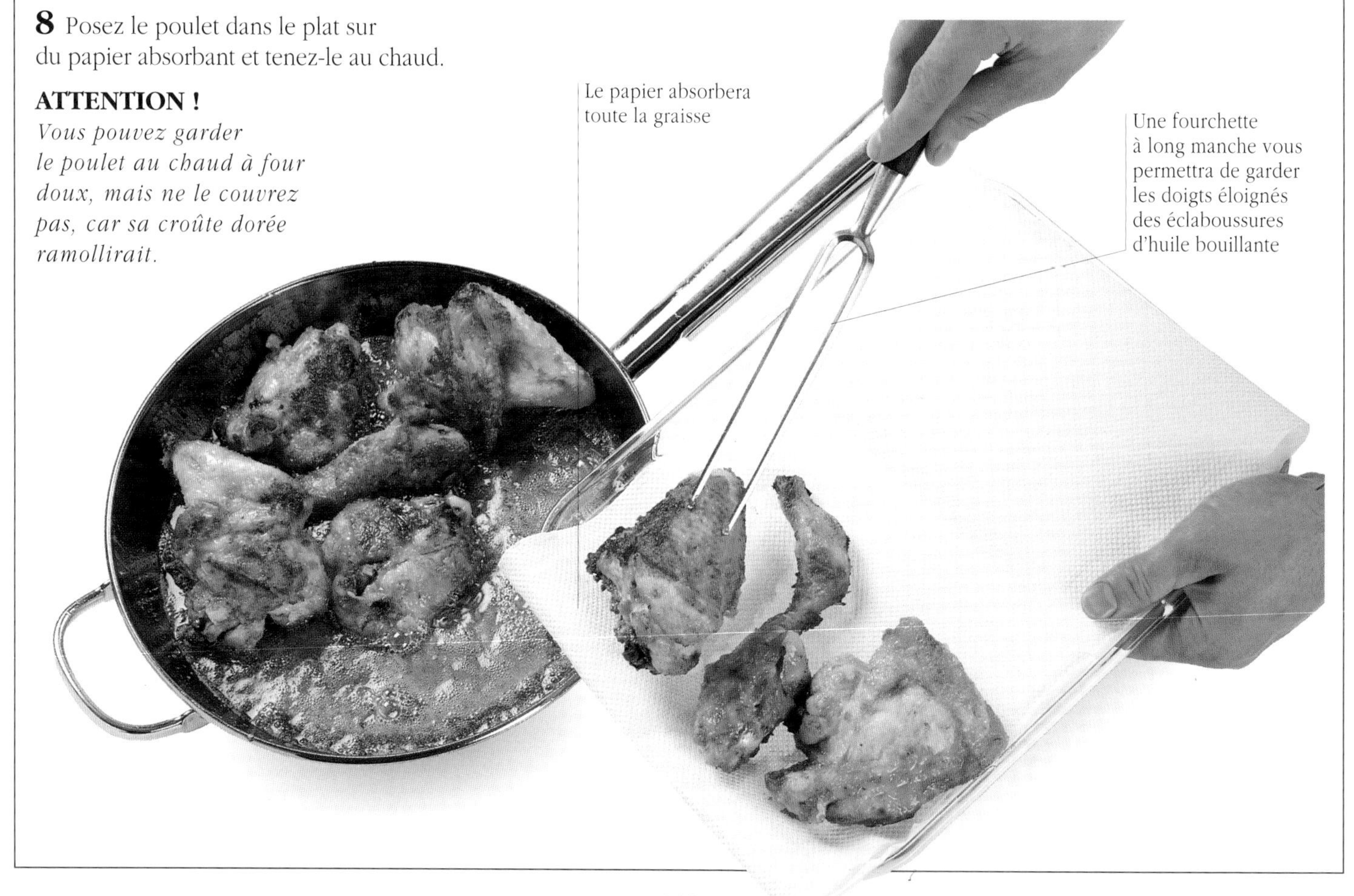

Le papier absorbera toute la graisse

Une fourchette à long manche vous permettra de garder les doigts éloignés des éclaboussures d'huile bouillante

2 PRÉPARER LA SAUCE

1 Ne gardez que 2 cuil. à soupe de graisse dans la poêle; jetez le reste. Versez-y la farine en pluie.

2 Chauffez de 2 à 3 min en remuant avec la cuiller en métal.

3 Ajoutez le lait en fouettant et faites épaissir la sauce 2 min. Goûtez, rectifiez l'assaisonnement et versez dans une saucière.

POUR SERVIR

Disposez les morceaux de poulet sur un plat de service ou sur des assiettes individuelles. Servez la sauce à part.

Le poulet frit est tout aussi délicieux chaud que froid

VARIANTE

POULET FRIT AU BACON

Dans cette recette, le poulet cuit dans une plus petite quantité d'huile que dans la recette principale. Le bacon lui apporte toute sa saveur et sa sauce est relevée d'un peu de tabasco.

1 Faites mariner le poulet dans du lait en suivant la recette principale.

2 Ne mettez pas d'huile dans la sauteuse, mais faites-y revenir de 8 à 10 tranches de bacon. Quand elles sont bien dorées et qu'elles ont rendu toute leur graisse, sortez-les, séchez-les dans du papier absorbant et réservez-les au chaud.

3 Farinez les morceaux de poulet en suivant la recette principale, faites-les frire dans la graisse rendue par le bacon puis séchez-les dans du papier absorbant.

4 Préparez la sauce en ajoutant une ou deux gouttes de tabasco quand vous l'assaisonnez.

5 Servez le poulet accompagné du bacon coupé en petits morceaux.

RISOTTO AUX CREVETTES

POUR 6 PERSONNES PRÉPARATION : DE 15 À 20 MIN  CUISSON : DE 25 À 30 MIN*

ÉQUIPEMENT

couteau chef

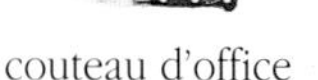

couteau d'office

petit bol

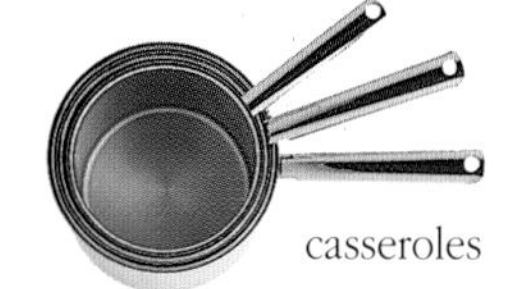

casseroles

cuiller en bois

louche

cuiller percée**

planche à découper

** ou écumoire

CONSEIL MALIN
Assurez que la casserole dans laquelle vous ferez cuire le riz est suffisamment grande pour qu'il puisse gonfler. Choisissez-la à fond épais pour qu'il n'attache pas.

Le meilleur risotto, préparé avec du riz à grains ronds italien arborio, *mijote jusqu'à être al dente — lisse et crémeux mais légèrement croquant sous la dent. Le court-bouillon doit être ajouté petit à petit et il vous faudra remuer sans arrêt. Servez le risotto en entrée ou ajoutez des crevettes pour en faire un plat principal.*

SAVOIR S'ORGANISER

Le risotto fraîchement cuisiné est incomparable ; il n'existe aucune technique satisfaisante pour le réchauffer.

** Pendant la cuisson, vous ne pourrez à aucun moment quitter la cuisine, car le risotto doit être remué sans arrêt. Vous devrez en tenir compte pour l'organisation de votre repas.*

LE MARCHÉ

- 500 g de crevettes crues petites ou moyennes
- 2 gousses d'ail
- 1 petit bouquet de persil plat
- 10 cl d'huile d'olive
- sel et poivre
- 4 cuil. à soupe de vin blanc sec
- 1 litre de court-bouillon de poisson ou de bouillon de volaille
- 25 cl d'eau, ou plus
- 1 oignon moyen
- 450 g de riz à grains ronds

INGRÉDIENTS

crevettes crues

riz à grains ronds

court-bouillon de poisson

persil plat***

gousses d'ail

vin blanc sec

huile d'olive

oignon

*** ou persil frisé

CONSEIL MALIN
Si vous n'avez pas suffisamment de court-bouillon de poisson, utilisez davantage d'eau, additionnée cependant d'un peu de court-bouillon pour parfumer le risotto.

DÉROULEMENT

1 PRÉPARER LES CREVETTES ET LE LIQUIDE DE CUISSON

2 CUIRE LE RIZ ET AJOUTER LES CREVETTES

1 PRÉPARER LES CREVETTES ET LE LIQUIDE DE CUISSON

La carapace des crevettes s'enlève facilement avec les doigts

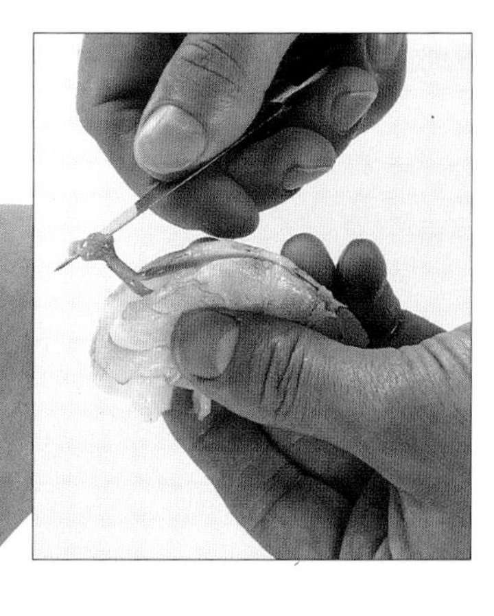

1 Otez la carapace des crevettes avec les doigts. À l'aide du couteau d'office, entaillez leur dos et retirez la veine intestinale noire.

2 Posez le plat de la lame du couteau chef au sommet de chaque gousse d'ail et appuyez avec le poing. Pelez-les et hachez-les finement. Réservez 6 brins de persil pour la décoration et détachez de leur tige les feuilles des autres. Empilez-les sur la planche à découper et hachez-les grossièrement avec le couteau chef.

3 Chauffez 1/3 de l'huile dans une casserole moyenne et mettez-y l'ail, le persil, les crevettes décortiquées, le sel et le poivre.

Les crevettes roses sont parfumées par l'ail, le persil et le vin blanc

4 Cuisez de 1 à 2 min, en remuant avec la cuiller en bois, jusqu'à ce que les crevettes soient roses. Versez le vin et mélangez bien.

5 Sortez les crevettes et mettez-les dans le bol. Laissez frémir le liquide dans la casserole de 2 à 3 min, jusqu'à ce qu'il ait réduit des 3/4. Ajoutez le court-bouillon et les 25 cl d'eau, et portez à ébullition. Laissez frémir.

2 CUIRE LE RIZ ET AJOUTER LES CREVETTES

1 Pelez l'oignon, sans ôter sa base, et coupez-le en deux dans le sens de la longueur. Tranchez les moitiés horizontalement, sans entailler leur base pour qu'elles ne se défassent pas, puis verticalement, toujours sans entailler la base. Détaillez-les en dés.

2 Chauffez la moitié du reste de l'huile dans une grande casserole. Mettez-y l'oignon et faites-le fondre, sans se colorer, de 2 à 3 min, en remuant avec la cuiller en bois.

3 Ajoutez le riz dans la casserole et remuez jusqu'à ce qu'il soit translucide et bien enrobé d'huile. À l'aide de la louche, couvrez-le de liquide de cuisson bouillant.

Le riz va d'abord absorber rapidement le liquide

Vous pouvez arroser le riz avec du court-bouillon de poisson ou du bouillon de volaille

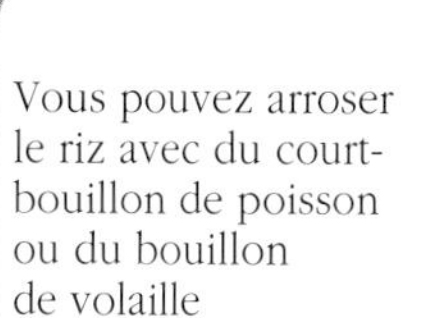

4 Laissez mijoter le riz de 3 à 5 min, en remuant sans arrêt, jusqu'à ce qu'il ait absorbé tout le liquide. Ajoutez-en de nouveau un peu et laissez frémir, toujours en remuant, pour qu'il absorbe le liquide.

5 Continuez à ajouter ainsi régulièrement du liquide, en remuant sans arrêt et en vous assurant à chaque fois que le riz a tout absorbé.

Les crevettes parfument le riz onctueux

6 Goûtez le riz de temps en temps quand vous approchez du terme de la cuisson. N'ajoutez plus de liquide dès que le riz est al dente— c'est-à-dire tendre mais encore ferme sous la dent. Cette cuisson demande généralement de 25 à 30 min, et de 1 à 1,2 litre de bouillon, ou éventuellement plus. Incorporez alors les crevettes et le reste d'huile d'olive, et assaisonnez avec du sel et du poivre selon votre goût.

CONSEIL MALIN

Dès que le riz est al dente, n'ajoutez plus de liquide, car il se transformerait en bouillie.

POUR SERVIR

Versez à la louche dans des assiettes creuses chaudes, garnissez avec les brins de persil réservés et servez aussitôt.

Le risotto parfaitement cuit est crémeux, sans être dur ni collant

Les crevettes apportent une touche originale au risotto traditionnel

V A R I A N T E

RISOTTO AUX ASPERGES

De tendres asperges vertes parfument ce Risotto con gli asparagi.

1 N'utilisez ni ail, ni persil, ni crevettes, ni vin blanc, ni oignon. Épluchez 2 échalotes et hachez-les finement.

2 Épluchez 500 g d'asperges vertes et ôtez-en les extrémités dures. Coupez-les en morceaux de 1,5 cm ; réservez les pointes.

3 Dans une casserole, portez à petite ébullition 1,2 litre de bouillon de volaille léger. Chauffez 3 cuil. à soupe d'huile d'olive dans une autre casserole; faites-y fondre les échalotes sans se colorer de 1 à 2 min, en remuant.

4 Ajoutez les tiges d'asperge, couvrez et faites sauter de 2 à 3 min, jusqu'à ce qu'elles soient tendres.

5 Incorporez le riz et cuisez-le, en ajoutant petit à petit du liquide bouillant et en attendant à chaque fois qu'il l'ait absorbé.

6 Ajoutez les pointes d'asperge réservées en même temps que l'avant-dernière fournée de liquide, et cuisez 10 min environ. Vous pouvez faire cuire quelques pointes d'asperge à part pour la décoration : mettez-les dans l'eau bouillante salée, cuisez-les de 2 à 3 min, égouttez-les et réservez-les.

7 Quand le riz est tendre, incorporez-y 30 g de beurre, goûtez et rectifiez l'assaisonnement. Servez aussitôt dans des assiettes creuses, saupoudré de parmesan fraîchement râpé. Décorez si vous voulez avec les pointes d'asperge.

CÔTE DE BŒUF PEBRONATA

POUR 6 À 8 PERSONNES — PRÉPARATION : DE 25 À 30 MIN — CUISSON : DE 1 H 45 À 2 H 15

ÉQUIPEMENT

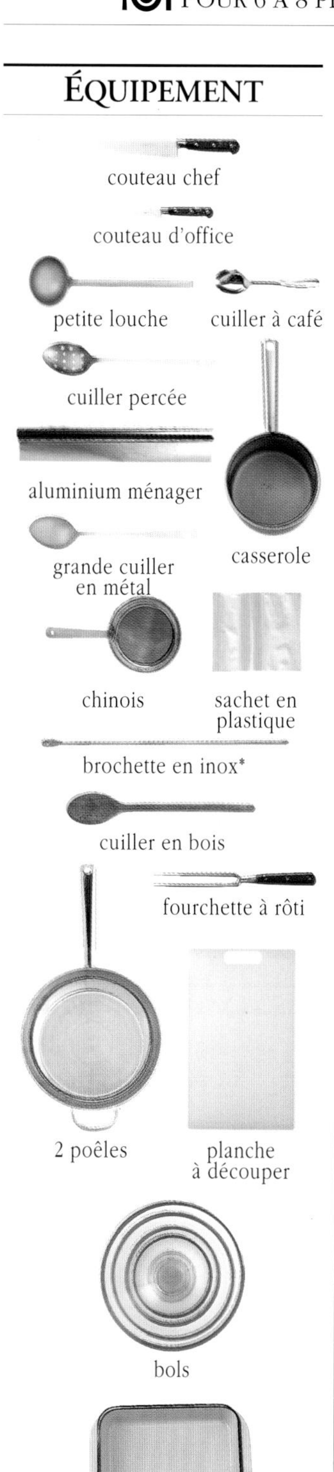

* ou thermomètre à viande

De nombreux cuisiniers préparent les côtes de bœuf au four. Les os sont en effet bons conducteurs de chaleur, ce qui permet à la viande de cuire à cœur tout en restant tendre. Vous servirez celle-ci avec une sauce pebronata, d'origine corse, préparée avec des tomates, des poivrons rouges, de l'ail, du vin rouge et de l'huile d'olive.

SAVOIR S'ORGANISER

Vous pouvez préparer la sauce pebronata 24 h à l'avance; conservez-la au réfrigérateur, couverte, et réchauffez-la à feu doux. Rôtissez la côte de bœuf juste avant de servir.

LE MARCHÉ

1 côte de bœuf (2 côtes) de 2 kg environ
sel et poivre

Pour la sauce

1 oignon
4 gousses d'ail
1,5 kg de tomates
3 ou 4 brins de thym frais
3 ou 4 brins de persil frais
3 poivrons rouges
4 cuil. à soupe d'huile d'olive
4 baies de genièvre
1 feuille de laurier
2 cuil. à soupe de farine
50 cl de vin rouge

INGRÉDIENTS

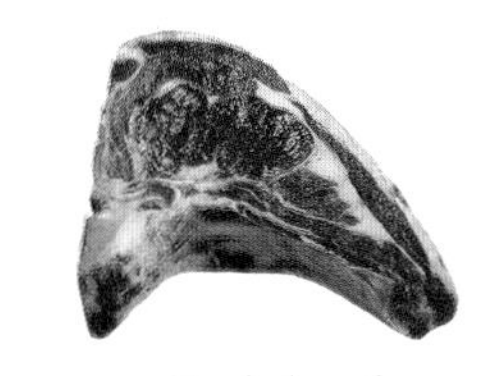

côte de bœuf

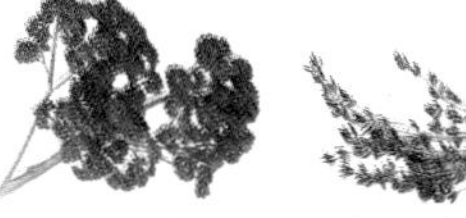

persil — thym frais

tomates

oignon — farine

vin rouge — poivrons rouges — huile d'olive — baies de genièvre

gousses d'ail — feuille de laurier

DÉROULEMENT

1 APPRÊTER ET RÔTIR LA CÔTE DE BŒUF

2 PRÉPARER LA SAUCE

3 POUR TERMINER

1 APPRÊTER ET RÔTIR LA CÔTE DE BŒUF

1 Préchauffez le four à 230 °C. Enlevez une bonne partie de la graisse de la viande, mais laissez-en une fine couche pour qu'elle ne se dessèche pas. Salez et poivrez. Posez la côte dans le plat à rôtir verticalement, les os pointant vers le haut. Enfournez-la pour environ 15 min, jusqu'à ce qu'elle commence à dorer.

Enlevez une bonne partie de la graisse, mais gardez-en une fine couche

2 Réduisez la température du four à 180 °C. Laissez cuire encore 50 min si vous aimez la viande saignante, de 60 à 70 min si vous la préférez à point. Arrosez souvent la côte de bœuf avec son jus de cuisson. Pendant qu'elle rôtit, préparez la sauce pebronata.

CONSEIL MALIN
Si la viande ne libère pas suffisamment de jus pendant la cuisson, ajoutez quelques cuillerées d'eau dans le plat.

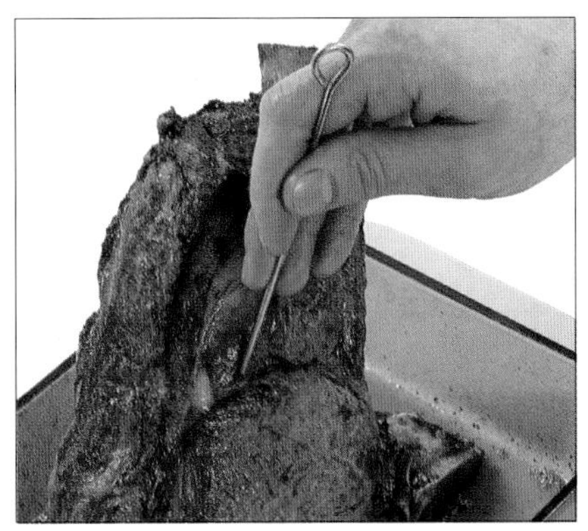

3 Assurez-vous que la côte est cuite en piquant 30 s la brochette en son centre : elle doit ressortir tiède si la viande est saignante, chaude si elle est à point. Un thermomètre à viande indique respectivement 52 °C et 60 °C.

2 PRÉPARER LA SAUCE PEBRONATA

1 Épluchez l'oignon, mais gardez sa base pour qu'il ne se défasse pas, et coupez-le en deux. Posez la tranche des moitiés d'oignon sur la planche à découper. À l'aide du couteau chef, découpez-les horizontalement, en partant du sommet, sans entailler la base. Émincez-les ensuite verticalement, toujours sans entailler la base. Hachez-les.

Utilisez la dernière phalange de vos doigts pour guider la lame du couteau

2 Posez le plat du couteau chef au sommet de chaque gousse d'ail et appuyez avec le poing. Épluchez-les avec les doigts et hachez-les finement.

3 Ôtez le pédoncule des tomates, retournez-les et entaillez-les en croix avec la pointe du couteau d'office. Mettez-les dans l'eau bouillante de 8 à 15 s selon leur degré de maturité : la peau se décolle en frisant au niveau de la croix. À l'aide de la cuiller percée, plongez-les aussitôt dans un bol d'eau fraîche.

4 Quand les tomates ont refroidi, pelez-les. Coupez-les en deux, pressez-les pour en chasser les graines, et concassez les finement.

Les tomates se pèlent plus facilement lorsqu'elles ont été plongées dans l'eau bouillante

5 Détachez les feuilles de thym et de persil de leur tige, rassemblez-les sur la planche à découper et hachez-les grossièrement à l'aide du couteau chef.

6 Grillez, pelez et épépinez les poivrons rouges (voir encadré p. 209). Coupez-les en deux et découpez-les en minces lanières dans le sens de la longueur.

7 Chauffez la moitié de l'huile dans une des poêles; faites-y fondre l'oignon de 3 à 4 min en remuant. Ajoutez l'ail, le thym et le persil et chauffez 1 min. Incorporez les tomates, salez, poivrez et laissez réduire la plus grande partie du liquide à feu vif, 25 min environ, en mélangeant souvent.

8 Pendant ce temps, étalez les baies de genièvre sur la planche à découper, posez dessus le plat du couteau chef et appuyez avec le poing pour les écraser.

Écrasez les baies de genièvre en pressant la lame du couteau avec le poing

9 Chauffez le reste de l'huile dans la seconde poêle, ajoutez les lanières de poivron rouge, le laurier et le genièvre; chauffez de 8 à 10 min en remuant, jusqu'à ce que les poivrons soient tendres.

10 Saupoudrez les poivrons de la farine et laissez-la cuire de 1 à 2 min en mélangeant, jusqu'à ce qu'elle dore légèrement.

11 Versez la moitié du vin rouge et chauffez en remuant jusqu'à ce que la sauce épaississe. Laissez mijoter 2 min.

12 Ajoutez la préparation au contenu de la première poêle et laissez bouillir à feu vif de 8 à 10 min. Jetez la feuille de laurier; goûtez et rectifiez l'assaisonnement.

GRILLER DES POIVRONS, LES PELER ET ENLEVER LEUR PÉDONCULE

Après avoir été grillés, pelés et débarrassés de leur pédoncule, les poivrons peuvent être farcis, ou émincés et mis dans des salades, ou encore cuisinés sautés ou avec d'autres légumes.

1 Posez les poivrons sur la grille et enfournez-les de 10 à 12 min à 10 cm environ sous le gril allumé. Retournez-les de temps en temps : la peau brunit et cloque. Sortez-les et enfermez-les dans un sachet en plastique.

2 La vapeur emprisonnée dans le sachet en plastique va décoller la peau des poivrons. Laissez-les refroidir. À l'aide d'un couteau d'office, pelez-les et rincez-les sous un filet d'eau froide. Séchez-les dans du papier absorbant.

3 Ôtez le pédoncule des poivrons. Si vous n'avez pas besoin de les garder entiers, coupez-les en deux dans le sens de la longueur. Enlevez les graines en les grattant avec une cuiller à café.

3 POUR TERMINER

1 Lorsque la viande est cuite selon votre goût, posez-la sur la planche à découper, enveloppez-la d'aluminium ménager et réservez-la au chaud de 10 à 15 min.

Enveloppée dans de l'aluminium ménager, la viande reste chaude pendant la préparation de la sauce

CONSEIL MALIN
Laissez la côte de bœuf reposer quelques instants : le jus se répartit mieux à l'intérieur et la viande sera plus facile à découper.

2 Inclinez le plat à rôtir; enlevez un maximum de graisse avec la grande cuiller en métal.

3 Versez le reste du vin rouge. Portez à ébullition en remuant à l'aide de la cuiller en bois pour décoller les sucs de cuisson. Chauffez encore de 2 à 3 min.

4 Passez le jus à travers le chinois au-dessus de la sauce pebronata.

Des fagots de haricots verts et de carottes sont liés par des «rubans» en tiges d'oignons nouveaux

La sauce pebronata apporte son parfum méditerranéen

POUR SERVIR
Découpez la côte de bœuf (voir encadré p. 211). Disposez les tranches sur des assiettes chaudes. Nappez-les éventuellement de leur sang. Accompagnez-les d'un peu de sauce et servez le reste à part.

VARIANTE

CÔTE DE BŒUF ET YORKSHIRE PUDDINGS

Par tradition, ce plat est au centre du déjeuner dominical en Grande-Bretagne.

1 Faites cuire la côte de bœuf dans un plat à rôtir en suivant la recette principale.
2 Pendant ce temps, préparez la pâte du Yorkshire pudding. Versez 180 g de farine dans un grand bol. Creusez un puits au centre et mettez-y 2 œufs battus avec du sel et du poivre. Versez 30 cl de lait en un mince filet, en remuant pour obtenir une pâte homogène. Ajoutez 10 cl d'eau. Couvrez et laissez reposer 15 min.
3 Quand la viande est cuite, enveloppez-la d'aluminium ménager.
4 Portez la température du four à 230 °C. Récupérez la graisse dans le plat à rôtir. Prenez 12 moules à petits pains ronds assez profonds; versez 1 cuil. à café de graisse de rôti dans chaque moule, en ajoutant éventuellement un peu d'huile. Mettez-les au four pour 5 min au moins.
5 Versez la pâte jusqu'à mi-hauteur des moules. Enfournez pour 15 à 20 min : les Yorkshire puddings dorent et gonflent.
6 Préparez la sauce. Délayez 1 ou 2 cuil. à café de farine dans le reste du jus de cuisson de la côte de bœuf et laissez cuire de 2 à 3 min, en mélangeant bien. Ajoutez 50 cl de fond de bœuf, de fond brun de veau ou d'eau. Chauffez à feu vif en remuant 2 min. Filtrez.
7 Découpez la côte de bœuf; disposez 2 tranches sur chaque assiette chaude avec un Yorkshire pudding et des légumes. Servez la sauce à part.

VARIANTE

CÔTE DE BŒUF ET PETITS LÉGUMES GLACÉS

Des oignons, des navets et des carottes glacés remplacent la sauce pebronata pour garnir une côte de bœuf servie en hiver.

1 Faites cuire la côte de bœuf dans un plat à rôtir en suivant la recette principale.
2 Mettez 15 petits oignons blancs (250 g environ) dans un bol, recouvrez-les d'eau chaude et laissez-les tremper 2 min : vous les éplucherez plus facilement. Séchez-les et pelez-les avec un couteau d'office.
3 Ôtez les extrémités de 250 g de petits navets et coupez-les en morceaux dans le sens de la hauteur. Pelez-les à l'aide d'un couteau d'office en leur donnant une forme légèrement arrondie.
4 Épluchez 250 g de carottes, ôtez-en les extrémités et coupez-les en tronçons de 5 cm dans le sens de la longueur. Puis détaillez-les en deux ou en quatre. Donnez-leur une forme légèrement arrondie, comme pour les navets.
5 Cuisez les légumes séparément dans 3 petites casseroles avec 15 g de beurre, 2 cuil. à café de sucre en poudre et juste assez d'eau pour les couvrir. Salez et poivrez. Portez à ébullition et laissez mijoter les oignons de 8 à 10 min, les carottes de 10 à 15 min et les navets de 8 à 10 min, jusqu'à évaporation presque complète de l'eau. Si les légumes sont encore trop croquants, ajoutez 2 ou 3 cuil. à café d'eau et prolongez la cuisson. Remuez les légumes de temps en temps pour qu'ils glacent de tous les côtés.
6 Mettez la côte de bœuf sur une planche à découper, enveloppez-la d'aluminium ménager et laissez-la reposer de 10 à 15 min. Versez le vin rouge et décollez les sucs de cuisson. Ajoutez la même quantité de fond de bœuf, de fond brun de veau ou d'eau; portez à ébullition. Goûtez, rectifiez l'assaisonnement et passez la sauce à travers un chinois.
7 Découpez la côte de bœuf. Disposez les tranches sur des assiettes chaudes avec des petits légumes glacés. Nappez d'un peu de sauce et décorez d'herbes fraîches. Servez le reste de sauce à part.

DÉCOUPER UNE CÔTE DE BŒUF

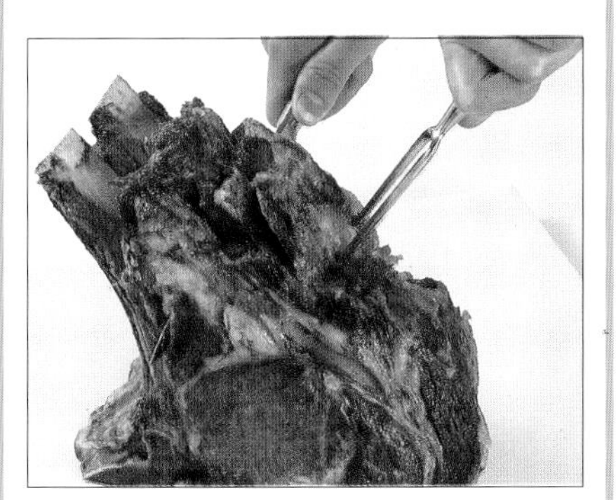

1 Posez la côte de bœuf verticalement sur la planche à découper et tenez-la à l'aide de la fourchette à rôti. Enlevez les os pour faciliter la découpe de la viande.

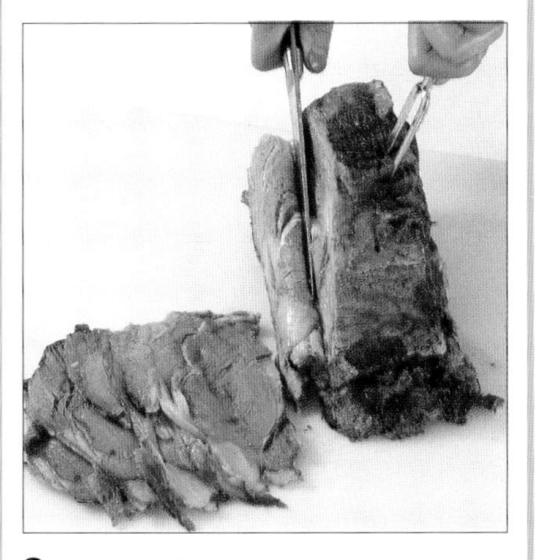

2 Placez la lame du couteau en biais et découpez dans le sens de la hauteur des tranches de 2 cm d'épaisseur.

LES DESSERTS

Tarte bavaroise aux prunes

 Pour 6 à 8 personnes  Préparation : de 35 à 40 min* Cuisson : de 50 à 55 min

Équipement

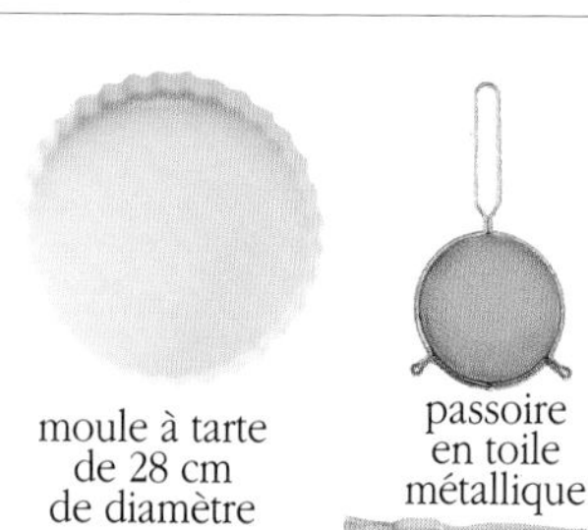

moule à tarte de 28 cm de diamètre

passoire en toile métallique

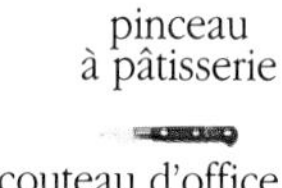

pinceau à pâtisserie

couteau d'office

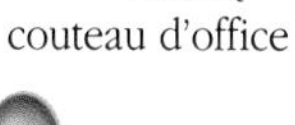

plaque à pâtisserie

louche

grille à pâtisserie

bols

raclette à pâtisserie

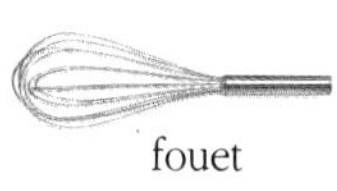

fouet

rouleau à pâtisserie

La Bavière est renommée pour ses gâteaux et ses tartes. Ici, une pâte à brioche rapide à préparer accueille des prunes. Le jus des fruits se mêle à la garniture de crème pour donner un mariage moelleux. La quantité de sucre nécessaire dépendra de la douceur des prunes. Des abricots ou des reines-claudes seront tout aussi délicieux.

**plus 2 h 15 à 3 h de temps de repos*

Le marché

1 kg de prunes royales
2 cuil. à soupe de chapelure
2 jaunes d'œufs
100 g de sucre en poudre, ou plus
10 cl de crème épaisse
Pour la pâte
1 1/2 cuil. à café de levure chimique, ou 10 g de levure de boulanger
5 cl d'eau tiède
huile végétale pour graisser le bol
400 g de farine de blé supérieure, ou plus
2 cuil. à soupe de sucre en poudre
1 cuil. à café de sel
3 œufs
125 g de beurre doux, et un peu pour graisser le moule

Ingrédients

prunes royales

beurre doux

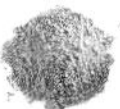

levure de boulanger

chapelure

farine de blé supérieure

œufs entiers

jaunes d'œufs

crème épaisse

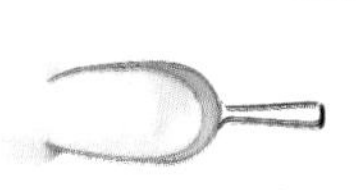

sucre en poudre

huile végétale

Déroulement

1 Faire la pâte; dénoyauter les prunes

2 Foncer le moule et garnir le fond

3 Préparer la crème et terminer la tarte

1 FAIRE LA PÂTE À BRIOCHE; DÉNOYAUTER LES PRUNES

1 Dans un petit bol, versez l'eau et saupoudrez ou émiettez la levure dessus. Laissez tremper 5 min, jusqu'à ce qu'elle soit fondue. Huilez légèrement un bol moyen. Tamisez la farine au-dessus du plan de travail. Creusez un puits au centre et mettez-y le sucre, le sel, la levure avec son eau, et les œufs.

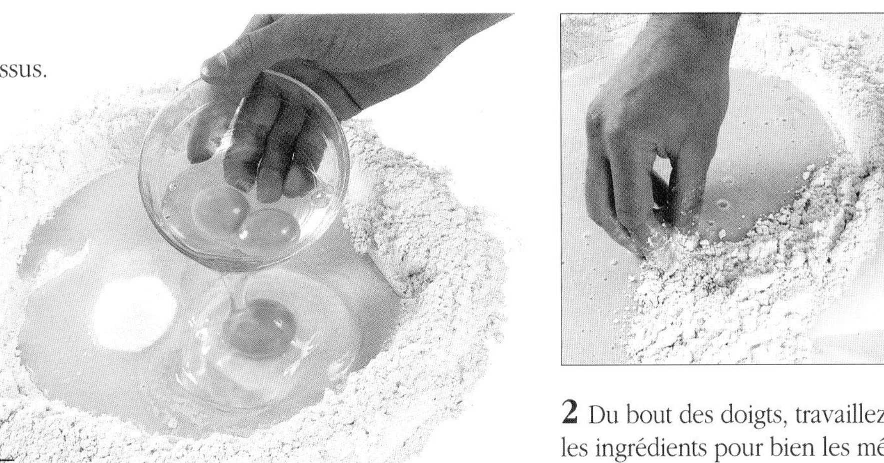

Les parois de farine retiennent les ingrédients liquides

2 Du bout des doigts, travaillez les ingrédients pour bien les mélanger. Ramenez la farine vers le centre à l'aide de la raclette à pâtisserie.

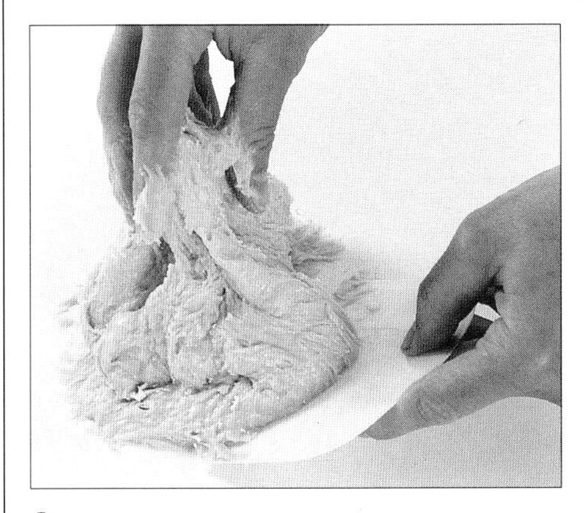

3 Incorporez la farine du bout des doigts pour obtenir une pâte souple; si elle colle trop, ajoutez un peu plus de farine.

4 Pétrissez la pâte 10 min environ, en la soulevant et en la laissant retomber, jusqu'à ce qu'elle soit très élastique et ressemble à une peau de chamois. Ajoutez éventuellement un peu de farine pour qu'elle soit encore légèrement collante mais qu'elle se détache du plan de travail d'un seul morceau.

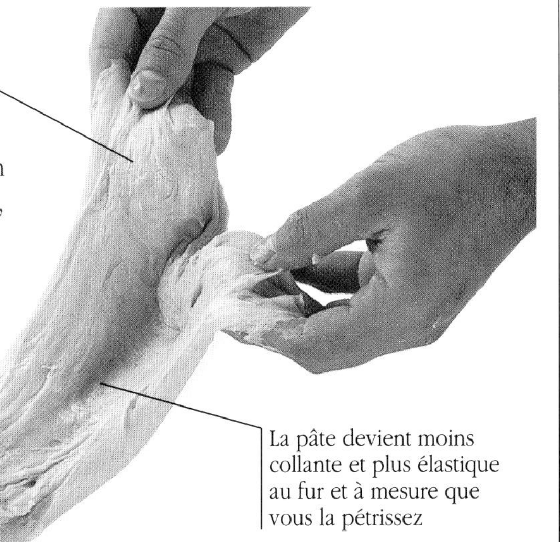

Pour bien pétrir une pâte, il faut la soulever plusieurs fois

La pâte devient moins collante et plus élastique au fur et à mesure que vous la pétrissez

5 Écrasez le beurre sous le rouleau à pâtisserie pour le ramollir. Incorporez-le à la pâte : pincez-la et pressez-la pour le faire pénétrer, puis pétrissez-la de 3 à 5 min jusqu'à ce qu'elle soit souple. Vous pouvez aussi la travailler avec un mixeur électrique équipé de crochets à pâte.

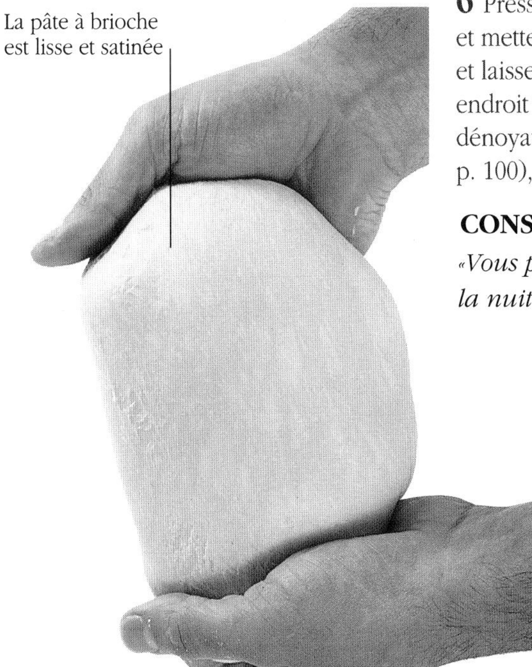

La pâte à brioche est lisse et satinée

6 Pressez la pâte pour former une boule et mettez-la dans le bol huilé. Couvrez-la et laissez-la lever de 1 h 30 à 2 h dans un endroit tiède. Pendant ce temps, dénoyautez les prunes (voir encadré p. 100), et coupez chaque moitié en deux.

CONSEIL MALIN

«Vous pouvez laisser la pâte lever toute la nuit au réfrigérateur.»

COUPER ET DÉNOYAUTER UNE PRUNE

Plus le fruit est mûr, plus le noyau est facile à enlever.

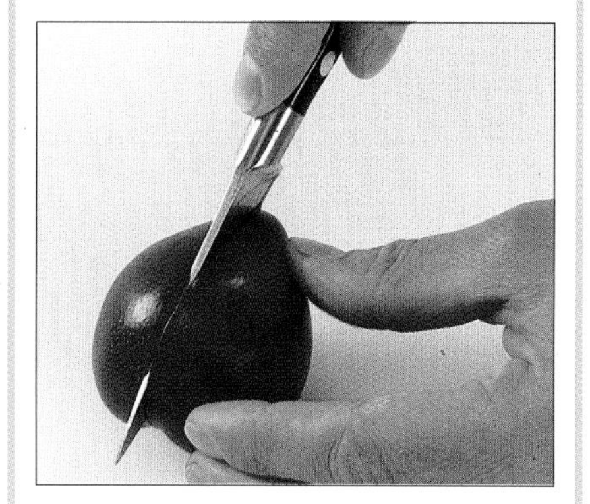

1 À l'aide d'un couteau d'office aiguisé, coupez la prune en deux, en vous guidant sur le sillon.

2 Faites pivoter les 2 moitiés entre vos mains pour les séparer.

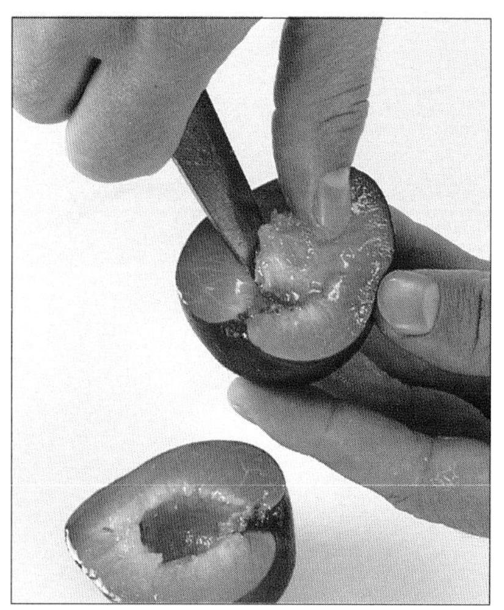

3 Si la chair adhère au noyau, détachez-la avec la pointe du couteau. Enlevez le noyau et jetez-le.

2 FONCER LE MOULE ET GARNIR LE FOND DE PÂTE

1 Enduisez le moule de beurre fondu. Pétrissez légèrement la pâte à brioche pour en chasser l'air. Farinez le plan de travail et abaissez-la en un cercle de 32 cm de diamètre.

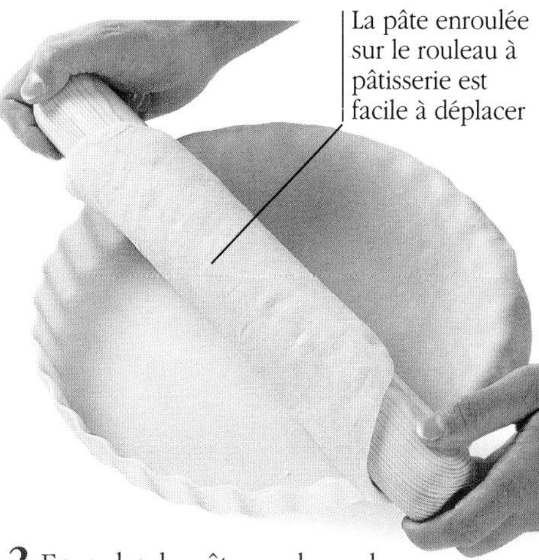

2 Enroulez la pâte sur le rouleau à pâtisserie et déposez-la souplement sur le moule.

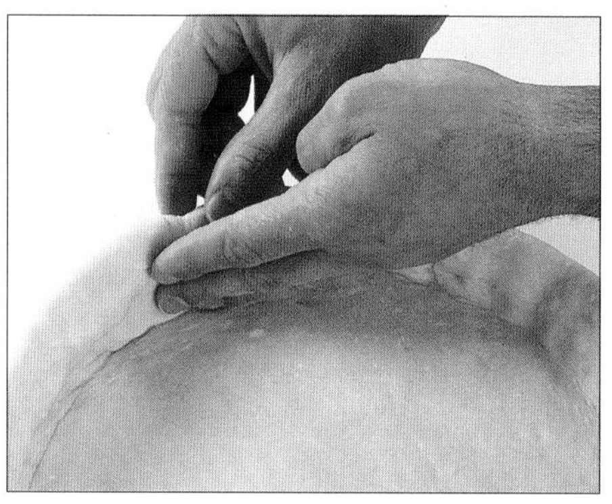

3 Soulevez légèrement le bord de la pâte du bout des doigts et pressez-la bien sur le fond et les parois du moule.

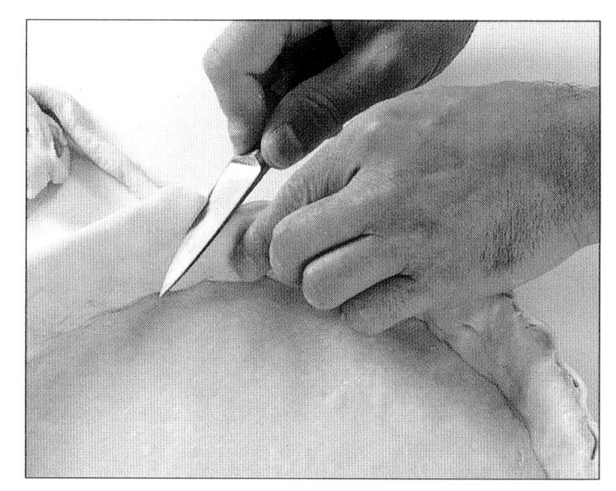

4 À l'aide du couteau d'office, enlevez l'excès de pâte, en vous guidant sur le bord du moule.

5 Saupoudrez le fond de pâte de chapelure. Disposez dessus les quartiers de prunes, peau vers le bas, en cercles concentriques. Laissez reposer à température ambiante de 30 à 45 min, jusqu'à ce que les bords de la pâte soient gonflés. Pendant ce temps, préchauffez le four à 220 °C. Glissez-y la plaque à pâtisserie.

CONSEIL MALIN

«La chapelure absorbe le jus des fruits et évite à la pâte de ramollir.»

3 PRÉPARER LA CRÈME ET TERMINER LA TARTE

1 Mettez les jaunes d'œufs et les 2/3 du sucre dans un bol. Versez la crème épaisse. Fouettez pour bien mélanger les ingrédients.

2 Saupoudrez les quartiers de prunes avec le reste du sucre et enfournez sur la plaque pour 5 min. Baissez la température du four à 180 °C.

3 Versez à la louche la crème sur les fruits, enfournez de nouveau et poursuivez la cuison de 25 à 50 min, jusqu'à ce que la pâte soit dorée, les fruits tendres et la crème prise.

ATTENTION !
Ne faites pas trop cuire la tarte, car la crème se déferait.

Les prunes saupoudrées de sucre glacent joliment à la cuisson

POUR SERVIR
Laissez la tarte refroidir sur la grille. Servez-la chaude ou à température ambiante, découpée en parts.

VARIANTE
TARTE BAVAROISE AUX MYRTILLES

Traditionnellement, les Bavarois préparent cette tarte avec des airelles. Les myrtilles sont cependant plus faciles à trouver dans le commerce.

1 N'utilisez pas de prunes. Faites la pâte à brioche. Triez 500 g de myrtilles; ne les lavez que si elles sont sales. Laissez-les entières.
2 Composez la tarte en suivant la recette principale. Préparez la crème, en utilisant 60 g de sucre, 4 jaunes d'œufs et 15 cl de crème épaisse.
3 Saupoudrez les myrtilles avec 2 cuil. à soupe de sucre. Enfournez la tarte pour 5 min. Versez la crème à la louche et enfournez de nouveau pour 45 à 50 min.
4 Juste avant de servir, saupoudrez la tarte à travers une passoire en toile métallique avec 1 ou 2 cuil. à soupe de sucre glace. Servez chaud ou à température ambiante, découpé en parts.

SAVOIR S'ORGANISER

Vous pouvez préparer la pâte 24 h à l'avance et la conserver, couverte, au réfrigérateur. La tarte est meilleure le jour de la cuisson.

TARTE AU LAIT DE POULE

POUR 6 À 8 PERSONNES — PRÉPARATION : DE 40 À 45 MIN* — CUISSON : DE 2 À 3 H

ÉQUIPEMENT

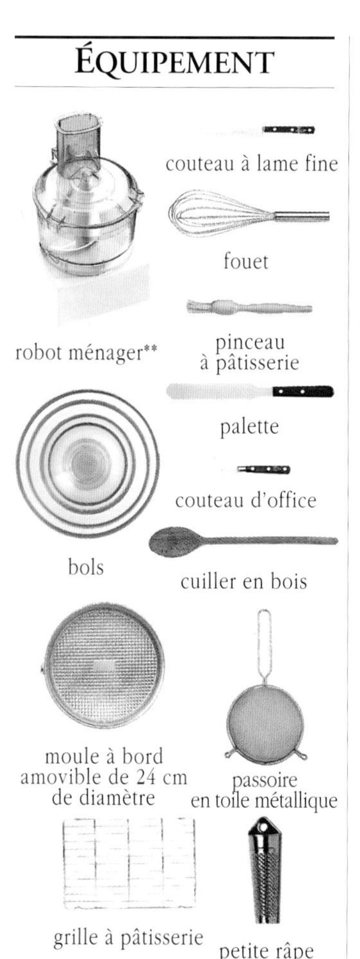

couteau à lame fine

fouet

robot ménager**

pinceau à pâtisserie

palette

bols

couteau d'office

cuiller en bois

moule à bord amovible de 24 cm de diamètre

passoire en toile métallique

grille à pâtisserie

petite râpe

plaque à pâtisserie

casseroles, dont 1 à fond épais avec couvercle

spatule en caoutchouc

** ou rouleau à pâtisserie et sachet en plastique

Le lait de poule est un riche mélange fait avec du lait et des jaunes d'œufs. Dans cette recette, il enrichit une tarte crémeuse parfumée au rhum qui se sert très froide, saupoudrée de noix de muscade fraîche. Le fond se compose d'amarettis aux amandes, réduits en miettes et liés au beurre. Vous pouvez utiliser d'autres biscuits croquants.

SAVOIR S'ORGANISER

Vous pouvez préparer la tarte 24 h à l'avance et la conserver, couverte, au réfrigérateur. Ajoutez la noix de muscade au dernier moment.

* *plus 15 min de réfrigération et de 10 à 15 min de cuisson à blanc*

LE MARCHÉ

50 cl de lait

1 gousse de vanille et/ou 1 cuil. à café d'extrait de vanille

50 g de sucre en poudre

2 cuil. à soupe de fécule de maïs

4 jaunes d'œufs

20 cl de crème épaisse

7 g de gélatine en poudre

5 cl de rhum brun, ou plus selon votre goût

noix de muscade entière

Pour le fond

125 g de beurre doux, et un peu pour graisser le moule

250 g d'amarettis

INGRÉDIENTS

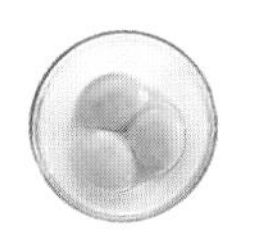

jaunes d'œufs

lait

gousse de vanille

rhum brun

sucre en poudre

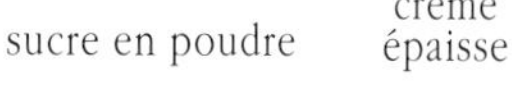

crème épaisse

biscuits amarettis

beurre doux

gélatine en poudre

noix de muscade entière***

fécule de maïs

*** ou 1/4 de cuil. à café de noix de muscade en poudre

DÉROULEMENT

1 PRÉPARER ET CUIRE LE FOND D'AMARETTIS

2 PRÉPARER LA CRÈME

3 POUR TERMINER

1 PRÉPARER ET CUIRE LE FOND D'AMARETTIS

1 Préchauffez le four à 180 °C. Chauffez le beurre dans une petite casserole et graissez légèrement le moule à bord amovible. À l'aide du robot ménager, réduisez les amarettis en fines miettes. Vous pouvez aussi les mettre dans un sachet en plastique et les écraser avec un rouleau à pâtisserie. Mettez les miettes dans un bol moyen.

2 Versez le beurre fondu sur les miettes de biscuit et mélangez jusqu'à ce que la préparation soit parfaitement homogène.

3 Disposez le mélange au fond du moule, sur une hauteur de 2,5 cm. Laissez-le se raffermir au réfrigérateur 15 min. Glissez la plaque à pâtisserie dans le four. Posez-y le moule et cuisez de 15 min. Laissez refroidir sur la grille à pâtisserie.

Pressez bien les miettes dans le moule avec le dos d'une cuiller

2 PRÉPARER LA CRÈME

1 Versez le lait dans la casserole à fond épais. Ouvrez la gousse de vanille en deux dans le sens de la longueur et mettez-la dans le lait. Portez à ébullition, retirez aussitôt du feu, couvrez et laissez infuser au chaud de 10 à 15 min. Sortez la gousse de vanille, rincez-la et gardez-la pour une autre recette.

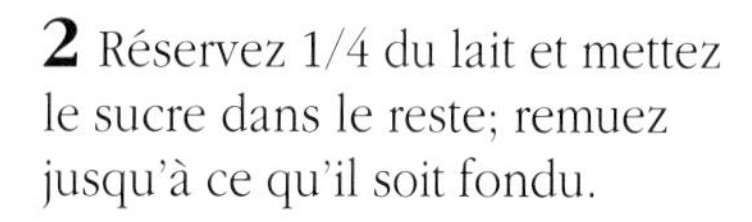

2 Réservez 1/4 du lait et mettez le sucre dans le reste; remuez jusqu'à ce qu'il soit fondu.

3 Mettez la fécule de maïs et les jaunes d'œufs dans un bol moyen et fouettez jusqu'à ce que le mélange soit lisse.

Versez le lait en un filet régulier

4 Versez doucement le lait chaud sucré dans le bol et fouettez jusqu'à ce que la préparation soit parfaitement homogène.

5 Mettez le mélange dans la casserole à fond épais et cuisez sur feu moyen, en remuant sans arrêt, jusqu'à ce qu'il commence à bouillir et soit assez épais pour napper le dos de la cuiller en bois; votre doigt doit y laisser une marque nette.

ATTENTION !
Ne laissez pas bouillir la crème, car elle se déferait.

Tournez en dessinant des huit pour que la crème n'attache pas au fond de la casserole

Portez la crème à très légère ébullition pour cuire les œufs

6 Hors du feu, incorporez le lait réservé à la crème et filtrez-la au-dessus d'un bol froid. Ajoutez l'extrait de vanille, si vous l'aimez. Couvrez bien pour éviter la formation d'une peau à la surface et laissez tiédir.

3 Terminer la garniture; composer la tarte

1 Mettez la crème fraîche dans un bol bien froid et fouettez-la jusqu'à ce qu'elle forme de petites crêtes; couvrez et mettez au réfrigérateur.

2 Versez le rhum dans une petite casserole et saupoudrez la gélatine par-dessus. Laissez-la gonfler 5 min. Mettez sur feu doux et laissez-la fondre de 1 à 2 min, en secouant la casserole de temps en temps.

ATTENTION !
Ne remuez pas la gélatine, car elle ferait des fils.

3 Versez le mélange de rhum et de gélatine dans la crème tiède. Goûtez et ajoutez éventuellement un peu de rhum.

La gélatine s'incorpore bien à la crème tiède

4 Mettez le bol de crème dans un bol plus grand, à moitié rempli d'eau glacée, et remuez doucement jusqu'à ce que la crème épaississe.

5 Dès que la crème commence à prendre, sortez-la du bol d'eau glacée et fouettez-la vivement 10 s, pour l'alléger.

6 Ajoutez la crème fouettée et mélangez bien, en soulevant la préparation et en la repliant sur elle-même. En même temps, tournez le bol dans le sens inverse des aiguilles d'une montre.

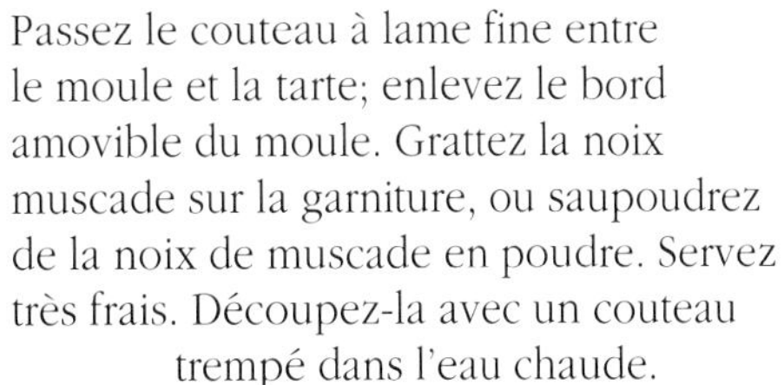

7 Versez la garniture sur le fond de biscuits, lissez-en la surface à l'aide de la palette, puis mettez au réfrigérateur pour 2 à 3 h, jusqu'à ce que la tarte soit ferme.

POUR SERVIR

Passez le couteau à lame fine entre le moule et la tarte; enlevez le bord amovible du moule. Grattez la noix muscade sur la garniture, ou saupoudrez de la noix de muscade en poudre. Servez très frais. Découpez-la avec un couteau trempé dans l'eau chaude.

La noix de muscade râpée accompagne souvent le lait de poule

Le fond de biscuits entoure la crème onctueuse

VARIANTE

TARTELETTES À L'IRISH COFFEE

Du café et du whiskey irlandais parfument ces tartelettes, rappelant la célèbre boisson irlandaise.

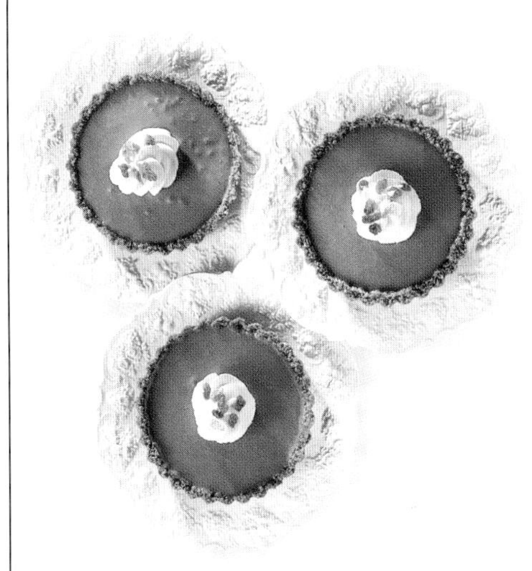

1 N'utilisez ni noix de muscade, ni gousse de vanille, ni rhum. Doublez la quantité de fond de biscuits, avec 250 g de beurre doux et 500 g d'amarettis. Foncez avec ce mélange 8 moules à tartelette à fond amovible de 10 cm de diamètre. Mettez au réfrigérateur puis cuisez de 8 à 10 min.

2 Préparez la crème : mettez le lait dans une casserole à fond épais avec 3 cuil. à soupe de café instantané et portez à légère ébullition, en remuant jusqu'à ce que le café soit fondu. Terminez la crème en remplaçant le rhum par du whiskey. Composez les tartelettes et laissez-les se raffermir au réfrigérateur.

3 Pendant ce temps, préparez une crème Chantilly : dans un bol très froid, fouettez 20 cl de crème épaisse. Ajoutez 2 cuil. à café de sucre glace et 1/2 cuil. à café d'extrait de vanille; continuez à fouetter jusqu'à ce que la crème fasse une pointe ferme. Mettez au réfrigérateur.

4 Remplissez une poche à douille à embout étoilé de Chantilly et déposez une rosette de crème au-dessus de chaque tartelette. Décorez avec des cristaux de sucre roux. Servez dans les 2 h.

LINZERTORTE

POUR 6 À 8 PERSONNES — PRÉPARATION : DE 30 À 35 MIN* — CUISSON : DE 40 À 45 MIN

ÉQUIPEMENT

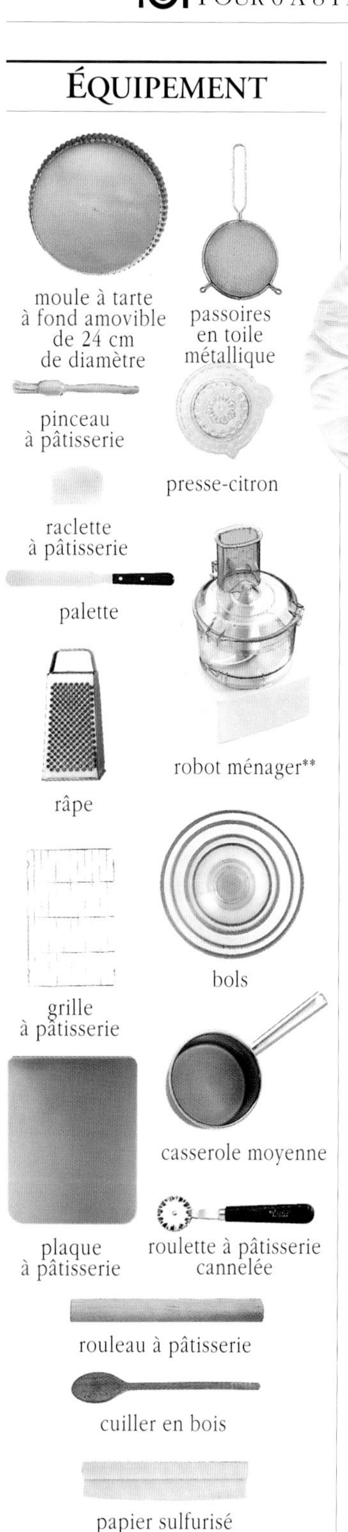

** ou râpe électrique

Cette spécialité viennoise — pâte riche aux amandes et garniture aux framboises — est probablement originaire de la ville de Linz, en Autriche. Elle est couronnée de croisillons de pâte saupoudrés de sucre glace.

SAVOIR S'ORGANISER

Vous pouvez cuire la tarte 24 à 48 h à l'avance et la conserver dans un récipient hermétique : les saveurs se mêleront. Ne la saupoudrez pas de sucre glace plus de 30 min avant de servir.

**plus 1 h 15 à 1 h 30 de réfrigération*

LE MARCHÉ

400 g de framboises
125 g de sucre en poudre
1 à 2 cuil. à soupe de sucre glace

Pour la pâte

1 citron
200 g d'amandes entières mondées
125 g de farine de blé supérieure, ou plus
1/2 cuil. à café de cannelle en poudre
1 pincée de clou de girofle en poudre
125 g de beurre doux, et un peu pour graisser le moule
1 jaune d'œuf
100 g de sucre en poudre
1/4 de cuil. à café de sel

INGRÉDIENTS

amandes entières mondées
framboises
beurre doux
farine de blé supérieure
sucre en poudre
jaune d'œuf
citron
cannelle en poudre
sucre glace
clou de girofle en poudre

DÉROULEMENT

1 FAIRE LA PÂTE; PRÉPARER LA GARNITURE

2 FONCER LE MOULE ET TERMINER LA TARTE

1 FAIRE LA PÂTE AUX AMANDES; PRÉPARER LA GARNITURE AUX FRAMBOISES

1 Râpez le zeste de citron sur du papier sulfurisé. Coupez le fruit en deux et pressez-le pour obtenir environ 1 1/2 cuil. à soupe de jus.

2 Mettez les amandes entières dans le robot ménager, avec la moitié de la farine pour leur éviter de devenir huileuses, et broyez-les finement. Vous pouvez aussi les moudre dans une râpe électrique.

3 Tamisez le reste de la farine, avec les épices, sur le plan de travail. Mélangez-y les amandes, puis creusez-y un puits. Ramollissez le beurre. Mettez-le dans le puits avec le jaune d'œuf, le sucre, le sel, le jus et le zeste de citron.

4 Travaillez tous les ingrédients du bout des doigts jusqu'à ce qu'ils soient parfaitement mélangés. Ramenez la farine vers le centre et incorporez-la aux autres ingrédients jusqu'à ce que la pâte forme de grosses miettes.

5 Pressez légèrement la pâte pour former une boule, en ajoutant un peu de farine si elle colle. Farinez légèrement le plan de travail.

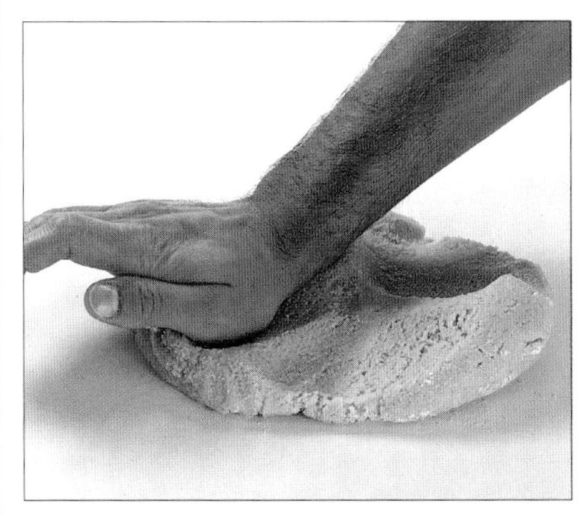

6 Pétrissez la pâte sous le talon de votre main. Repliez-la sur elle-même à l'aide de la raclette à pâtisserie et continuez à pétrir de 1 à 2 min, jusqu'à ce qu'elle soit souple et se détache du plan de travail d'un seul morceau. Formez une boule, emballez-la bien et laissez-la raffermir au réfrigérateur de 1 à 2 h. Pendant ce temps, préparez la garniture.

Écrasez les framboises à la cuiller

7 Triez les framboises; ne les lavez que si elles sont sales. Mettez-les avec le sucre dans la casserole. Cuisez de 10 à 12 min, en remuant, jusqu'à ce qu'elles forment une pulpe épaisse. Laissez refroidir.

8 Tamisez la moitié de la pulpe de framboises, en pressant avec le dos de la cuiller en bois, pour retenir les graines. Incorporez le reste de purée, en gardant les graines pour donner de la consistance.

2 FONCER LE MOULE ET TERMINER LA TARTE

1 Enduisez le moule de beurre fondu. Farinez légèrement le plan de travail; abaissez les 2/3 de la pâte en un cercle de 28 cm de diamètre. Formez une boule avec les chutes de pâte et mettez-la au réfrigérateur.

2 Enroulez la pâte sur le rouleau à pâtisserie et déposez-la sur le moule. Soulevez délicatement le bord de la pâte d'une main et, de l'autre, pressez-la sur le fond et les parois. Laissez-la légèrement dépasser le bord du moule.

3 Passez le rouleau à pâtisserie au-dessus du moule pour enlever l'excès de pâte. Remontez-la un peu pour former un bord épais.

La roulette à pâtisserie cannelée crée de jolies découpes

4 Mettez la garniture dans le moule. Abaissez le reste de pâte; découpez-y un rectangle de 12 x 30 cm. Réservez les chutes. Détaillez la pâte en 12 lanières de 1 cm à l'aide de la roulette à pâtisserie.

5 Posez la moitié des lanières de pâte en travers de la garniture, à intervalles de 2 cm environ. Tournez la tarte de 45° et posez les autres lanières en diagonale. Farinez le rouleau à pâtisserie et passez-le sur le moule pour enlever le bout des lanières.

La palette permet de soulever facilement les fragiles bandes de pâte

Espacez les lanières de pâte le plus régulièrement possible

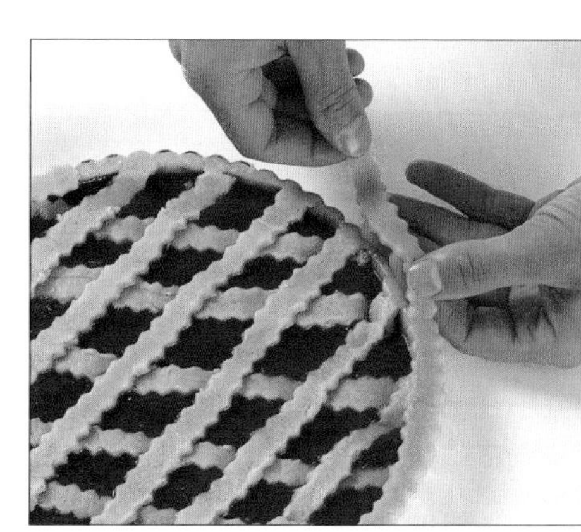

6 Abaissez toutes les chutes de pâte en une longue bande. À l'aide de la raclette à pâtisserie, découpez 3 ou 4 lanières de 1,5 cm pour recouvrir le bord du moule. Enduisez celui-ci d'eau froide. Posez-y les lanières de pâte en les pressant bien du bout des doigts. Laissez la tarte se raffermir au réfrigérateur 15 min environ.

7 Préchauffez le four à 190 °C. Glissez-y la plaque à pâtisserie. Enfournez la tarte pour 15 min, jusqu'à ce que la pâte commence à se colorer. Baissez la température à 180 °C et poursuivez la cuisson de 25 à 30 min, jusqu'à ce que la tarte soit bien dorée et commence à se détacher des parois du moule.

8 Mettez la tarte sur la grille à pâtisserie et laissez-la légèrement refroidir. Posez le moule sur un grand bol et enlevez le bord. Glissez la tarte du fond du moule sur la grille et laissez refroidir complètement.

Le bol soutient le fond du moule

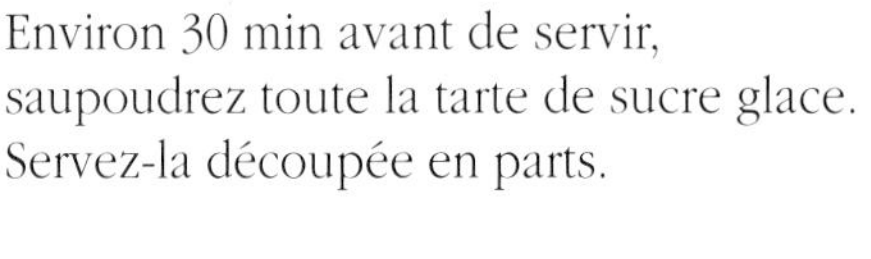

POUR SERVIR

Environ 30 min avant de servir, saupoudrez toute la tarte de sucre glace. Servez-la découpée en parts.

VARIANTE

TARTE À LA NOISETTE AUX ABRICOTS

Un décor de pâte à la noisette couronne une garniture aux abricots.

1 N'utilisez pas de framboises. Remplaçez les amandes par des noisettes. Étalez-les sur une plaque à pâtisserie et grillez-les dans un four à 180 °C de 10 à 12 min. Roulez-les dans un torchon pour en enlever la peau; laissez-les refroidir. Faites la pâte et foncez le moule.

2 Hachez 400 g d'abricots secs dénoyautés. Dans une casserole, mélangez-les avec 2 ou 3 cuil. à soupe de sucre et couvrez d'eau. Laissez frémir de 8 à 10 min, jusqu'à ce qu'ils forment une pulpe épaisse. Laissez refroidir.

3 Étalez la garniture sur le fond de pâte. Abaissez les 2/3 du reste de pâte en un rectangle de 6 x 30 cm. À l'aide d'une roulette à pâtisserie cannelée, détaillez-le en 6 longues lanières que vous couperez en deux. Posez une de leurs extrémités au centre de la tarte, courbez-les et fixez l'autre extrémité au bord du fond. Egalisez. Abaissez le reste de pâte, coupez-y des lanières et disposez-les sur le bord de la tarte. Abaissez enfin les chutes de pâte pour y faire des fleurs, que vous poserez au centre de la tarte.

4 Mettez au réfrigérateur, puis cuisez et servez en parts.

TARTELETTES TATIN AUX MANGUES

POUR 6 PERSONNES — PRÉPARATION : DE 40 À 45 MIN*  CUISSON : DE 20 À 25 MIN

ÉQUIPEMENT

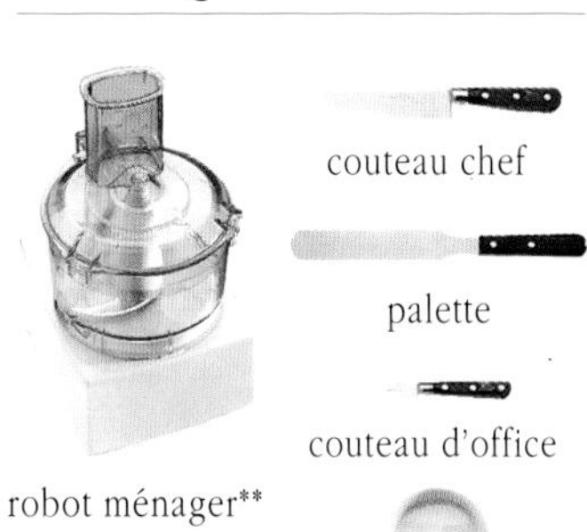

couteau chef

palette

couteau d'office

robot ménager**

6 plats à rôtir de 10 cm de diamètre***

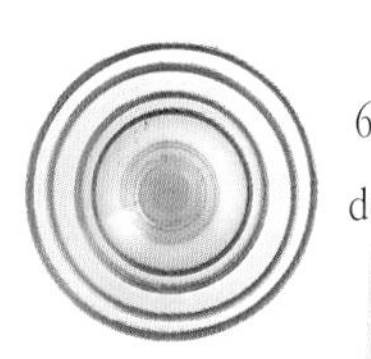

bols

torchon

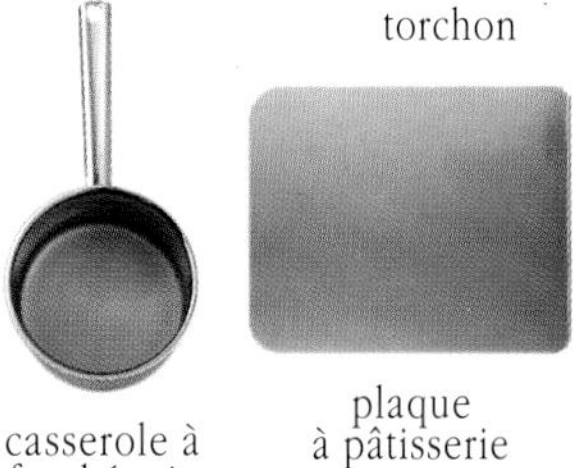

casserole à fond épais

plaque à pâtisserie

rouleau à pâtisserie

spatule en caoutchouc

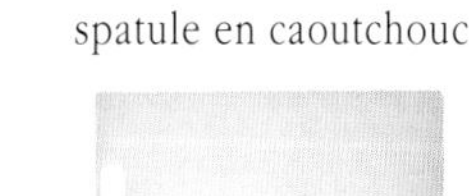

planche à découper

** ou mixeur
*** ou 6 moules à tartelette à fond fixe de 10 cm de diamètre

La délicieuse tarte Tatin, avec ses pommes et son caramel doré, est connue dans le monde entier; cette variante contemporaine, préparée avec des mangues, est tout aussi délicate. Les tartelettes, dont les fruits cuisent sous la pâte, sont servies renversées et chaudes, nappées d'un coulis de mangue bien froid.

SAVOIR S'ORGANISER

Vous pouvez préparer la pâte 48 h à l'avance et la conserver, bien emballée, au réfrigérateur. Les tartelettes cuites et le coulis se gardent 8 h, les premières dans leurs plats, le second au froid. Pour servir, réchauffez les gâteaux 10 min dans un four à 180 °C, puis renversez-les.

**plus 45 min de réfrigération*

LE MARCHÉ

200 g de sucre en poudre
15 cl d'eau
4 mangues moyennes, soit 1,5 kg environ
le jus de 1/2 citron vert
1 à 2 cuil. à soupe de sucre glace (facultatif)

Pour la pâte

100 g de beurre doux
3 jaunes d'œufs
1/2 cuil. à café d'extrait de vanille
200 de farine de blé supérieure, ou plus
60 g de sucre en poudre
1/4 de cuil. à café de sel

INGRÉDIENTS

mangues — beurre doux — extrait de vanille

jus de citron vert — sucre en poudre

farine de blé supérieure — jaunes d'œufs

CONSEIL MALIN

Choisissez des mangues mûres mais encore fermes, pour qu'elles ne rendent pas trop de jus à la cuisson.

DÉROULEMENT

1 FAIRE LA PÂTE ET LE CARAMEL

2 PRÉPARER LES MANGUES; REMPLIR ET CUIRE LES TARTELETTES

3 PRÉPARER LE COULIS ; DÉMOULER LES TARTELETTES

FAIRE LA PÂTE ET LE CARAMEL

1 Faites la pâte sablée et laissez-la se raffermir au réfrigérateur (voir encadré p. 228). Préparez le caramel : mettez l'eau et le sucre dans la casserole et chauffez doucement jusqu'à ce qu'il soit fondu, en remuant de temps en temps. Faites bouillir, sans remuer, jusqu'à ce que le mélange commence à se colorer sur les bords.

Les bulles éclatent plus lentement et le sirop devient doré

Maintenez une bonne ébullition pour que l'eau s'évapore rapidement

ATTENTION !
Ne remuez pas le sirop pendant l'ébullition, car il cristalliserait

2 Baissez le feu et poursuivez la cuisson, en secouant et en tournant la casserole une ou deux fois pour que le sirop se colore uniformément.

ATTENTION !
Ne faites pas brunir le caramel; s'il est trop sombre, il deviendra amer en cuisant de nouveau dans le four.

3 Retirez la casserole du feu et plongez-en immédiatement le fond dans un bol d'eau froide pour interrompre la cuisson.

4 Versez 1/6 du caramel au fond d'un des plats à rôtir. Faites-le tourner rapidement pour que le fond soit nappé d'une couche fine et régulière. Procédez de la même façon pour les autres plats. Laissez refroidir.

Inclinez et tournez le moule pour étaler régulièrement le caramel

PRÉPARER LES MANGUES; REMPLIR ET CUIRE LES TARTELETTES

1 Pelez les mangues à l'aide du couteau d'office, en veillant à enlever un minimum de chair avec la peau.

2 Enlevez les 2 morceaux charnus des mangues en glissant le couteau au ras des noyaux. Débarrassez ceux-ci du reste de chair et réservez-la pour le coulis. Jetez les noyaux.

Coupez aussi près du noyau que possible

3 Coupez chaque morceau de mangue en 3. Disposez-les, tranche vers le haut, sur le caramel des plats. S'il en reste, gardez-les pour le coulis.

4 Farinez légèrement le plan de travail. Roulez la pâte entre vos mains pour former un cylindre de 30 cm de long. Coupez-le en 6 morceaux égaux; donnez-leur une forme de boule.

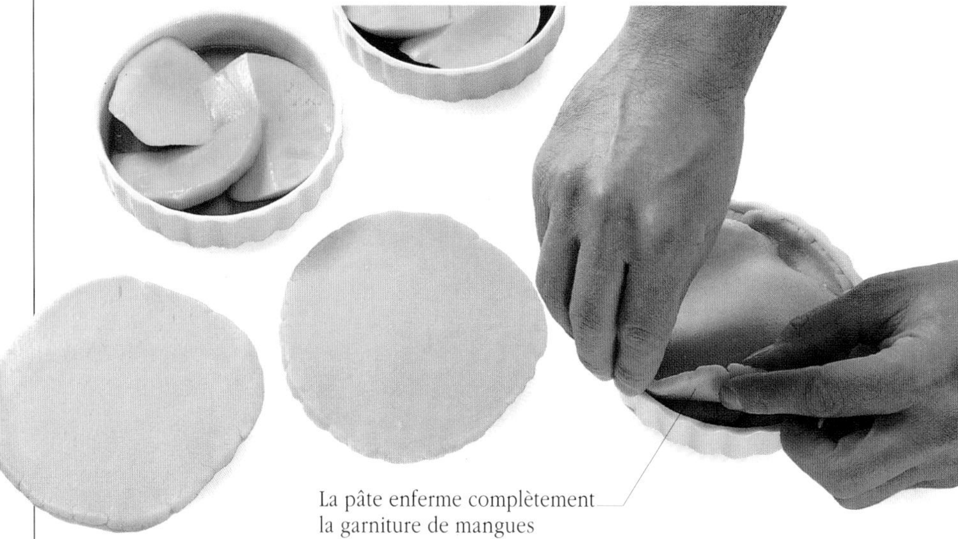

La pâte enferme complètement la garniture de mangues

5 Abaissez les boules de pâte en cercles de 12 cm de diamètre. Posez-les sur les plats à rôtir et glissez-en le bord entre les parois et les mangues. Laissez la pâte se raffermir 15 min au réfrigérateur. Préchauffez le four à 200 °C. Enfournez les tartelettes sur la plaque à pâtisserie pour 20 à 25 min.

Le couvercle de pâte deviendra après la cuisson la base de la tartelette

FAIRE UNE PÂTE SUCRÉE DANS UN ROBOT MÉNAGER

La pâte doit former des miettes humides

1 Coupez le beurre en morceaux. Dans un petit bol, mélangez les jaunes d'œufs et l'extrait de vanille. Mettez la farine dans le robot ménager avec le sucre et le sel et faites tourner l'appareil 5 s. Ajoutez le beurre et continuez à mixer de 10 à 15 s, jusqu'à ce que la préparation fasse de grosses miettes.

2 Ajoutez les jaunes d'œufs et faites de nouveau tourner l'appareil de 25 à 30 s, jusqu'à ce que les miettes de pâte aient la taille de petits pois. Si elles sont sèches, ajoutez 1 ou 2 cuil. à soupe d'eau.

3 Mettez la pâte sur un plan de travail légèrement fariné. Pressez-la pour former une boule et pétrissez-la sous le talon de votre main, jusqu'à ce qu'elle soit souple. Mettez au réfrigérateur.

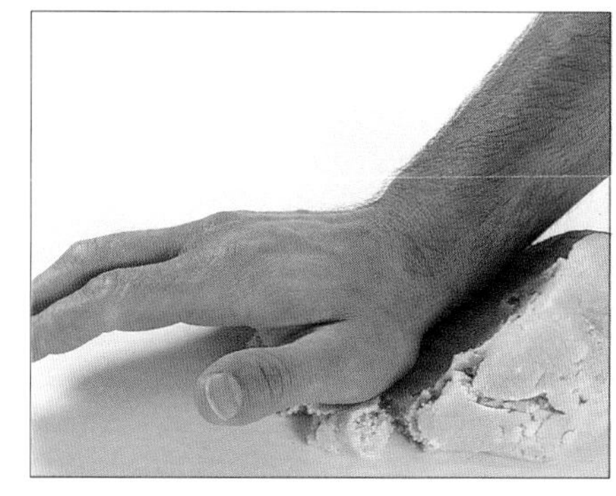

3 PRÉPARER LE COULIS ; DÉMOULER LES TARTELETTES

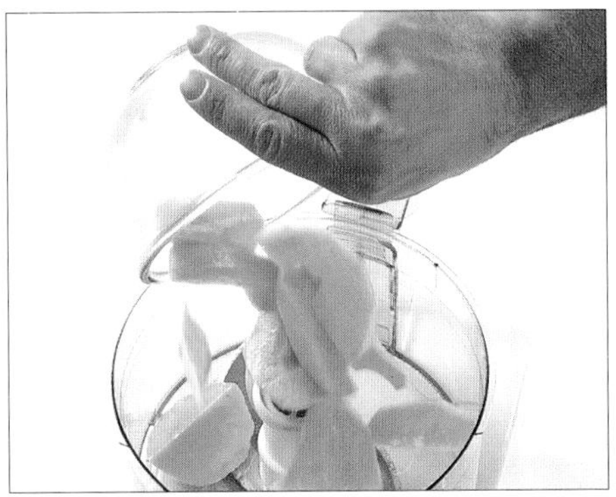

1 Préparez le coulis de mangue : mettez le reste de la chair des fruits dans le robot ménager et réduisez-le en purée.

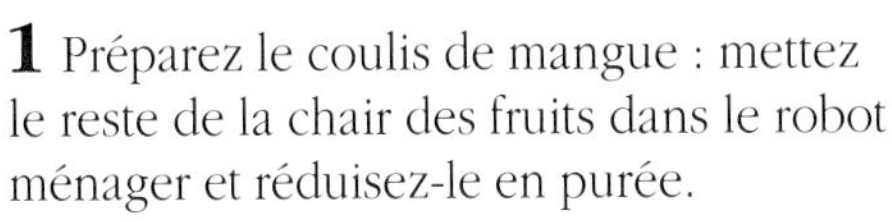

2 Mettez la purée dans un bol; incorporez-y le jus de citron vert. Goûtez et ajoutez éventuellement du sucre glace. Mettez au réfrigérateur.

3 Sortez les tartelettes du four quand les couvercles de pâte sont bien dorés. Laissez-refroidir dans les plats de 2 à 3 min. Pour le démoulage, posez une petite assiette sur un plat; en tenant fermement le tout, retournez-le. Si une tranche de mangue attachait au fond, décollez-la avec une palette et replacez-la avec les autres. Procédez de la même façon pour les autres tartelettes.

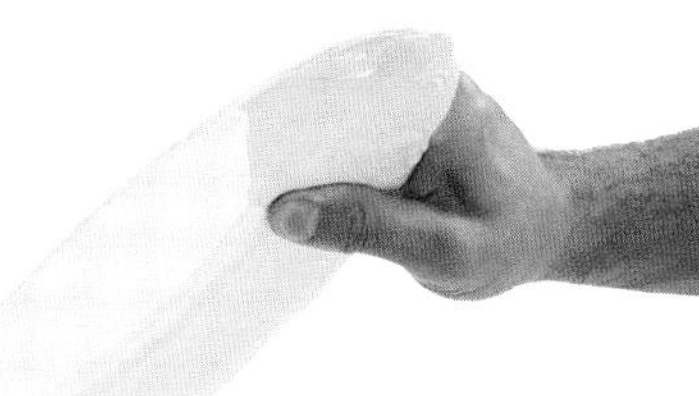

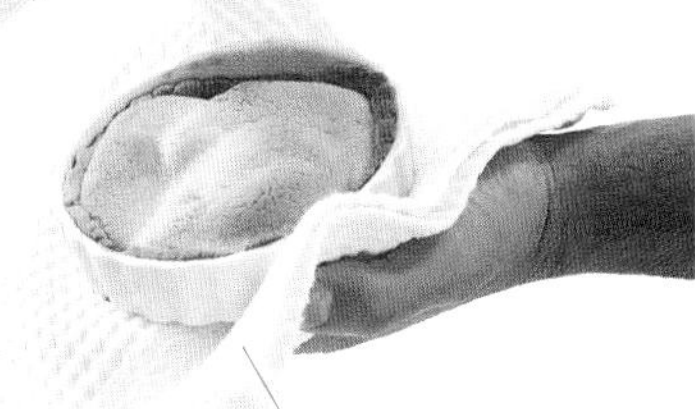

Protégez votre main de la chaleur du plat avec un torchon

POUR SERVIR

Servez aussitôt. Accompagnez chaque tartelette d'un tortillon de citron vert. Proposez le coulis de mangue à part.

Le caramel et la mangue se marient parfaitement

V A R I A N T E

TARTE TATIN AUX PÊCHES

Choisissez des pêches bien fermes pour qu'elles gardent leur forme à la cuisson.

1 N'utilisez ni mangues, ni coulis. Faites la pâte et mettez-la au réfrigérateur.
2 Préparez le caramel et versez-le sur le fond d'un plat à rôtir rond de 24 cm de diamètre. Laissez refroidir.
3 Mettez 1 kg de pêches 10 s dans de l'eau bouillante, puis plongez-les dans un bol d'eau froide. Ouvrez une pêche en deux, en vous guidant sur le sillon. Faites pivoter les moitiés entre vos mains pour les séparer; si la chair adhère au noyau, détachez-la avec la pointe d'un couteau. Pelez les moitiés de pêche et coupez-les en deux dans le sens de la longueur. Procédez de la même façon pour les autres fruits.
4 Disposez les quartiers de pêche sur le caramel, en les serrant bien, côté bombé vers le haut, en cercles concentriques.
5 Sur un plan de travail légèrement fariné, abaissez la pâte en un cercle de 28 cm de diamètre. Enroulez-la sur le rouleau à pâtisserie et déposez-la sur le plat. Glissez-en le bord entre ses parois et les pêches. Enfournez la tarte pour 30 à 35 min. Laissez-la tiédir.
6 Pour le démoulage, posez un plateau sur le plat à rôtir. En tenant fermement le tout, retournez-le. Servez aussitôt, découpé en parts.

TARTE AU MINCEMEAT FRAIS

POUR 8 PERSONNES  PRÉPARATION : DE 40 À 45 MIN*  CUISSON : DE 40 À 45 MIN

ÉQUIPEMENT

moule à tarte à fond amovible de 24 cm de diamètre

râpe

couteau chef

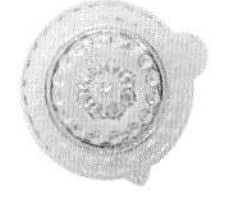
presse-agrumes

couteau d'office

papier sulfurisé

couteau éplucheur

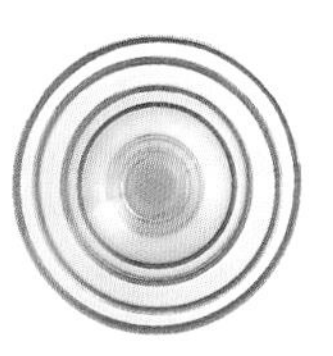
bols

planche à découper

cuiller parisienne

pinceau à pâtisserie

malaxeur à pâte**

raclette à pâtisserie

grille à pâtisserie

brochette en inox

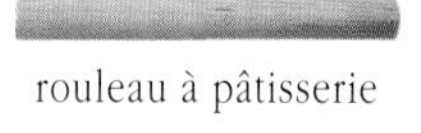
rouleau à pâtisserie

plaque à pâtisserie

** ou 2 grands couteaux à beurre

Le mincemeat — à l'origine composé de fruits secs, de graisse de bœuf, d'épices et d'une généreuse rasade d'alcool — était destiné à conserver la viande. Aujourd'hui, des fruits frais se marient au mélange traditionnel de fruits séchés et d'amandes pour donner la délicieuse garniture de cette tarte.

**plus 1 h de réfrigération*

LE MARCHÉ

1 pomme Granny Smith
1 citron
200 g de raisin frais sans pépins
1 cuil. à soupe de zeste d'orange confit haché
20 g d'amandes effilées
1 cuil. à café de cannelle, de noix de muscade et de quatre-épices en poudre mélangées
200 g de raisins de Corinthe et de Smyrne mélangés
100 g de cassonade
3 cuil. à soupe de whisky
beurre de whisky (voir encadré p. 232), pour servir (facultatif)

Pour la pâte

350 g de farine de blé supérieure
1 1/12 cuil. à soupe de sucre en poudre
1/2 cuil. à café de sel
60 g de margarine blanche
100 g de beurre doux, et un peu pour graisser le moule
10 cl d'eau, ou plus
1 œuf, et 1/2 cuil. à café de sel pour le glaçage

INGRÉDIENTS

farine de blé supérieure

citron

beurre doux

pomme Granny Smith

sucre en poudre

cassonade

œuf

whisky

écorce d'orange confite hachée

margarine blanche

amandes effilées

raisin frais sans pépins

raisins de Corinthe

raisins de Smyrne

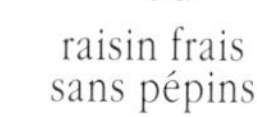

noix de muscade en poudre

quatre-épices en poudre

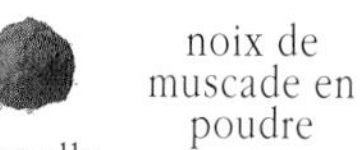
cannelle en poudre

DÉROULEMENT

1 FAIRE LA PÂTE; FONCER LE MOULE

2 PRÉPARER LA GARNITURE ET LES CROISILLONS; CUIRE LA TARTE

1 FAIRE LA PÂTE BRISÉE; FONCER LE MOULE

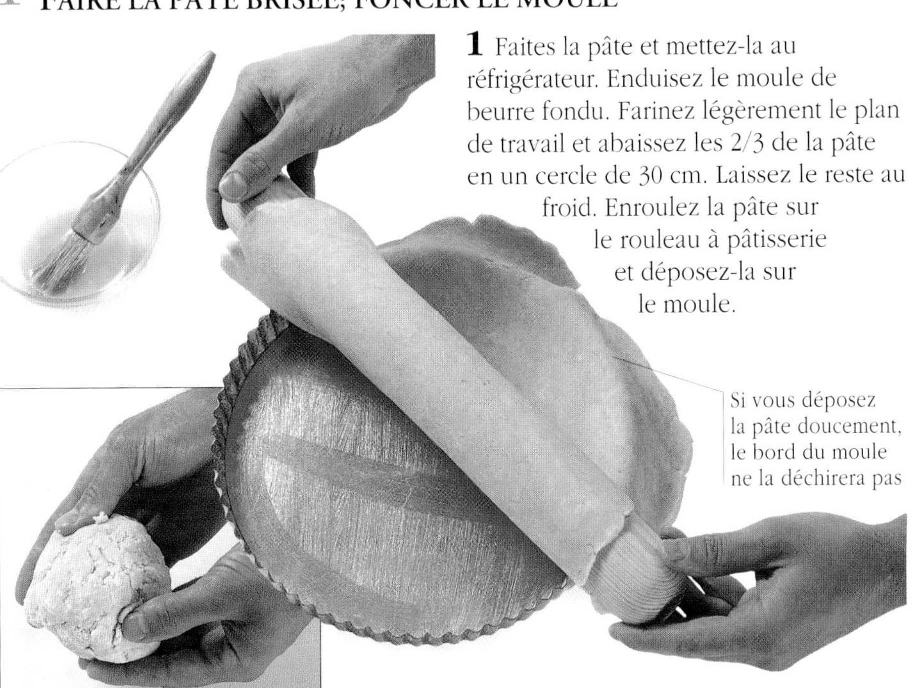

1 Faites la pâte et mettez-la au réfrigérateur. Enduisez le moule de beurre fondu. Farinez légèrement le plan de travail et abaissez les 2/3 de la pâte en un cercle de 30 cm. Laissez le reste au froid. Enroulez la pâte sur le rouleau à pâtisserie et déposez-la sur le moule.

Si vous déposez la pâte doucement, le bord du moule ne la déchirera pas

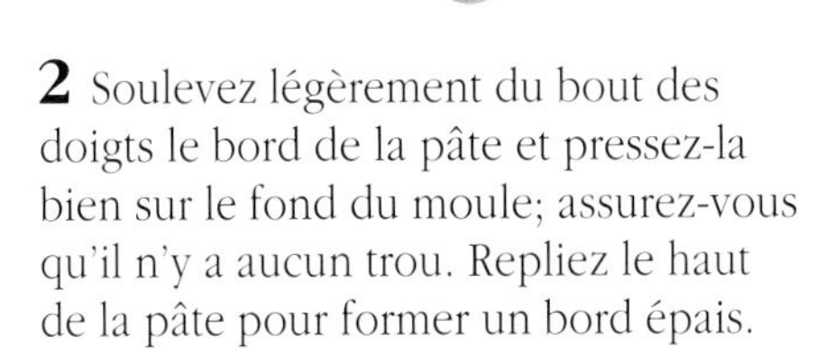

2 Soulevez légèrement du bout des doigts le bord de la pâte et pressez-la bien sur le fond du moule; assurez-vous qu'il n'y a aucun trou. Repliez le haut de la pâte pour former un bord épais.

3 Passez le rouleau à pâtisserie sur le haut du moule, en pressant pour découper l'excès de pâte. Réservez les chutes avec le reste de pâte.

4 Avec les pouces, pressez la pâte en haut du moule pour augmenter la hauteur du fond. Laissez-le se raffermir 15 min au réfrigérateur. Pendant ce temps, préparez la garniture.

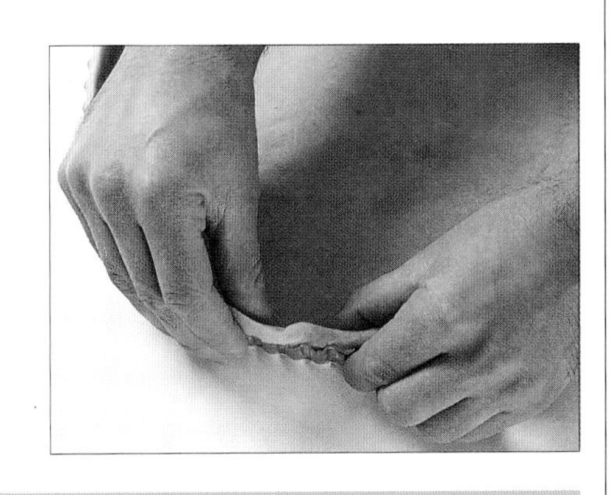

2 PRÉPARER LA GARNITURE ET LES CROISILLONS; CUIRE LA TARTE

1 Pelez la pomme et enlevez-en les extrémités. Coupez-la en deux et ôtez-en le cœur. Posez les moitiés à plat et détaillez-les en tranches de 1 cm, puis en lanières de 1 cm dans le sens de la longueur. Rassemblez-les et coupez-les en cubes.

Le jus de citron apporte du piquant à la garniture

2 Râpez le zeste du citron sur du papier sulfurisé. Ouvrez le fruit en deux et pressez-le. À l'aide du couteau d'office, coupez les grains de raisin en deux.

3 Mettez la pomme, le raisin frais, le zeste et le jus de citron, le zeste d'orange confit, les amandes, la cannelle, la noix de muscade et le quatre-épices en poudre, les raisins secs, le cassonade et le whisky dans un bol. Mélangez bien.

4 Versez à la cuiller le mincemeat frais sur le fond de pâte et étalez-le doucement avec le dos de la cuiller.

Le whisky relève la saveur des fruits secs et frais

5 Préparez le glaçage : battez l'œuf avec le sel. Abaissez le reste de pâte et découpez-y un carré de 28 cm de côté. À l'aide du couteau d'office, détaillez-le en lanières de 2 cm : vous devez en avoir 14.

6 Posez 7 lanières sur la garniture, à intervalles de 2 cm, en laissant leurs extrémités pendre à l'extérieur du moule. Repliez sur elle-même 1 lanière sur 2. Posez une huitième lanière au centre des lanières non repliées. Dépliez les lanières pliées pour la recouvrir, en laissant leurs extrémités pendre à l'extérieur. Repliez sur elles-mêmes les autres lanières.

Évitez d'étirer les lanières de pâte

BEURRE DE WHISKY

Le beurre de whisky est une variante du beurre de cognac, qui accompagne traditionnellement le Christmas pudding.

POUR 8 PERSONNES

PRÉPARATION : 15 MIN

RÉFRIGÉRATION : DE 1 À 2 H

LE MARCHÉ

125 g de beurre doux
100 g de sucre en poudre
5 cl de whisky

1 À l'aide d'un batteur électrique, travaillez le beurre en pommade. Ajoutez le sucre et continuez à fouetter de 2 à 3 min, jusqu'à ce qu'il soit mousseux. Incorporez le whisky, cuillerée après cuillerée. Mettez au réfrigérateur de 1 à 2 h.

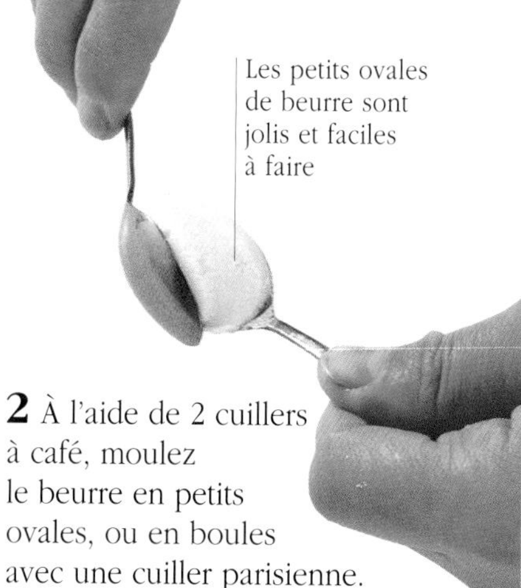

Les petits ovales de beurre sont jolis et faciles à faire

2 À l'aide de 2 cuillers à café, moulez le beurre en petits ovales, ou en boules avec une cuiller parisienne. Servez empilé sur un plat.

7 Placez la neuvième lanière à 2 cm de la huitième. Continuez à recouvrir ainsi la moitié de la tarte. Tournez le moule et recouvrez l'autre moitié.

8 Enduisez les extrémités des lanières avec de l'eau froide. Pressez-les du bout des doigts pour les sceller au fond de pâte, en enlevant les bouts qui dépassent. Badigeonnez les croisillons de glaçage.

9 Laissez raffermir 15 min au réfrigérateur. Préchauffez le four à 180 °C. Glissez-y la plaque à pâtisserie. Enfournez la tarte pour 40 à 45 min, jusqu'à ce que la pâte soit légèrement dorée et que la brochette piquée 30 s au centre du mincemeat en ressorte chaude. Laissez tiédir sur une grille à pâtisserie; posez le moule sur un bol pour enlever le bord.

Le bord du moule s'enlève facilement quand vous posez celui-ci sur un bol

Les croisillons laissent voir la garniture de mincemeat

POUR SERVIR

Glissez la tarte du fond du moule sur un plat. Découpez-la en parts et servez avec du beurre de whisky, si vous l'aimez.

V A R I A N T E

TARTE DE FÊTE AU MINCEMEAT

La garniture de cette tarte se compose de fruits secs

1 N'utilisez ni pomme, ni raisin frais. Faites la pâte brisée, mettez-la au réfrigérateur et foncez le moule en suivant la recette principale. Râpez le zeste du citron et pressez le fruit.
2 Hachez 100 g de figues séchées, 100 g de dattes séchées et 100 g d'abricots secs. Mélangez-les avec les raisins de Corinthe, les raisins de Smyrne, le zeste et le jus de citron, le zeste d'orange confit haché, les amandes, les épices, le sucre et le whisky. Versez à la cuiller cette garniture sur le fond et enduisez-en le bord d'eau froide. Abaissez le reste de pâte en un cercle de 20 cm. Pliez-le en quatre.
3 Faites des entailles de 2,5 cm dans le triangle de pâte; quand il sera déplié, vous obtiendrez des V.
4 Dépliez la pâte, enroulez-la sur le rouleau à pâtisserie et déposez-la sur le moule. Passez par-dessus le rouleau à pâtisserie pour enlever l'excès de pâte. Pressez les bords du fond et du couvercle pour les sceller, puis glacez à l'œuf. Laissez se raffermir au réfrigérateur, enfournez, démoulez et servez en suivant la recette principale.

SAVOIR S'ORGANISER

Vous pouvez préparer le mincemeat 2 semaines à l'avance et le conserver, couvert, au réfrigérateur. La pâte se garde 48 h, bien emballée, au froid. Composez et cuisez la tarte 8 h au maximum avant de servir.

Tarte à la rhubarbe et aux fraises

POUR 6 À 8 PERSONNES — PRÉPARATION : DE 30 À 35 MIN* — CUISSON : DE 50 À 55 MIN

Équipement

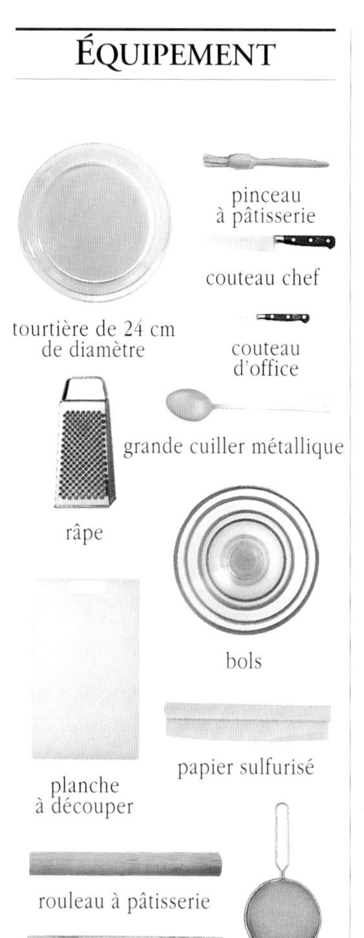

brochette en inox

plaque à pâtisserie

grille à pâtisserie

La rhubarbe acidulée, l'un des premiers fruits du printemps, se marie avec de douces fraises dans cette délicieuse tarte, qui se sert chaude ou à température ambiante. De la crème fraîche ou de la glace l'accompagnent agréablement.

Savoir s'organiser

Vous pouvez préparer la pâte 48 h à l'avance et la conserver, bien emballée, au réfrigérateur. La tarte est meilleure le jour même de la cuisson.

**plus 1 h de réfrigération*

Le marché

1 kg de rhubarbe
400 g de fraises
1 orange
250 g de sucre en poudre
1/4 de cuil. à café de sel
30 g de farine de blé supérieure
1 cuil. à soupe de beurre doux, et un peu pour graisser la tourtière

Pour la pâte

350 g de farine de blé supérieure
2 cuil. à soupe de sucre en poudre (facultatif)
1/2 cuil. à café de sel
150 g de margarine blanche
10 cl d'eau froide, ou plus

Pour le glaçage

1 cuil. à soupe de lait
1 cuil. à soupe de sucre en poudre

Ingrédients

rhubarbe

fraises

farine de blé supérieure

beurre doux

orange

matière grasse végétale

sucre en poudre

lait

Déroulement

1 Faire la pâte et foncer la tourtière

2 Préparer la garniture et remplir la tourtière

3 Couvrir, décorer et cuire la tourte

1 FAIRE LA PÂTE ET FONCER LA TOURTIÈRE

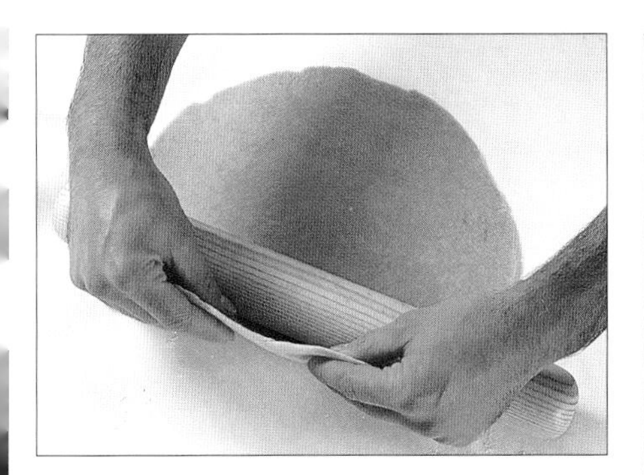

1 Faites la pâte et mettez-la au réfrigérateur. Enduisez la tourtière de beurre fondu. Farinez légèrement le plan de travail. Abaissez les 2/3 de la pâte en un cercle qui doit dépasser de 5 cm le haut de la tourtière. À l'aide du rouleau à pâtisserie, déposez-la sur le plat.

2 Soulevez légèrement du bout des doigts le bord de la pâte et, avec l'autre main, pressez-la bien sur le fond et les parois de la tourtière.

Égalisez le bord de la pâte à petits coups de couteau

3 Soulevez la tourtière et égalisez la pâte tout autour avec un couteau à bout rond. Réservez les chutes. Laissez raffermir le fond de pâte au réfrigérateur 15 min environ.

2 PRÉPARER LA GARNITURE AUX FRUITS ET REMPLIR LA TOURTIÈRE

1 Parez les tiges de rhubarbe, lavez-les et égouttez-les. Rassemblez-les par 2 ou 3 et coupez-les en tranches de 1,5 cm. Équeutez les fraises; ne les lavez que si elles sont sales. Coupez-les en deux ou en quatre selon leur taille.

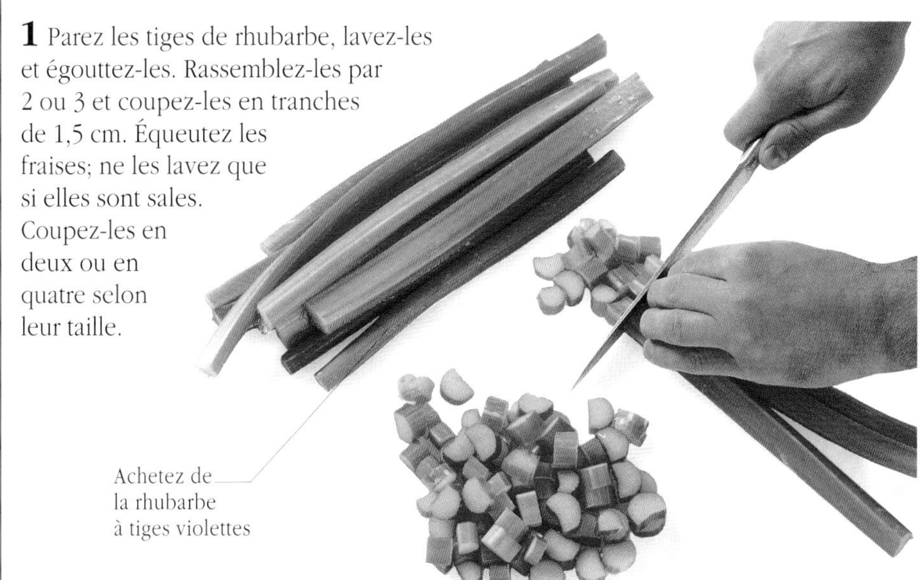

Achetez de la rhubarbe à tiges violettes

2 À l'aide de la grille moyenne de la râpe, râpez le zeste de l'orange sur du papier sulfurisé.

3 Mélangez la rhubarbe, le zeste d'orange, le sucre, le sel et la farine. Ajoutez les fraises et remuez doucement.

4 Versez à la cuiller la préparation aux fruits dans la tourtière foncée, en la remplissant bien. Coupez le beurre en petits morceaux et répartissez-les sur la garniture.

Les cubes de beurre enrichissent la garniture

3 COUVRIR, DÉCORER ET CUIRE LA TOURTE

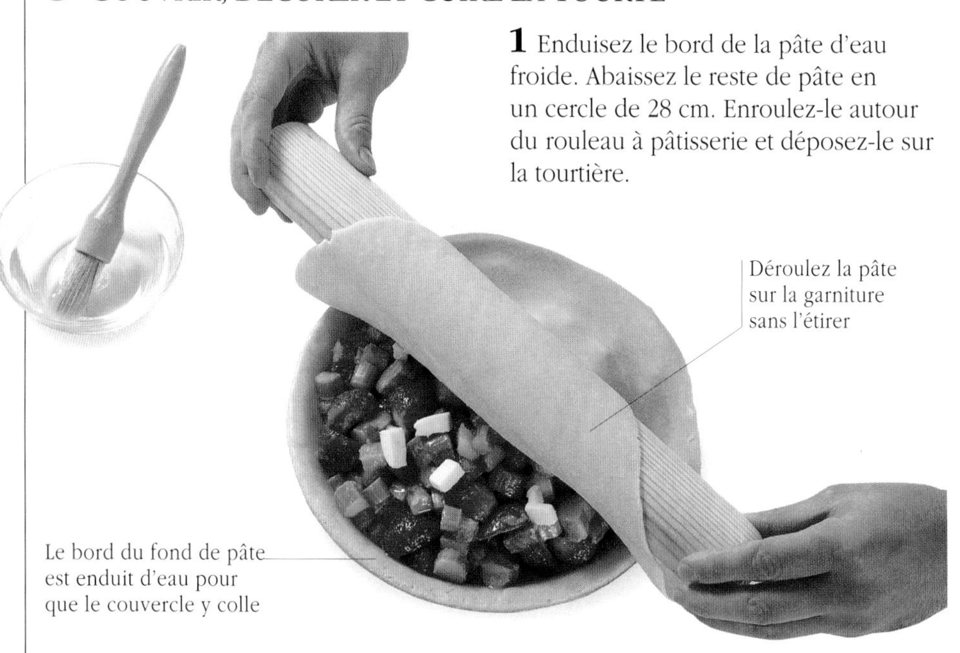

1 Enduisez le bord de la pâte d'eau froide. Abaissez le reste de pâte en un cercle de 28 cm. Enroulez-le autour du rouleau à pâtisserie et déposez-le sur la tourtière.

Déroulez la pâte sur la garniture sans l'étirer

Le bord du fond de pâte est enduit d'eau pour que le couvercle y colle

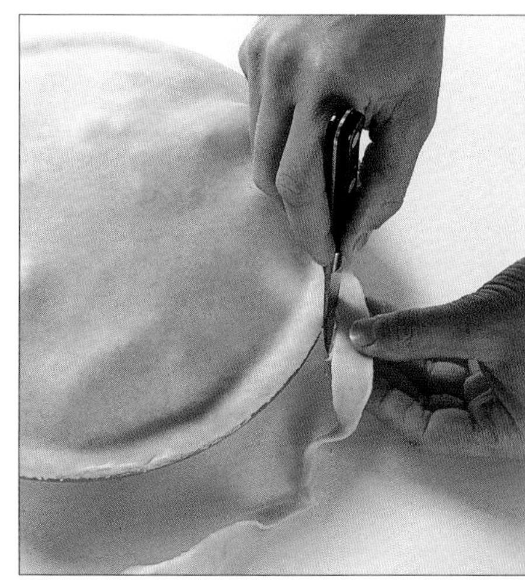

2 Égalisez le couvercle de pâte à la taille de la tourtière. Pressez les 2 bords de pâte pour les sceller.

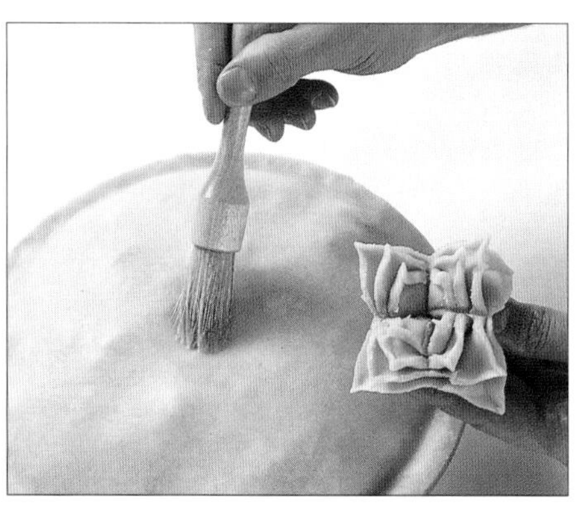

3 Faites une rose avec les chutes de pâte (voir encadré ci-dessous). Enduisez d'un peu d'eau froide le centre du couvercle de pâte et collez-y la rose en pressant légèrement.

4 À l'aide du couteau d'office, faites de petites entailles dans le couvercle pour que la vapeur puisse s'échapper.

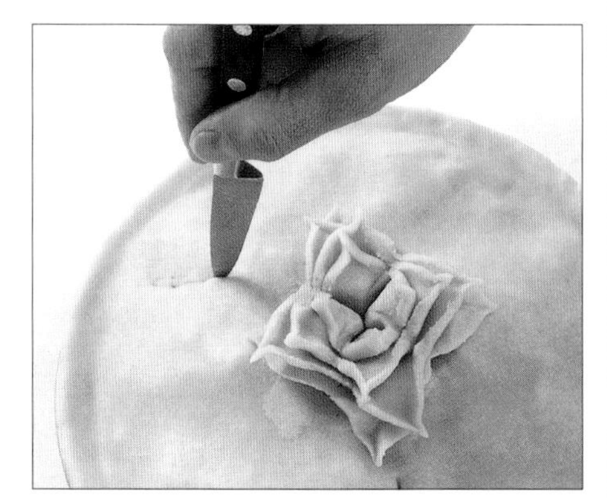

FAIRE UNE ROSE EN PÂTE

Les roses sont des décorations traditionnelles des tourtes sucrées ou salées. Faciles à réaliser avec des chutes de pâte, elles terminent bien la présentation.

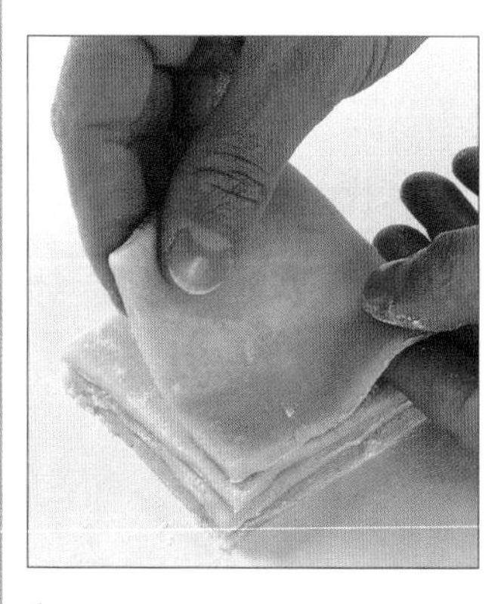

1 Abaissez la pâte en un rectangle de 8 x 32 cm, sur une épaisseur de 5 mm. Farinez-le et coupez-le en 4 carrés. Empilez-les.

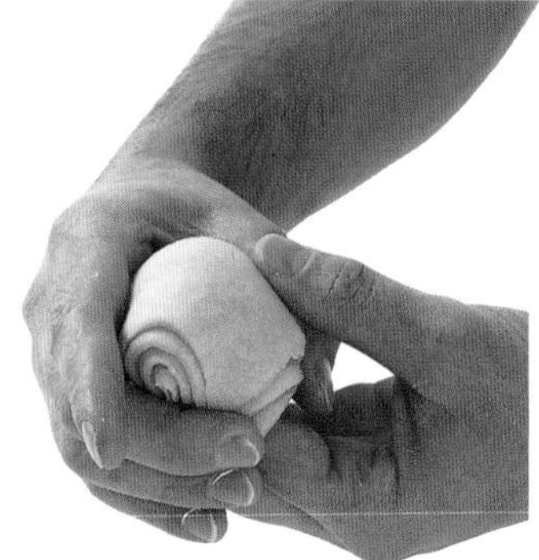

2 Posez les carrés sur le bout de votre index. Rabattez les extrémités vers le bas et pincez les carrés avec votre autre main pour former une boule.

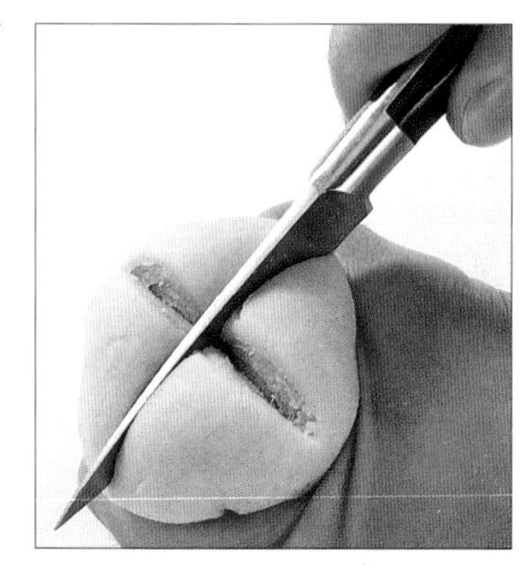

3 À l'aide d'un couteau d'office, et sans l'entailler complètement, dessinez à la surface de la boule de pâte une croix profonde.

4 Ouvrez les carrés pour former les pétales. Enlevez la pâte qui se trouve à la base de la rose.

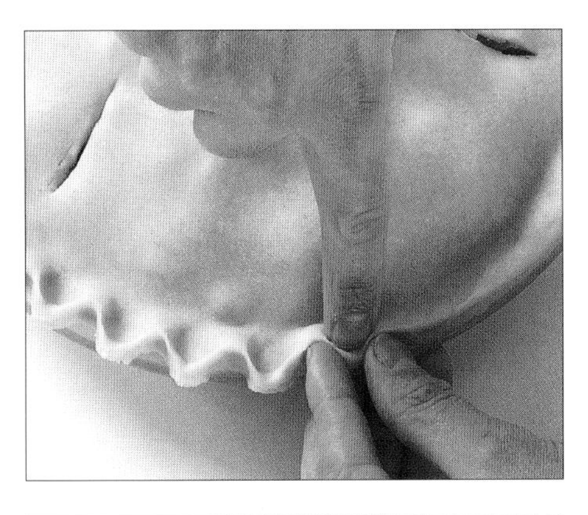

5 Cannelez le bord de la tourte : posez le bout de l'index sur la pâte, en le pointant vers l'extérieur. Avec le pouce et l'index de votre autre main, poussez vers l'intérieur. Faites ainsi des cannelures tout autour de la tourte.

La brochette permet de vérifier rapidement la cuisson

6 Enduisez de lait le couvercle de pâte et saupoudrez-le de sucre. Laissez la tourte raffermir au réfrigérateur 15 min environ. Préchauffez le four à 220 °C. Glissez-y la plaque à pâtisserie.

7 Enfournez la tourte pour 20 min. Baissez la température du four à 180 °C et cuisez de 30 à 35 min encore, jusqu'à ce que la pâte soit bien dorée et que la rhubarbe soit tendre quand vous la piquez avec la brochette à travers une des entailles. Posez sur la grille à pâtisserie et laissez refroidir.

La rose de pâte dorée est une jolie décoration sur la tourte

POUR SERVIR

Mettez la tourte sur un plat. Coupez-la en parts et servez chaud ou à température ambiante.

VARIANTE

APPLE PIE

L'Apple pie se sert chaud avec une tranche de cheddar ou une cuillerée de glace.

1 N'utilisez ni rhubarbe, ni fraises, ni orange. Faites la pâte et laissez-la se raffermir au réfrigérateur. Foncez la tourtière et mettez-la au froid.
2 Pelez 1 kg de pommes fermes et acidulées; ôtez-en les extrémités. Coupez-les en deux et enlevez-en le cœur. Posez-les à plat et détaillez-les en tranches moyennes. Mettez-les dans un bol. Arrosez-les avec le jus d'un citron.
3 Saupoudrez les pommes avec 100 g de sucre, 2 cuil. à soupe de farine, 1/2 cuil. à café de cannelle en poudre, 1/4 de cuil. à café de noix de muscade en poudre et une pincée de sel. Remuez jusqu'à ce qu'elles soient bien enrobées. Goûtez et ajoutez éventuellement un peu de sucre ou d'épices.
4 Abaissez le reste de pâte et couvrez la tourte. À l'aide d'un couteau d'office, ouvrez en croix le centre du couvercle de pâte. Rabattez la pointe de chaque triangle pour laisser apparaître la garniture. Cannelez le bord de la tourte, mais poussez selon un angle plus aigu pour obtenir de petites pointes.
5 Abaissez les chutes de pâte en une bande de 50 cm. Coupez-la en lanières de 3 mm. Humectez le couvercle de pâte et disposez les lanières dessus, en un motif torsadé. Terminez et cuisez la tourte en suivant la recette principale. Servez chaud.

TARTE AU CITRON

POUR 8 PERSONNES — PRÉPARATION : DE 40 À 45 MIN* — CUISSON : DE 25 À 30 MIN**

ÉQUIPEMENT

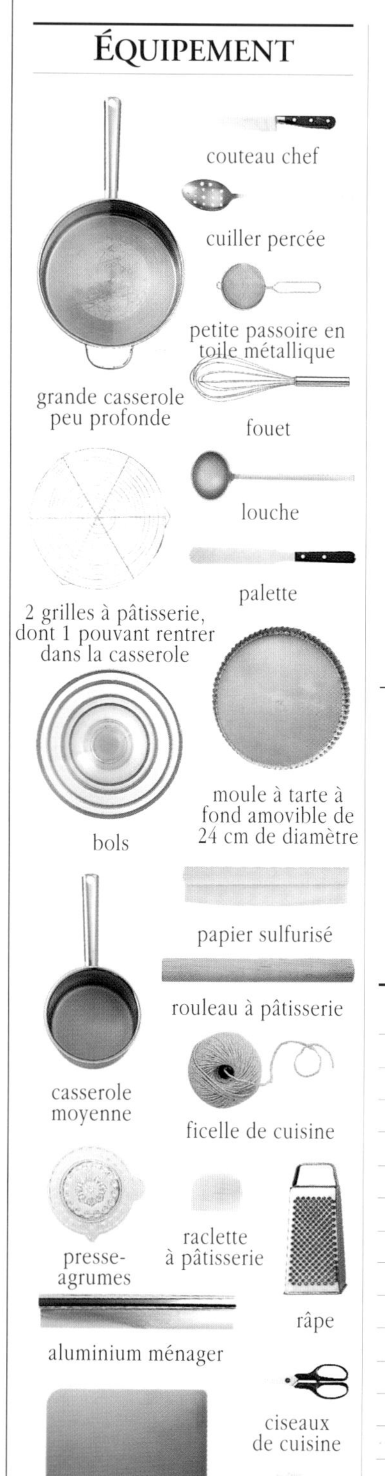

Cette tarte, avec sa garniture de crème parfumée au zeste et au jus de citron, s'inspire d'une création de Maurice Ferré, de chez Maxim's.

SAVOIR S'ORGANISER

Faites confire les tranches de citron au moins 24 h à l'avance, et conservez-les à température ambiante. Vous pouvez préparer la pâte 24 h à l'avance et la garder, bien emballée, au réfrigérateur. Ne cuisez pas la tarte plus de 8 h avant de servir, et ajoutez les tranches de citron au dernier moment.

** plus 24 h de repos pour les tranches de citron confites et 45 min de réfrigération pour la pâte sucrée*

*** plus 15 min de cuisson à blanc*

LE MARCHÉ

1 orange
3 citrons
3 œufs entiers
1 jaune d'œuf
150 g de sucre en poudre

Pour les tranches de citron confites

2 citrons
250 g de sucre en poudre
50 cl d'eau

Pour la pâte

200 g de farine de blé supérieure, ou plus
100 g de beurre doux, et un peu pour graisser le moule
60 g de sucre en poudre
1/2 cuil. à café d'extrait de vanille
1/4 de cuil. à café de sel
3 jaunes d'œufs

INGRÉDIENTS

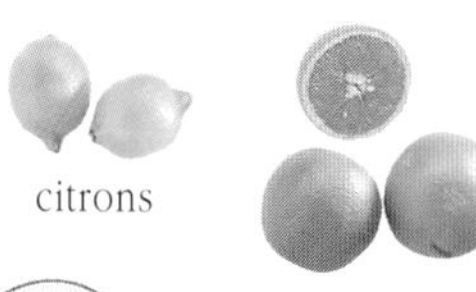

citrons — orange

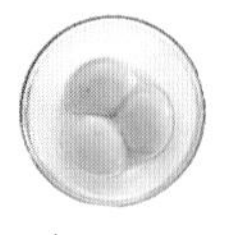

jaunes d'œufs

sucre en poudre

farine de blé supérieure

œufs

extrait de vanille

beurre doux

CONSEIL MALIN

Les tranches de citron doivent être confites au moins 24 h à l'avance; si vous manquez de temps, ne les préparez pas et décorez la tarte avec des rosettes de crème Chantilly.

DÉROULEMENT

1 CONFIRE LE CITRON

2 FAIRE LA PÂTE, FONCER LE MOULE ET CUIRE LE FOND À BLANC

3 PRÉPARER LA GARNITURE; TERMINER LA TARTE

1 CONFIRE LES TRANCHES DE CITRON

1 Ôtez les extrémités des citrons. Coupez-les en tranches de 3 mm; enlevez tous les pépins.

2 Remplissez d'eau une casserole moyenne et portez à ébullition. Mettez-y les tranches de citron et faites-les blanchir 3 min environ, jusqu'à ce qu'elles commencent à s'attendrir. Sortez-les à l'aide de la cuiller percée et laissez-les s'égoutter.

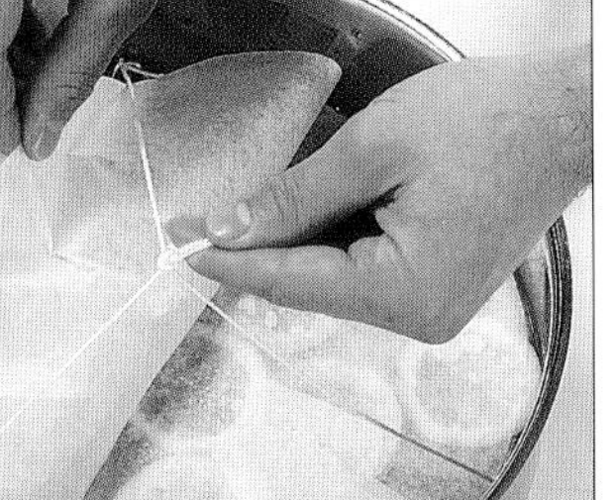

3 Attachez 3 morceaux de ficelle à la grille à pâtisserie ronde au diamètre de la grande casserole. Mettez-y l'eau et le sucre et portez à léger frémissement. Posez les tranches de citron sur la grille, nouez les extrémités des ficelles, et plongez-la dans le sirop. Posez au-dessus un cercle de papier sulfurisé.

4 Portez de nouveau à léger frémissement, en 10 à 12 min. Laissez pocher les tranches de citron 1 h environ, jusqu'à ce qu'elles soient tendres. Ajoutez éventuellement un peu d'eau durant la cuisson pour qu'elle les baigne toujours. Sortez la casserole du feu et laissez-les refroidir dans le sirop. Gardez-les ainsi 24 h au moins, à température ambiante, couvertes du cercle de papier sulfurisé.

Les tranches de citron doivent être juste recouvertes d'eau

La poignée de ficelle est très pratique

2 FAIRE LA PÂTE, FONCER LE MOULE ET CUIRE LE FOND DE PÂTE À BLANC

1 Préparez la pâte et mettez-la au réfrigérateur. Enduisez le moule de beurre fondu. Abaissez la pâte en un cercle de 30 cm. Enroulez-le sur le rouleau à pâtisserie et déposez-le sur le moule.

2 Soulevez légèrement du bout des doigts le bord de la pâte et pressez-la bien sur le fond et les parois du moule. Laissez-la un peu dépasser du bord. Passez le rouleau à pâtisserie au-dessus du moule pour ôter l'excès de pâte.

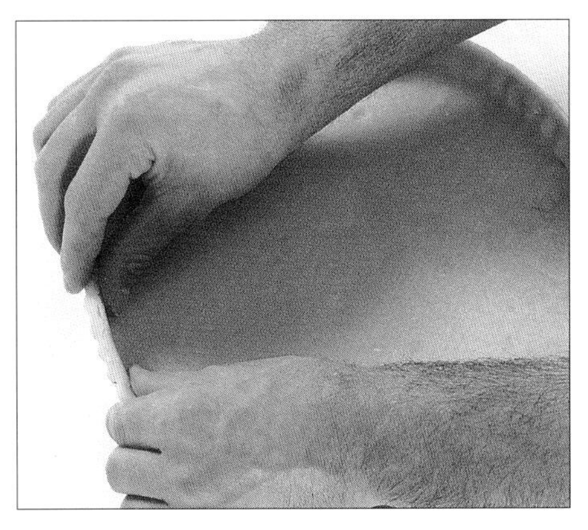

3 Avec les pouces, repliez l'excès de pâte pour obtenir un bord épais. Laissez se raffermir au réfrigérateur 15 min.

4 Préchauffez le four à 200 °C. Glissez-y la plaque à pâtisserie. Chemisez le fond de pâte avec une double épaisseur d'aluminium ménager. Remplissez-le de riz jusqu'à mi-hauteur.

5 Enfournez le fond pour 10 min, jusqu'à ce que les bords commencent à dorer. Baissez la température du four à 190 °C. Poursuivez la cuisson 5 min encore, jusqu'à ce que la pâte soit dorée. N'éteignez pas le four. Posez le moule sur une grille à pâtisserie et laissez refroidir.

3 PRÉPARER LA GARNITURE; TERMINER LA TARTE

1 Râpez le zeste des oranges et des citrons, puis pressez les fruits : vous devez obtenir 25 cl de jus environ.

Le jus d'orange compense l'acidité du jus de citron

N'entamez pas la membrane blanche amère des agrumes

2 Mettez les œufs, le jaune d'œuf et le sucre dans un bol moyen. Ajoutez le zeste et le jus des agrumes et fouettez jusqu'à ce que tous les ingrédients soient parfaitement mélangés.

3 Posez le moule sur une plaque à pâtisserie. Remplissez à la louche le fond de pâte de garniture et enfournez pour 25 à 30 min, jusqu'à ce qu'elle soit bien prise.

4 Mettez le moule sur la plaque à pâtisserie et laissez légèrement refroidir. Posez le moule sur un grand bol et enlevez-en le bord.

Le bord du moule s'enlève facilement

5 Glissez la tarte sur un plat pour qu'elle refroidisse jusqu'à température ambiante. Sortez du sirop la grille portant les tranches de citron confites et laissez-les s'égoutter.

6 À l'aide de la palette, disposez les tranches de citron sur la garniture, en commençant par l'extérieur. Servez découpé en parts.

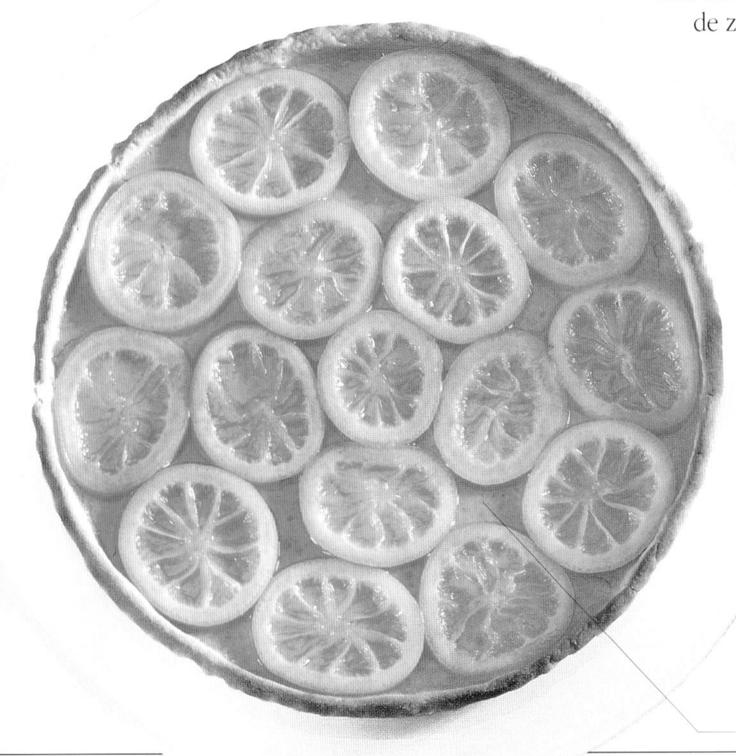

Les tranches de citron confites couronnent la tarte

VARIANTE

TARTE AU CITRON VERT ET À LA CARDAMOME

Cette tarte, garnie d'une crème au citron vert, est couronnée par des motifs de Chantilly et une julienne de citron vert.

1 Remplaçez 4 des citrons par 4 citrons verts; vous ne les confirez pas. Préparez la pâte et mettez-la au réfrigérateur; foncez un moule et cuisez le fond à blanc.
2 Prélevez le zeste d'un des citrons verts. Détaillez-le en très fine julienne. Remplissez une petite casserole d'eau, portez à ébullition, mettez-y la julienne et laissez blanchir de 2 à 3 min. Égouttez, rincez, égouttez de nouveau.
3 Râpez le zeste de 2 autres citrons verts et du citron jaune, puis pressez le citron jaune et les 4 citrons verts : vous devez obtenir 20 cl de jus environ. Préparez la garniture, avec le jus et le zeste des citrons jaune et verts, en ajoutant 20 cl de crème épaisse et 1/2 cuil. à café de cardamome en poudre. Cuisez la tarte au four, laissez-la refroidir et démoulez-la.
4 Préparez de la crème Chantilly (voir encadré à droite) avec 25 cl de crème épaisse, 1/2 cuil. à café d'extrait de vanille et 1 cuil. à soupe de sucre glace. Mettez-la dans une poche à douille avec embout étoilé moyen et disposez-la sur la tarte. Parsemez-en tout le tour de la julienne de zeste.

PRÉPARER UNE CRÈME CHANTILLY

1 Versez la crème épaisse dans un bol très froid. Travaillez-la au fouet ou au batteur électrique. Ajoutez le sucre glace et l'arôme de votre choix, et fouettez de nouveau jusqu'à ce qu'elle fasse une pointe ferme.

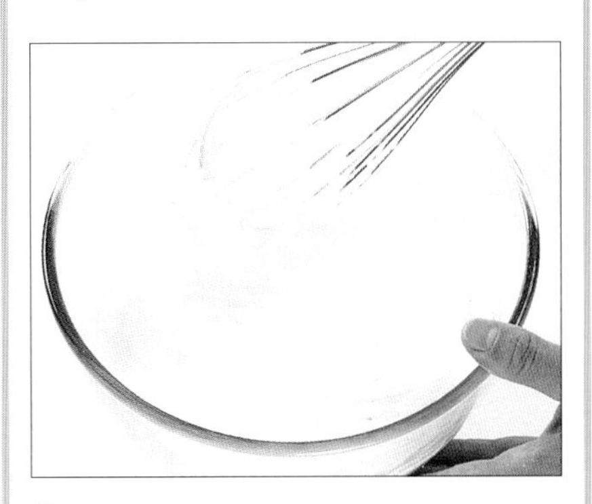

2 Continuez à fouetter jusqu'à ce que la crème reste accrochée entre les branches du fouet. Ne battez pas trop, car elle se déferait.

CROUSTADE GASCONNE AUX PÊCHES

POUR 6 À 8 PERSONNES — PRÉPARATION : DE 35 À 40 MIN* — CUISSON : DE 55 À 60 MIN

ÉQUIPEMENT

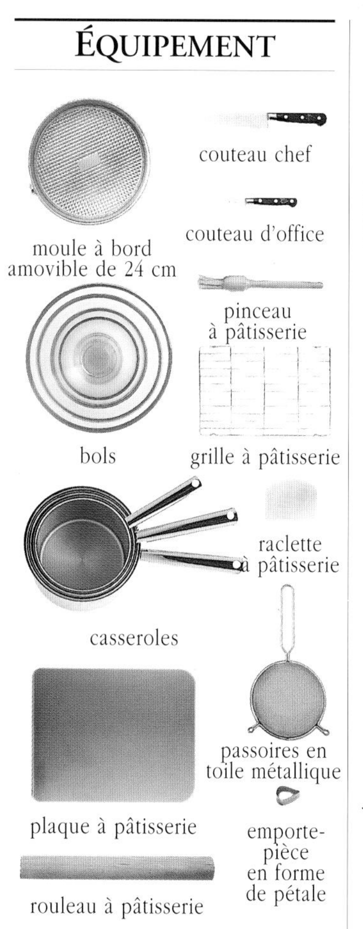

aluminium ménager

planche à découper

En Gascogne, les fruits séchés font partie intégrante de la gastronomie. Dans ce dessert hivernal, les pêches séchées, aromatisées avec de la liqueur de pêche, cuisent dans une croustade; un sorbet au citron les accompagnera parfaitement.

INGRÉDIENTS

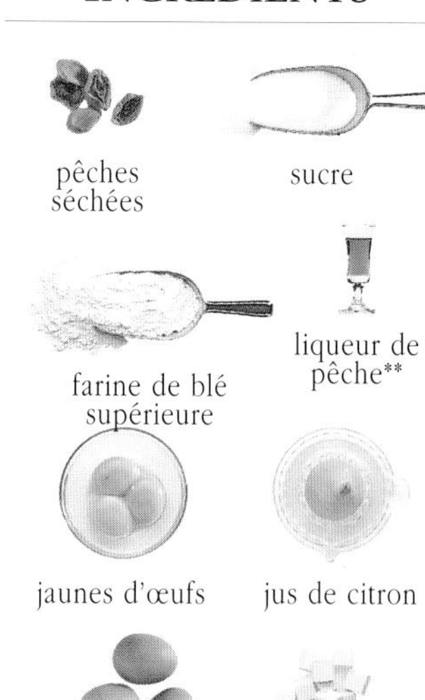

** ou cognac

SAVOIR S'ORGANISER

Vous pouvez préparer la pâte 48 h à l'avance et la conserver, bien emballée, au réfrigérateur. La garniture se garde 48 h au froid. Composez la tarte et cuisez-la 8 h au maximum avant de servir.

** plus 2 à 3 h de trempage et 30 min de réfrigération*

LE MARCHÉ

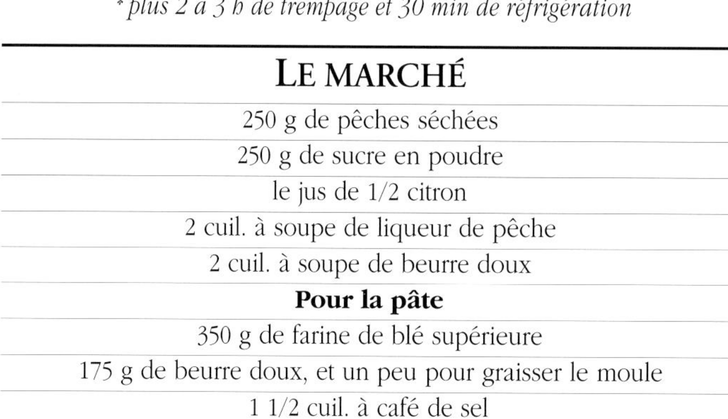

250 g de pêches séchées
250 g de sucre en poudre
le jus de 1/2 citron
2 cuil. à soupe de liqueur de pêche
2 cuil. à soupe de beurre doux

Pour la pâte

350 g de farine de blé supérieure
175 g de beurre doux, et un peu pour graisser le moule
1 1/2 cuil. à café de sel
1 œuf entier
2 jaunes d'œufs
1 ou 2 cuil. à soupe d'eau

DÉROULEMENT

1 FAIRE TREMPER LES PÊCHES ET PRÉPARER LA PÂTE

2 CUIRE LES PÊCHES; COMPOSER LA CROUSTADE

1 FAIRE TREMPER LES PÊCHES ET PRÉPARER LA PÂTE

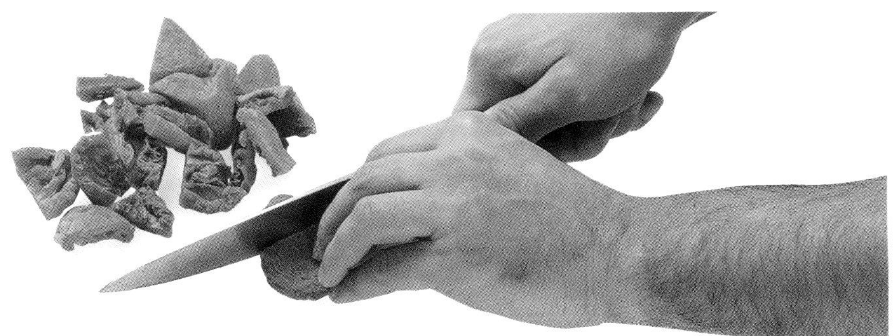

Avant le trempage, les pêches séchées ressemblent à du cuir

1 Posez les pêches séchées sur la planche à découper. À l'aide du couteau chef, détaillez-les en morceaux. Mettez-les dans un bol moyen.

2 Couvrez-les largement d'eau bouillante et laissez-les tremper de 2 à 3 h. Pendant ce temps, préparez la pâte brisée.

3 Tamisez la farine et le sel au-dessus du plan de travail. Avec les doigts, creusez un puits au centre.

4 Écrasez le beurre avec le rouleau à pâtisserie pour le ramollir. Mettez-le dans le puits avec le sel, l'œuf entier et les jaunes d'œufs. Travaillez ces ingrédients du bout des doigts jusqu'à ce qu'ils soient parfaitement mélangés.

Mélangez le beurre du bout des doigts

5 Ramenez la farine vers le centre à l'aide de la raclette à pâtisserie et incorporez-la aux autres ingrédients jusqu'à ce que le mélange forme de grosses miettes.

6 Si les miettes sont sèches, ajoutez 1 ou 2 cuil. à soupe d'eau froide. Pressez la pâte pour former une boule. Si elle colle, incorporez-lui un peu plus de farine.

7 Farinez légèrement le plan de travail. Pétrissez la pâte en la pressant sous le talon de votre main puis en la repliant sur elle-même de 1 à 2 min, jusqu'à ce qu'elle soit très souple. Donnez-lui la forme d'une boule, emballez-la bien et mettez-la au réfrigérateur 30 min.

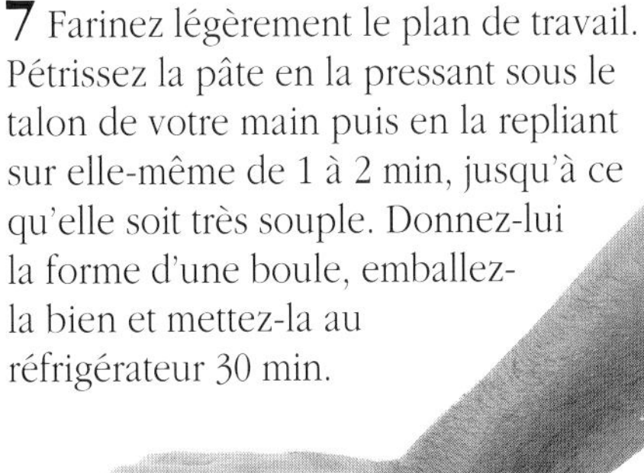

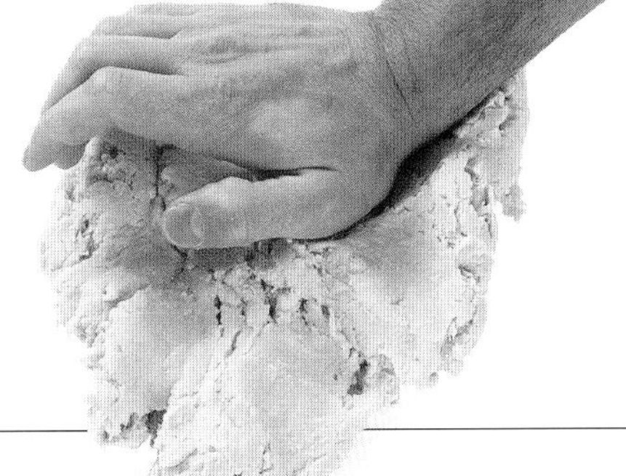

2 CUIRE LES PÊCHES; FONCER LE MOULE; COMPOSER LA CROUSTADE

1 Égouttez les pêches dans une passoire en toile métallique, en réservant le liquide de trempage pour les cuire. Hachez-les grossièrement.

2 Mettez 200 g de sucre dans une casserole. Versez le liquide de trempage et chauffez jusqu'à ce que le sucre soit fondu. Ajoutez les pêches et couvrez-les d'eau. Portez doucement à ébullition et laissez frémir de 20 à 25 min, en remuant de temps en temps.

Égouttez pour éliminer tout le liquide de cuisson

3 Égouttez longuement les pêches. Dans un grand bol, mélangez-les avec le jus de citron et la liqueur de pêche. Enduisez le moule de beurre fondu.

4 Farinez légèrement le plan de travail et abaissez 1/3 de la pâte en un disque de 38 cm de diamètre. Enroulez-la sur le rouleau à pâtisserie et déposez-la sur le moule. Soulevez-en légèrement le bord du bout des doigts et laissez-la retomber. Pressez-la fermement sur le fond et les parois. Disposez-y 1/3 des pêches en une couche régulière.

Soulevez la pâte pour qu'elle retombe d'elle-même dans le moule

5 Divisez le reste de pâte en 3 parts. Abaissez-en une en un disque de 24 cm de diamètre et déposez-le sur les pêches.

6 Disposez la moitié du reste de pêches sur ce disque. Abaissez la deuxième part de pâte en un disque de 24 cm de diamètre et déposez-le sur les pêches. Disposez le reste de pêches sur ce disque. Enduisez d'eau froide la pâte des parois du moule.

7 Abaissez la troisième part de pâte en un disque de 24 cm de diamètre. À l'aide de l'emporte-pièce, découpez tout autour des formes de pétales. Enduisez-les avec un peu d'eau froide et pressez-les doucement en rosace au centre du disque de pâte.

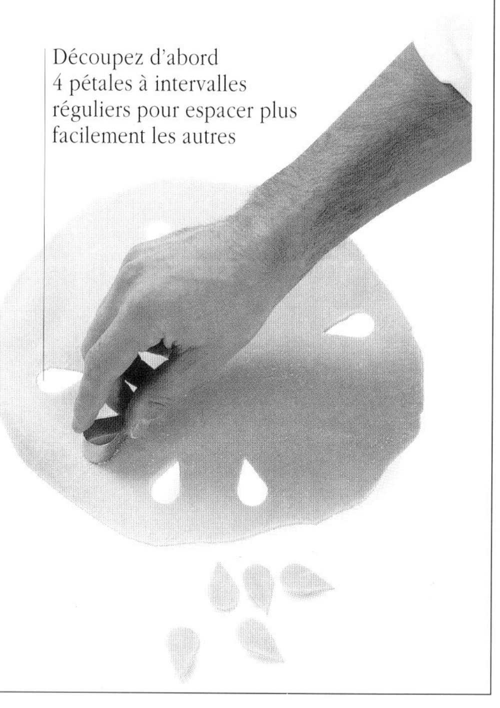

Découpez d'abord 4 pétales à intervalles réguliers pour espacer plus facilement les autres

8 Posez délicatement le disque de pâte sur la dernière couche de pêches et pressez pour le sceller à la pâte des parois du moule; enlevez-en l'excès avec la pointe du couteau d'office. Mettez 30 min au réfrigérateur. Préchauffez le four à 190 °C. Glissez-y la plaque à pâtisserie.

Enlevez bien l'excès de pâte pour que le bord de la croustade soit net

Les pétales évidés sont régulièrement répartis

9 Saupoudrez la croustade avec le reste du sucre. Coupez le beurre et répartissez-le au-dessus. Enfournez pour 55 à 60 min, jusqu'à ce que la brochette en inox piquée 30 s au centre du gâteau en ressorte chaude. Si la surface dore trop vite, couvrez d'aluminium ménager et baissez la température du four à 180 °C.

10 Posez la tarte sur la plaque à pâtisserie pour qu'elle tiédisse. Enlevez le bord du moule et laissez complètement refroidir.

POUR SERVIR

Glissez la croustade du fond du moule sur un plat, découpez-la en parts et servez à température ambiante.

Le sucre cuit apporte une touche rustique

Les pétales évidés laissent voir la garniture de pêches

VARIANTE

CROUSTADE AUX PRUNEAUX

Dans cette délicieuse tarte, les pruneaux remplacent les pêches séchées. Elles trempent d'abord dans de l'armagnac, l'alcool gascon par excellence.

1 N'utilisez ni pêches séchées, ni jus de citron, ni liqueur de pêche.
2 Faites la pâte brisée et mettez-la au réfrigérateur.
3 Coupez en deux 500 g de pruneaux. Faites-les d'abord tremper 15 min dans de l'eau chaude, puis égouttez-les. Arrosez-les avec 2 cuil. à soupe d'armagnac et 1 cuil. à soupe de sucre, et mélangez bien.
4 Foncez le moule et remplissez la croustade en suivant la recette principale, jusqu'au moment où vous abaissez le troisième disque de pâte. À l'aide d'un emporte-pièce, découpez-y 3 fleurs à intervalles réguliers et réservez-les. Mettez le disque de pâte sur la dernière couche de pruneaux. Égalisez-le et réservez les chutes.
5 Enduisez le dessous des fleurs avec un peu d'eau froide et posez-les de travers sur les fleurs évidées pour que la garniture reste visible. Abaissez les chutes et découpez-y 3 autres fleurs. Enduisez leur dessous d'eau froide et pressez-les sur le cercle de pâte, entre les autres. Cuisez la croustade.
6 Servez découpé en parts, accompagné de crème anglaise ou de glace à la vanille.

INDEX

GHIJ

KL

MN

OP

QR

STU

VWXYZ

Édition originale

Titres originaux : LOOK & COOK, 1992, *Meats Classics, Chicken Classics, Main Dish Vegetables, Perfect Pasta,* 1993, *Creative Appetizers, Superb Salads, Fish Classics, Italian Country Cooking,* 1994, *Perfect Pies and Tarts.*

Édition française

Adaptation pour cette édition : Marabout, 2000.

Photos : David Murray, Jules Selmes, assistés de Ian Boddy.

Imprimé et relié à Singapour par Tien Wah Press
Dépôt légal : n° 7877 / Décembre 2000
ISBN : 2-501-03461-9